COMPLEXO DE CINDERELA

Colette Dowling

COMPLEXO DE CINDERELA

Desvendando o medo inconsciente
da independência feminina

Tradução de
AMARYLIS EUGÊNIA F. MIAZZI

Dados Internacionais de Catalogação na Publicação (CIP)
(Câmara Brasileira do Livro, SP, Brasil)

Dowling, Colette
    Complexo de Cinderela / Colette Dowling; tradução Amarylis Eugênia F. Miazzi. — 4. ed. — São Paulo: Editora Melhoramentos, 2022.

    Título original: The Cinderella complex
    ISBN 978-65-5539-374-3

    1. Desenvolvimento pessoal 2. Mulheres - Aspectos psicológicos 3. Mulheres - Comportamento 4. Psicologia comportamental I. Título.

22-98761   CDD-155.34

Índices para catálogo sistemático:
    1. Mulheres: Psicologia comportamental 155.34

Aline Graziele Benitez — Bibliotecária — CRB-1/3129

Título original: *The Cinderella Complex — Women's Hidden Fear of Independence*
Copyright © 1981 by Colette Dowling
Esta edição foi publicada em acordo com Trident Media Group, LLC.

Tradução de © Amarylis Eugênia F. Miazzi
Revisão: Patrícia Santana
Projeto gráfico e diagramação: Bruna Parra
Capa: Bruno Santos
Imagem de capa: Pawel Czerwinski/Unsplash

Valium é uma marca registrada da Rochè / The Rolling Stones é uma marca registrada da ABKCO Music & Records, Inc. / Tektronix é uma marca registrada da Tektronix, Inc.

Direitos de publicação:
© 1982 Cia. Melhoramentos de São Paulo
© 2002, 2012, 2022 Editora Melhoramentos Ltda.
Todos os direitos reservados.

4.ª edição, 4.ª impressão, outubro de 2024
ISBN: 978-65-5539-374-3

Atendimento ao consumidor:
Caixa Postal 169 — CEP 01031-970
São Paulo — SP — Brasil
sac@melhoramentos.com.br
www.editoramelhoramentos.com.br

Siga a Editora Melhoramentos nas redes sociais:
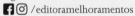 /editoramelhoramentos

Impresso no Brasil

O "COMPLEXO DE CINDERELA" CONTINUA VIVO

Colette Dowling, escritora e psicanalista americana, publicou o livro *O Complexo de Cinderela* pela primeira vez há 40 anos. O livro discute o desejo inconsciente das mulheres de buscar a proteção de um parceiro, situação esta, afirma Dowling, que em última estância pode levar ao medo, à submissão e à sabotagem da independência psicológica da mulher.

Na época em que o livro foi escrito, a autora fez uma vasta pesquisa envolvendo desde entrevistas com médicos e psicólogos até conversas com mulheres de diferentes idades e origens sociais. Também havia uma atividade vigorosa do movimento feminista com a intenção de alcançar a igualdade entre homens e mulheres – física, emocional e financeira –, o que proporcionou maior visibilidade para os temas pesquisados por Dowling.

Desde a primeira impressão do *Complexo de Cinderela*, os direitos civis vêm mudando a fim de alcançar 100% a igualdade social entre homens e mulheres, e uma destas grandes mudanças está na área de finanças pessoais, onde as mulheres conquistaram tremendos avanços nas últimas décadas.

"O interessante", diz Dowling, "é que ainda hoje, mesmo quando as mulheres ganham mais dinheiro do que seus companheiros, elas ainda têm conflitos por parecerem 'independentes demais' e podem realmente assumir uma posição submissa em casa, onde permitem que seus companheiros sejam os dominantes". Algumas mulheres descrevem isso como: "gerenciar seu ego".

"É um pouco como fingir um orgasmo, colocando as suas próprias necessidades em último lugar... um lugar onde os parceiros estão mais confortáveis", diz a autora.

As mulheres podem ser implacáveis no trabalho, mas em casa ainda podem recuar para a segurança da submissão. A paciente Phi Beta Kappa, 50 anos de idade, formada em direito na Universidade de Harvard, disse recentemente à autora: "Em casa, eu faço mais ou menos o que meu marido quer".

"Com o passar dos anos, a aparência de submissão pode ter mudado, a linguagem pode ter mudado, mas o desejo de jogar pelo seguro, submetendo-se ao príncipe, continua vivo", finaliza Colette Dowling.

Para minha mãe e meu pai.

SUMÁRIO

CAPÍTULO 1
O desejo de salvação 9

CAPÍTULO 2
Recuando: como as mulheres fogem aos desafios 27

CAPÍTULO 3
A reação feminina 57

CAPÍTULO 4
O desamparo feminino 83

CAPÍTULO 5
Dedicação cega 117

CAPÍTULO 6
Pânico do gênero feminino 145

CAPÍTULO 7
Libertando-se 181

Agradecimentos 205

Notas e fontes 207

CAPÍTULO 1
O DESEJO DE SALVAÇÃO

Estou sozinha no terceiro andar de nossa casa, de cama, em razão de uma forte gripe, tentando evitar que a doença passe para os outros. Sinto o quarto grande e frio e, com o correr das horas, estranhamente inóspito. Começo a recordar a garotinha pequena, vulnerável e indefesa que fui. Ao cair da noite já me sinto imprestável, não tanto pela gripe quanto pela ansiedade. "O que estou fazendo aqui, tão solitária, tão distanciada dos outros, tão... incerta?", pergunto a mim mesma. Que coisa estranha ver-me tão perturbada, afastada de meus familiares e de minha vida tão ocupada e frenética... desligada...

O fluxo de pensamentos se interrompe, e reconheço: eu sempre estou só. Cá está, sem aviso prévio, a verdade ignorada à custa de tanto dispêndio de energia. Odeio estar sozinha. Gostaria de viver como os marsupiais, dentro da pele de outrem. Mais que o ar, a energia e a própria vida, o que quero é estar segura, acalentada, cuidada. Espanto-me por descobrir que isso não é nada novo, pois vem sendo parte de mim há muito tempo.

Desde aqueles dias passados na cama, aprendi que há muitas mulheres como eu, milhares e milhares, criadas de um modo tal que nos impossibilita encarar a realidade adulta de que cabe a nós, apenas, a responsabilidade por nós mesmas. Podemos até verbalizar essa ideia, mas, no íntimo, não a aceitamos. Tudo na maneira como fomos educadas continha a mensagem de que seríamos *parte* de alguma outra pessoa — e de que seríamos protegidas, sustentadas, alimentadas pela felicidade conjugal até o dia de nossa morte.

É claro que, uma a uma, descobrimos — cada qual com os instrumentos respectivos — a mentira dessa promessa. Porém, apenas nos anos 1970, o cenário cultural se modificou, e as mulheres passaram a ser vistas, concebidas e tratadas de modo diferente. As expectativas em relação a nós mudaram. Foi-nos dito que nossos velhos sonhos de infância eram débeis e ignóbeis e que existiam coisas melhores a ambicionar: dinheiro, poder e a mais ilusória das condições – a liberdade. Além da capacidade de escolher o que *faríamos* de nossa vida, como pensaríamos e a que daríamos importância. Liberdade é melhor que segurança, diziam-nos; a segurança aleija.

Logo descobrimos, contudo, que a liberdade assusta. Ela nos apresenta possibilidades para as quais não nos sentimos equipadas: promoções, responsabilidade, oportunidades de viajar sozinhas sem homens a nos conduzir e a conveniência de fazer amigos por nossa conta. Todo tipo de perspectivas rapidamente abriu-se às mulheres; junto a isso, porém, vieram novas exigências: que cresçamos e paremos de nos esconder sob o manto paternalista daquele que escolhemos para representar o ente "mais forte"; que comecemos a basear nossas decisões em nossos próprios valores, não nos de nossos maridos, pais ou professores. A liberdade requer que nos tornemos autênticas e fiéis para conosco. Aqui é que surge a dificuldade, repentinamente, quando não mais basta sermos "boa esposa", ou "boa filha", ou "boa aluna". Pois, ao iniciarmos o processo de separar de nós as figuras de autoridade a fim de nos tornarmos autônomas, descobrimos que os valores que julgávamos ser nossos não o são. Pertencem a outrem – a pessoas de um passado vivo e mais abrangente. Por fim, a hora da verdade emerge: "Realmente não tenho nenhuma convicção própria. Realmente não sei no que acredito".

Essa experiência pode ser bem ameaçadora. Tudo aquilo de que tínhamos certeza parece desmoronar, tal como uma avalanche, enchendo-nos de incerteza em relação a tudo – e aterrorizando-nos. Essa atordoante perda de estruturas de apoio antiquadas – crenças nas quais nem mesmo cremos mais – pode marcar o início da verdadeira liberdade. Mas seu caráter assustador pode fazer-nos recuar para o conhecido, o familiar, aparentemente tão seguro.

Por que, tendo a chance de crescer, tendemos a recuar? Porque as mulheres não estão acostumadas a enfrentar o medo e ultrapassá-lo. Fomos sempre encorajadas a evitar qualquer coisa que nos amedronte; desde pequenas fomos ensinadas a só fazer as coisas que nos permitissem sentir-nos seguras e protegidas. *O fato é que jamais fomos treinadas para a liberdade, mas sim para seu oposto: a dependência.*

***

O problema remonta à infância. Àquela época em que estávamos em segurança, em que tudo já se achava resolvido ou determinado e podíamos contar com mamãe e papai para o que quer que necessitássemos. A hora de dormir não significava pesadelos, insônias ou a incessante e obsessiva compilação mental do que fizemos de errado naquele dia e que poderíamos ter feito melhor. Significava, antes, ficar na cama ouvindo o vento acariciar as árvores até o sono vir. Aprendi que existe uma ligação entre a tendência feminina à domesticidade e aqueles devaneios sobre infância que parecem repousar logo abaixo de nosso consciente. O fator subjacente é a dependência: a necessidade de nos apoiar em alguém ou, mais regressivamente, de ser alimentadas, cuidadas e preservadas de males. Essas necessidades perduram ao longo de nossas vida, clamando por satisfação, sem ser anuladas pela necessidade igualmente presente de autossuficiência. Até certo ponto, a necessidade de dependência é normal tanto em homens quanto em mulheres. Ocorre que, como veremos, desde pequenas as mulheres são incentivadas a uma dependência doentia. Qualquer mulher que se autoanalise sabe quão destreinada foi para sentir-se confiante perante a ideia de cuidar de si própria, afirmar-se como pessoa e defender-se. Na melhor das hipóteses, pode ter representado o papel de independente, intimamente invejando os meninos (e posteriormente os homens) por parecerem tão *naturalmente* autossuficientes.

A autossuficiência não é um bem agraciado aos homens pela natureza; ela é um produto de aprendizagem e treino. Os homens são educados para a independência desde o dia de seu nascimento. De modo igualmente sistemático, as mulheres são ensinadas a crer que, algum dia, de algum modo, serão salvas. Esse é o conto de fadas, a mensagem de vida que ingerimos junto com o leite materno. Podemos aventurar-nos a viver por nossa conta por algum tempo. Podemos sair de casa, trabalhar, viajar; podemos até ganhar muito dinheiro. Subjacente a isso tudo, porém, está o conto de fadas, dizendo: aguente firme, e um dia alguém virá salvá-la da ansiedade causada pela vida. (O único salvador de que o *menino* ouve falar é ele próprio.)

Devo dizer que meu conhecimento sobre a dependência feminina originou-se de uma experiência pessoal – e isso é recente! Por muito tempo enganei a mim e aos outros com um tipo sofisticado de pseudoindependência

– uma máscara construída durante anos, a fim de ocultar meu assustador desejo de ser cuidada. O disfarce era tão convincente que eu bem podia ter continuado a crer nele indefinidamente, não fosse por um fato que produziu uma rachadura na frágil estrutura de minha autossuficiência.

Aconteceu quando eu tinha trinta e cinco anos. Uma série de eventos levou-me à conscientização de sentimentos jamais reconhecidos, sentimentos de incompetência tão ameaçadores à minha segurança que eu faria qualquer coisa para, manipulando alguém, conseguir que tocasse o barco quando as coisas pioraram. Isto é, quando as exigências da vida começaram a assumir uma corporeidade real, consequencial e madura, diversa das incursões de uma menina precoce por um mundo de jogos ilusórios. Descasada havia anos, com três crianças pequenas para sustentar sozinha, eu estava para adentrar um período de crescimento notável. Estranhamente, a dor do processo foi redobrada pelo fato de estar apaixonada.

O colapso da ambição

Em 1975, deixei Nova York e o que fora uma solitária luta de quatro anos para sustentar a mim e às crianças, e mudamo-nos para uma pequena comunidade rural no vale do Hudson, a 150 quilômetros ao norte de Manhattan. Eu conhecera um homem que parecia ser um companheiro perfeito: estável, inteligente e incrivelmente engraçado. Tínhamos alugado uma casa grande e aconchegante, com jardins e árvores frutíferas. Em minha nova euforia, acreditei que tanto poderia ganhar a vida escrevendo na aldeia de Rhinebeck quanto antes na metrópole de Manhattan. *O que eu não havia antecipado – o que eu não pudera prever – era o espantoso colapso de ambição que eclodiria assim que estivesse novamente vivendo com um homem.*

Sem nenhuma decisão consciente ou reconhecimento do fato, minha vida mudou radicalmente. Até então todos os dias eu passava horas a fio escrevendo, desenvolvendo uma carreira iniciada dez anos antes. Em Rhinebeck, meu tempo parecia ser consumido em tarefas domésticas – e que felicidade eu auferia delas! Após anos de jantares à base de enlatados, pois estava sempre ocupada demais para cozinhar, voltei a instalar-me na cozinha. Seis meses depois, eu já engordara cinco quilos. "Isso é saudável", pensava eu, estranhamente satisfeita com a mudança. "Estamos todos bem mais à vontade." Comecei a usar camisas xadrez e macacões largos. Estava sempre ocupando-me com pequenas coisas: trocando a terra de uma jardineira, acendendo a lareira, olhando pela janela. O tempo parecia voar. Os lindos dias de outono transformaram-se em inverno, e, encapotada e com botas, passei a cortar lenha. Dormia bem, sem sonhar, embora achasse difícil levantar-me de manhã. Não havia nada a compelir-me a crescer.

Minha nova fuga para o lar deveria ter sido mais desconcertante do que foi – um sinal. Afinal de contas, eu era capaz de me sustentar; de fato, eu o vinha fazendo havia quatro anos. Ah, mas tinham sido quatro anos de sufoco; quatro anos em que, dia após dia, eu me sentia encostada contra uma parede. O pai das crianças estava doente demais para poder ajudar financeiramente, de modo que me acostumara a pagar todas as contas. Mas vivera assustada praticamente todo o tempo, com medo da alta do custo de vida, com medo do locatário, com medo de não conseguir permanecer lá e manter-nos vivos mês após mês, ano após ano. O fato de duvidar de minha competência não me parecia estranho nem incomum, pois a maioria das "mães solteiras" se sentia assim, não?

Portanto, a mudança para o campo naquele inesquecível outono teve o sabor de moratória daquilo que eu concebia um tanto vagamente como "minha luta". A sorte me devolvera a uma outra espécie de lugar, um espaço interno não diverso daquele habitado quando criança – um universo de tortas de cereja, colchas de retalho e vestidos de verão recendendo a ferro de passar. Agora eu tinha um vasto terreno, flores, uma grande casa com vários cômodos, poltronas confortáveis, recantos aconchegantes. Sentindo-me segura pela primeira vez em anos, dediquei-me a preparar o tranquilo domicílio ditado pelas "lembranças encobridoras" dos aspectos mais positivos de minha infância. Construí um ninho, forrando-o com o melhor algodão e a mais macia lanugem que pude encontrar.

À noite, eu preparava grandes refeições e dispunha-as com orgulho sobre a alva toalha de uma verdadeira sala de jantar. Durante o dia, lavava e passava, revolvia a terra e adubava-a. Depois do jantar, querendo sentir-me útil, datilografava os manuscritos de Lowell. Interessante que, apesar de ser escritora profissional havia dez anos, tinha a sensação de que a coisa certa para mim era secretariar o trabalho de outrem. Aquilo era o... *correto* (agora sei que isso significava conforto e segurança). Isso durou meses. Lowell escrevia, fazia telefonemas e conduzia os negócios em sua grande escrivaninha em frente à lareira. Eu preenchia meu tempo aplicando papel de parede no quarto de minha filha. De vez em quando, eu me sentava à minha mesa e tentava produzir alguma coisa, folheando papéis e esforçando-me por concentrar a atenção e organizar os pensamentos. Acabava sentindo-me frustrada, pois parecia-me ter perdido a inspiração, e replicava mentalmente: "Mais dia, menos dia, isso tudo muda".

É óbvio que isso era falso. Sem aperceber-me disso de maneira consciente, minha autoimagem havia se modificado radicalmente. Idem quanto às minhas expectativas em relação a Lowell. Em minha cabeça, ele se tornara o provedor. E eu? Eu estava descansando daqueles anos de luta – levada a cabo meio contra minha vontade – pela responsabilidade de minha vida. Que mulher liberal poderia imaginar uma coisa dessas? No momento em que a oportunidade de encostar-me em alguém apresentou-se, parei de mover-me para a frente. Chegara a um beco sem saída. Não decidia mais nada, não ia a lugar nenhum, nem mesmo para ver amigos. Naqueles seis meses fui incapaz de entregar um só trabalho na data marcada, quanto mais batalhar por novos contratos com editores. Sem nem um adeus, eu me refugiara no papel tradicional de mulher: o de ajudante. Secretária. Copista. Datilógrafa dos sonhos de outrem.

Fugindo da luta

Como Simone de Beauvoir observou tão astutamente há mais de um quarto de século, as mulheres aceitam o papel de submissas "para evitar a tensão envolvida na construção de uma existência autêntica". Essa evitação da tensão tornara-se meu objetivo oculto. Eu regressara à vida doméstica – ou melhor, *mergulhara* nela como numa banheira de água morna – porque era mais fácil. Porque revolver terra, fazer supermercado e ser uma boa – e sustentada – "parceira" provocam menos ansiedade do que sair ao mundo para lutar por si mesma.

Lowell, contudo, não era o que se chamaria de um "marido tradicional", pois não apoiava essa minha regressão. Infeliz com o que aparentemente desembocaria numa permanente injustiça (ele pagando as contas, e eu fazendo as camas), um dia ele apontou o fato de eu não estar pondo dinheiro em casa. Em termos financeiros ele tornou-se o provedor absoluto, sustentando a mim e a meus três filhos, bem como a si próprio, e eu nem parecia estar *consciente* dessa injustiça. Doía-lhe, disse, ver-me tão satisfeita em empoleirar-me e tirar proveito de sua boa vontade em ajudar.

Isso sugeria que eu não estava cumprindo minha parte no trato, o que me encheu de ódio. Nenhum homem jamais sugerira tal coisa. Então ele não ligava para tudo o que eu estava fazendo para ele? Quem é que cuidava do nosso lindo *lar*? E todos aqueles bolos e tortas? Será que ele não notava que, quando tínhamos hóspedes para o fim de semana, era *eu* quem trocava a roupa da cama e limpava o banheiro de hóspedes?

Era verdade que, na organização doméstica, era eu quem fazia a maior parte do "trabalho chato". Também era verdade que fora eu quem assumira esse papel, jamais colocando-o em discussão. No íntimo, eu *queria* estar fazendo o trabalho chato. Ele é infinitamente seguro.

Quando Lowell e eu resolvemos mudar-nos de Nova York e montar uma casa no campo, combináramos que cada um continuaria a se sustentar. Como foi fácil "esquecer" isso! Cheguei a propor ideias para artigos de revista e livros, mas não estava emocional nem intelectualmente engajada no que fazia. Olhando para trás, agora, acho surpreendente não ter experimentado, na época, a *necessidade* de estar trabalhando. Em vez disso, lá estava eu comodamente tirando vantagem do papel de esposa. E Lowell dizia: "Não é justo". E eu pensava: "O *que* não é justo? Não é assim que deve ser?".

Algo em mim mudara. Quando estivera só e a necessidade de cuidar de mim e das crianças fora clara e não ambígua, fui capaz de exercer minha profissão e ao menos *comportar-me* de modo independente. Assim que Lowell e eu nos juntamos, todavia, regredi. Não demorou muito para eu "recuperar" os padrões de pensamento, sentimento e ação dependentes exibidos durante os nove anos de meu casamento. Que ironia! Desfizera meu casamento porque começara a detestar meus sentimentos de dependência. Minha vida tinha se tornado sufocante e restrita, e eu me libertara. E eis que, quatro anos depois, eu fazia tudo de novo – salvo os jardins e a casa grande, que só vieram dourar a pílula.

O aspecto econômico da situação era crucial para o que estava acontecendo. Como deixara a cargo de Lowell a responsabilidade do pagamento de todas as contas, escapei à ansiedade associada ao ter de ganhar a vida.

É constrangedor para mim admitir isso agora, mas minha atitude para com Lowell foi de exploração. Eu não queria o desgaste envolvido no ser responsável por meu próprio bem-estar. Visceralmente, também sentia que era adequado que Lowell trabalhasse mais e assumisse mais riscos, simplesmente porque era homem. Eu acreditava nisso, pelo menos em parte, porque fazia minha vida mais fácil. É aqui que aparece a parte exploradora. Eu também sentia haver algo não inteiramente "feminino" em relação a um comprometimento real com o trabalho – como se eu fosse deixar de ser mulher se realmente saísse ao mundo e cavasse e batalhasse no mercado comum da economia adulta. Mais tarde descobri que essa ideia, nunca questionada, desempenhava um papel importante em minha luta pela independência.

Uma vez ao mês, Lowell punha no correio os cheques de pagamento do aluguel, da luz, da água e do combustível para o aquecimento central. Era ele também quem mantinha o carro. (Aliás, era ele quem *dirigia* o carro; eu tinha fobia de dirigir e não conseguia – nem desejava – aprender a fazê-lo.) Para demonstrar minha cooperação, eu não comprava nada de uso pessoal, fossem roupas, maquiagem ou peças de decoração. Orgulhava-me de poder eu mesma criar enfeites usando velhos objetos que encontrava no porão. Esse arranjo me permitia permanecer distanciada do ponto crítico da situação. "Eu *gostaria* de trabalhar", dizia a Lowell. "Se alguém me desse um contrato, eu ficaria feliz por poder escrever. É *minha* culpa se minhas ideias não andam boas?"

"E se você continuar assim?", ele afinal perguntou após um ano. "E aí?"

Seu "E aí?" congelou-me. Para mim isso constituía prova de que seu amor não era muito profundo, senão ele não me pressionaria assim. Por que é que estava, na verdade, dizendo-me "Não quero cuidar de você?"

O fato de não estar realizando nenhum trabalho profissional começou a corroer minha autoestima. Em apenas três ou quatro meses de vida de *hausfrau**, minha dependência começou a mostrar-se de maneira inequívoca. Aquela felicidade doméstica pareceu esvanecer-se da noite para o dia, dando espaço à depressão. Em primeiro lugar, eu sentia ter muito poucos direitos. Sem aperceber-me disso, passei a pedir a *permissão* de Lowell para fazer as coisas. Por exemplo: "Você se incomodaria se eu ficasse em Manhattan até mais tarde para visitar uma amiga? Será que poderíamos ir ao cinema sexta à noite?".

---

* Dona de casa. Em alemão no original. (N. da T.)

Inevitavelmente surgiu a deferência. Comecei a sentir-me intimidada pelo homem que me sustentava. Foi quando passei a achar todo tipo de falha nele, criticando-o nas coisas mais ridículas. Sinal certo de quão impotente eu me sentia[1]. Não me agradava sua grande capacidade de ficar à vontade com as pessoas, a fluidez que permeava suas relações, fossem elas sociais ou empresariais. Ele parecia tão autoconfiante! Subitamente, eu me vi odiando-o por isso.

À medida que Lowell avançava, com o sucesso aparentemente aguardando-o em cada esquina, eu ia me sentindo deprimida, ansiosa e com dificuldade para dormir à noite. Percebia-me querendo mais e mais sexo – ou melhor, o contato que o sexo proporcionava –, pois começara a duvidar ser sexualmente desejável, além de tudo o mais. Se pudesse descrever aquele período, diria que, no mínimo, minha autoimagem era de total vulnerabilidade. Perdera a confiança em minha capacidade como escritora, como agente de meu destino e – obviamente – como amante.

Talvez o mais sintomático de tudo tenha sido o seguinte: não mais contar com a perspectiva que nos possibilita enxergar o humor nas coisas. Eu entrara num círculo vicioso; perdera o respeito por mim mesma e não conseguia analisar nada direito. Fiquei medrosa, achando que a única saída era contar com alguém que me *levantasse*. Queria que Lowell reconhecesse minhas dificuldades e demonstrasse empatia comigo. Queria que ele visse que todos os acontecimentos de minha vida haviam conspirado contra a possibilidade real de viver com autonomia. Eu acreditava nisso piamente e sentia-me marcada de maneira tal que jamais poderia mudar nada.

"Veja só como fui criada", eu dizia. "Ninguém nunca esperou que eu tivesse de ganhar a vida. Como é que eu ia esperar isso?"

"Nada a ver", ele retrucava. "Você se manteve bem durante todos aqueles anos em que estava só. Agora que está vivendo comigo, está paralisada. Deve haver algo errado."

O pior disso tudo era que, em termos intelectuais, ele e eu professávamos as mesmas ideias. Ambos acreditávamos que as mulheres deveriam ser responsáveis por si mesmas. Como eu pudera regredir tão rapidamente? O que tinha acontecido comigo?

Muitas coisas, na verdade. Boa parte das dificuldades com que me defrontava tinha base concreta em minha infância. O que não implicava que tivessem de ser eternas. Em meio a toda a dor e confusão, reconheci de algum modo que eu conservava as coisas como se apresentavam, que havia certas distorções na forma como considerava esses fatores; em outras palavras: *eu estava ativamente mantendo essas distorções.*

Com certeza minha relação com Lowell – ele sendo o protetor, e eu, a protegida – estava distorcida. Igualmente o estava minha relação comigo mesma. Por alguma razão eu me via como menos forte e menos competente que Lowell. *Essa* era uma distorção básica da qual, por consequência, brotava outra: Lowell "deveria" tomar conta de mim. Sim, essa é a ética errônea dos fracos (ou daqueles que persistem em assim se conceber). Cabe aos fortes puxar-nos para a frente; se não o fazem, afirmamos de mil maneiras que não sobreviveremos.

Uma vez reconhecendo ter *raiva* da ideia de precisar reassumir a responsabilidade por minha vida, *raiva* de Lowell por "forçar-me" a fazê-lo, senti-me envergonhada e profundamente isolada. Como era possível ter tanto medo da independência? No tocante ao feminismo, eu estava de volta à Era Glacial. *Quem mais, dentre todas as pessoas de meu meio social, iria preferir – como eu parecia preferir – ser dependente a ser independente?*

Em todos os momentos de minha vida em que mais me senti amedrontada e solitária, vi-me compelida a escrever. Não houve exceção desta feita. Quem sabe se, descrevendo minha experiência, não descobriria existirem outras pessoas como eu? Aterrorizava-me pensar que talvez fosse uma aberração, alguma espécie de "marciana" indefesa e dependente, e só no mundo.

Somente depois de entregar-me ao processo de escrever a respeito desses sentimentos é que consegui reunir coragem para discuti-los com alguém. Jamais ouvira menção a tal experiência. Um complacente editor que eu conhecia decepcionou-me ao exibir seu desinteresse quando lhe expliquei o que escrevera. Respirei fundo e retomei meus argumentos; se esse homem não compreendia de que se tratava, quem mais compreenderia? Quando comecei minha segunda narrativa sobre o que ocorrera comigo desde minha mudança para o campo e o que me levava a escrever a respeito, aquele sentimento novamente me assaltou. Eu me conscientizara de algo, eu aprendera algo, e não ia permitir que isso fosse desvalorizado pela mera razão de outra pessoa não enxergar tal fato. Disse ao editor que o que experimentara e aprendera era *importante*. Pois era importante que as mulheres pudessem ter acesso aos problemas com que vinha me debatendo. Minha experiência mostrava algo real e mutilante, um fenômeno psicológico ainda intocado pelo movimento feminista; o artigo que eu queria que ele publicasse descrevia o que as mulheres *obtinham* em troca da manutenção de sua dependência, os proveitos que dela tiravam. Em resumo, aquilo que em Psiquiatria se denomina "gratificações secundárias".

"Acho que estou começando a perceber do que você está falando", disse o editor.

Outras mulheres, conflitos idênticos

Um mês depois, a revista *New York* publicou em artigo de capa meu trabalho sob o título: "Beyond Liberation: Confessions of a Dependent Woman" (O outro lado da libertação: confissões de uma mulher dependente). O volume da correspondência sobre minha escrivaninha multiplicou-se de imediato. Havia anos que vinha recebendo cartas de leitoras, mas, aparentemente, eu nunca as tocara tão no íntimo. "Você não está só", diziam antes de, com evidente alívio, mergulhar nas próprias experiências.

Diariamente, o carteiro chegava com um punhado de cartas, e eu as levava para um pequeno terraço atrás da casa, onde as lia e chorava. As cartas provinham de mulheres de todas as partes do país: mulheres com vinte e poucos anos, mulheres com quase sessenta, mulheres que trabalhavam, mulheres que nunca tinham trabalhado, mulheres que não mais trabalhavam. Todas sofrendo as mesmas ansiedades, lutando pela independência por meio de cursos de pós graduação, bons empregos, melhores salários — mas com o ressentimento subjazendo a tudo. Ressentimento, raiva e uma terrível e dolorosa confusão, uma sensação de "Mas é assim que as coisas devem ser?".

"Depois de anos trabalhando num jornal, resolvi parar e entrar no esquema de freelance", escreve-me uma mulher de Santa Mônica, Califórnia. "Meu marido ganhava bem, e eu podia dar-me a esse luxo, não podia?" Uma boa atitude, ao menos potencialmente; todavia, essa atitude gerou um terrível conflito em relação ao homem em quem, no íntimo, ela se encostara para sentir-se capaz de promover o que desejava. Relata ainda que, desde aquela época, "tenho me dividido entre uma enorme culpa por depender dele e um profundo ódio à mera possibilidade de ele vir a refutar-me esse direito[2]".

O conflito entre querer viver por si só e querer encostar-se em alguém "por garantia" (o mesmo tipo de motivação que leva algumas pessoas a frequentar a igreja aos domingos) cria uma ambivalência crônica, em que se despende muita energia. Aos trinta e quatro anos, uma mulher que dizia ter "escapado à prisão de dois casamentos", criado dois filhos e retomado os estudos de advocacia dera-se conta de ainda estar completamente enredada "num vínculo neurótico de simultaneamente odiar e temer tanto a dependência quanto a independência". Após trabalhar para o governo por um breve período de tempo, decidira montar seu próprio escritório de advocacia com um colega menos experiente que ela. A diferença na forma como cada um deles assumiu a nova responsabilidade, prossegue ela, foi gritante. "Desde o início, ele sempre teve para si que faria qualquer coisa que necessitasse ser feita. O que não se aplica a mim. Sempre que tenho de enfrentar uma nova situação, vejo-me pesando prós e contras de 'meter a cara' ou correr a esconder-me por trás de algum homem que me proteja. Isso é uma armadilha, e é muito fácil cair nela. É terrível como fico indolente e dependente sempre que posso contar com alguém que se deixe manipular."

O desejo de salvação. Podemos nem sempre reconhecê-lo tão claramente quanto essa mulher, porém ele existe em todas nós, emergindo quando menos se espera, permeando nossos sonhos, abafando nossas ambições. É possível que o desejo feminino de ser salva tenha suas raízes nos primórdios da História, quando a força física masculina era necessária para proteger mulheres e crianças dos perigos naturais. Mas tal desejo não é mais adequado nem construtivo. Nós *não necessitamos* ser salvas.

As mulheres hoje se acham entre o fogo cruzado de velhas e radicalmente novas ideias sociais; a verdade, porém, é que não podemos mais refugiar-nos no antigo "papel". Ele não é funcional nem uma opção verdadeira. Podemos *crer* que o seja; podemos *desejar* que o seja; mas não é. O príncipe encantado desapareceu. O homem das cavernas é hoje menor e mais fraco. Na realidade, em termos do que se requer para a sobrevivência no mundo moderno, ele não é mais forte, mais inteligente ou mais corajoso do que nós.

Todavia, ele *realmente* tem mais experiência.

O desmoronar da falsa autonomia

Esse estado de coisas vem se anunciando há muito tempo, furtivamente, tal qual os fatores primeiros de precipitação de uma erupção vulcânica. As transformações sociais não ocorrem da noite para o dia. O "papel" da mulher estava em processo de mudança muito antes de se propor um nome à libertação das mulheres. O fato de que as coisas para nós não eram mais tranquilizadoras, de que o futuro à nossa frente agora mostrava-se nebuloso, deve ter nos assustado. Uma sensação pouco nítida, mas certamente presente enquanto crescíamos. Algo estava acontecendo, mas nem nós nem nossos pais sabíamos do que se tratava. Inadvertidamente a maioria dos pais das décadas de 1940 e 1950 falhou na educação das filhas, pois não podia prever para que as preparava. Obviamente não era para a independência.

Como muitas meninas, na época de meu ingresso no colégio, eu já construíra uma espécie de máscara dissimuladora – o que um psiquiatra rapidamente reconheceria como uma "medida contrafóbica": a concha que disfarça o medo e a insegurança. Alguma coisa estava sabotando minha autoconfiança, originando profunda confusão com relação ao que eu era, ao que pretendia fazer de minha vida e ao que significava ser mulher. Naturalmente nada disso foi reconhecido. Eu era insolente com meus professores e sarcástica com os rapazes. Na faculdade aprendi a argumentar com sofisticação e a debater. Anos depois, com o surgimento do Movimento de Desenvolvimento Humano, tornei-me a estrela de meu grupo: durona, provocadora, afetada em minha "honestidade". Um homem do nosso grupo, que crescera nas ruas e passara dezessete anos na cadeia por diversos crimes, disse-me que até *ele* me temia durante as sessões de nosso grupo de encontro. Ah, que poder! Que autonomia excitante!

Quando essa "autonomia" começou a desmoronar, as pessoas que me conheciam se espantaram. "Mas você sempre foi tão forte", comentavam, "tão integrada!"

Com o fim de meu casamento veio a fobia – mal conseguia caminhar pelas ruas, tais eram os ataques de ansiedade e vertigem. A súbita transformação de minha velha (aparente) força novamente me pôs confusa. Então eu *não* era durona? Então eu *não* era "integrada"? Pois eu não havia mantido minha família intata, praticamente sem a participação de meu marido, durante anos?

Revendo tudo agora, parece-me claro sempre terem existido sinais de uma potencialmente devastadora falta de congruência entre meu "eu" interno e meu "eu" externo. O "eu" externo era "forte" e "independente" (especialmente comparando-se com as expectativas sociais de como as mulheres *deveriam* ser). O "eu" interno era um mar de dúvidas e autoacusações. Houve um episódio peculiar em meus tempos de faculdade, algo que logo tratei de "esquecer". Num domingo, durante a missa, senti-me de repente compelida a fugir da capela. A pompa, o incenso e a formalidade do ritual provocaram em mim suor, grande ansiedade e náuseas: meu primeiro "ataque de pânico". "O que está acontecendo comigo?", perguntei-me, agarrando-me ao banco à minha frente, para não cair, inundada por ondas de tontura.

Parecia-me ter de levar a vida inteira para reunir forças para sair da capela. Sair de lá, penso, foi um símbolo de uma saída maior, uma premonição de que os rituais do catolicismo nem sempre me serviriam de refúgio. Será que existia alguma coisa que pudesse me abrigar?

Posterguei analisar esse ponto por muitos anos. O primeiro homem em minha vida, meu marido, não podia cuidar de mim; não emocionalmente, ao menos. Com seus problemas psicológicos ele não conseguia contribuir para o estabelecimento de um relacionamento estável, menos ainda para oferecer-me o tipo de segurança interna que eu tanto almejava – e acreditava poder encontrar *com a ajuda de* outrem.

O segundo homem em minha vida, Lowell, *recusou-se* a cuidar de mim (ou melhor, recusou-se a desempenhar o tradicional papel de fingir fazê-lo). Ele deixava bem claro que queria uma mulher que cuidasse de si própria, e eu deixava bem claro que queria que *ele* o fizesse. O fato de não conseguir ajustá-lo a minhas velhas ideias preconcebidas sobre o que um homem "deveria" fazer criou um impasse psicológico, o qual, muito posteriormente, levou-me a modificar algumas atitudes destrutivas.

No futuro imediato, estendia-se à minha frente o trabalho de reconstituição das bases primitivas da crença em mim mesma. Parece estranho não ter crescido assim, mas tais são os fatos. Parece estranho que uma menina privilegiada por ter nascido numa sociedade privilegiada, com um pai que era professor universitário e uma mãe perfeitamente adequada, fosse desenvolver uma veia de autodesprezo tão aguda e profunda. No entanto foi assim que cresci. Duvidando de minha inteligência. Duvidando de meus atrativos sexuais. Veja, aí estava o maldito duplo vínculo: não confiar em minha capacidade de vingar no mundo à minha própria custa (o *novo* papel) e, igualmente, duvidar de minha capacidade de ser bem-sucedida no *velho* papel feminino, o de seduzir um homem com o propósito de fazer dele meu benfeitor e protetor. Assolada pela confusão comum a tantas mulheres contemporâneas, sentia-me incapaz de reconhecer o terreno em que pisava. Durante todos aqueles anos fazendo as coisas "certas", frequentando uma faculdade, trabalhando numa revista, casando, parando de trabalhar, tendo filhos, criando-os e depois recomeçando lentamente a trabalhar enquanto dormiam ou brincavam – atravessei tudo isso sob um estigma fundamental: o conflito. Enquanto os parentes me elogiavam e traziam bolos para mostrar sua aprovação à minha aparente aceitação de meu "papel" no mundo, durante todos aqueles anos de um tipo peculiar de método de agir somente conhecido pelas mulheres, ocultei de mim mesma a pessoa que eu era.

O fundo do poço

Como foi evidenciado pelas respostas ao artigo da *New York*, havia outras mulheres que se sentiam, como eu, dependentes, frustradas, zangadas. Mulheres que ansiavam pela independência, mas receosas do que ela poderia significar. O medo delas chegava a paralisar seus esforços para se libertar. *Levantava-se a questão: por que ninguém falava a respeito? Quantas mulheres podiam estar sofrendo em confusão silenciosa? Será que o medo da independência é epidêmico entre as mulheres?*

Eu queria fatos. Eu queria teorias. Eu queria ouvir mulheres falar sobre a vida delas, agora que, supostamente, somos livres para ser livres. Eu sentia que havia algo acontecendo, sobre o que não se falava nem se escrevia, algo negligenciado por todos os artigos e pesquisas.

A necessidade psicológica de evitar a independência – o "desejo de salvação" – parecia-me um ponto importante, provavelmente o mais importante no que concerne às mulheres hoje. Fomos criadas para depender de um homem e nos sentimos nuas e apavoradas sem ele. Fomos ensinadas a crer que, por sermos mulheres, não somos capazes de viver por nossa conta, que somos frágeis e delicadas demais, com absoluta necessidade de proteção. De forma que agora, na era da conscientização, quando nosso intelecto nos dita a autonomia, o emocional não resolvido derruba-nos. A um só tempo almejamos libertar-nos dos grilhões e ter quem (cuidando de nós) os recoloque.

Nossas propensões à dependência encontram-se em geral profundamente enraizadas. A dependência é ameaçadora. Ela nos enche de ansiedade, pois nos remete à infância, quando realmente éramos indefesas. Fazemos o possível para esconder essas necessidades de nós mesmas. Especialmente agora, com essa pressão social para a independência, torna-se tentador manter essa outra parte de nós abafada, reprimida[3].

Essa parte enterrada e negada é o problema. Ela se anuncia em fantasias e sonhos. Por vezes assume a forma de fobia. Ela afeta o modo pelo qual as mulheres pensam, agem e falam – e não apenas *algumas* mulheres, mas virtualmente *todas*. As necessidades ocultas de dependência causam dificuldades à dona de casa sustentada que precisa pedir ao marido permissão para comprar um vestido, bem como à profissional bem-sucedida que tem insônia quando o amante sai da cidade. Alexandra Symonds, psiquiatra de Nova York, estudiosa do fenômeno da dependência, diz que ele afeta a maioria das mulheres que ela já conheceu. Mesmo aquelas aparentemente bem-sucedidas na carreira e na vida privada, segundo ela, tendem a "subordinar-se aos outros, deles se tornar dependentes e, inadvertidamente, devotar a maior parte de suas energias em busca de amor, ajuda e proteção contra o que é visto como difícil, ou desafiante, ou hostil no mundo[4]".

O complexo de Cinderela

Existe somente um instrumento para obtermos a "libertação" e emancipar-nos interiormente. *A tese deste livro é a de que a dependência psicológica – o desejo inconsciente dos cuidados de outrem – é a força motriz que ainda mantém as mulheres agrilhoadas. Denominei-a "Complexo de Cinderela": uma rede de atitudes e temores profundamente reprimidos que retêm as mulheres numa espécie de penumbra e as impedem de utilizar plenamente seu intelecto e criatividade. Como Cinderela, as mulheres de hoje ainda esperam por algo externo que venha transformar sua vida.*

Usando minha experiência pessoal como ponto de partida, entrelacei as teorias psicológicas e psicanalíticas que embasam este livro com as histórias reais das entrevistadas. (Os nomes verdadeiros e certos detalhes foram alterados.) Nas páginas que se seguem, você conhecerá mulheres solteiras, mulheres casadas, mulheres que partilham um lar com seu amante. Algumas delas dedicam-se a uma carreira, outras jamais se aventuraram fora de casa, algumas aventuraram-se, *mas* acabaram refugiando-se nela novamente. Há mulheres sofisticadas de grandes metrópoles e camponesas cortadoras de lenha; viúvas, divorciadas e mulheres que desejam o divórcio, mas não têm coragem de pedi-lo. Há mulheres que amam seus homens, mas morrem de medo deles. Várias das mulheres com quem conversei tinham educação superior; entretanto, praticamente todas elas estavam funcionando muito abaixo do nível de suas capacidades potenciais, vivendo num tipo de limbo por elas mesmas construído. Esperando.

Boa parcela das mulheres entrevistadas no curso da pesquisa para este livro desconhece o "problema". Sua mente lhe diz que tudo o que desejam – ou já desejaram – é a liberdade. Emocionalmente, contudo, mostram sinais de sofrimento por conflitos internos profundos.

Outras lutam intermitentemente, com vislumbres do que as está fazendo ansiosas e frequentemente deprimidas.

Há ainda, felizmente, as que encaram o problema reconhecendo por completo seu profundo desejo de serem protegidas e cuidadas, conseguindo então renovar forças e criar um senso realista de quem são e do que realmente são capazes de realizar. Essas mulheres se tornam, como as denomina um terapeuta, *corajosamente vulneráveis.* Em vez de continuarem uma vida de repressão e negação, confrontam as verdades de seu íntimo, afinal triunfando sobre os temores que as mantinham presas a sua cozinha. Essas são as mulheres que verdadeiramente se libertaram. Temos muito o que aprender com elas.

CAPÍTULO 2

RECUANDO: COMO AS MULHERES FOGEM AOS DESAFIOS

Às vezes, é mais fácil enfrentar um desafio externo, uma crise ou uma tragédia do que responder ao desafio que vem de dentro de nós – o impulso de arriscar-se, de crescer.

Eu sempre me considerei uma lutadora, alguém que, se convocada à batalha, atirar-se-ia pela lama do campo intrepidamente. Houve ocasiões que tinham requerido coragem e firmeza, e eu vencera. Logo após a dissolução de meu casamento, tornara-se evidente que caberia a mim sustentar as crianças. Meu marido ficara mentalmente doente, padecendo de surtos de mania que sempre culminavam em internações. Durante nove anos (até morrer de uma úlcera não tratada), ele foi hospitalizado cerca de uma vez por ano. Medicado com lítio, entre as crises, permanecia relativamente equilibrado. Sua doença, porém, era tão debilitante que, apesar de seu alto grau intelectual, ficou incapacitado para quaisquer serviços que não os mais braçais: barman, lavador de pratos e, nos últimos cinco anos de sua vida, mensageiro. Tomei duas decisões cujas consequências por vezes se revelaram problemáticas. Não o abandonaria durante os períodos de maior gravidade de sua doença e não impediria as crianças de visitá-lo, exceto quando ele estivesse agudamente maníaco e delirante.

A psicose maníaco-depressiva é ardilosa e enganosa. Os surtos de mania parecem ser cíclicos, porém o desencadeamento de qualquer crise é imprevisível. Ed costumava chegar correndo em nosso apartamento, convencido de estar prestes a ganhar alguma grande eleição nacional. Então, como não dormia havia semanas, movimentando-se loucamente sem cessar, arremetia para as ruas, onde em breve entrava em depressão e paranoia. Eu o visitava em enfermarias de hospitais que ecoavam a solidão e o desespero. Aprendi, se é que algum dia aprendi algo, que neste mundo há coisas sobre as quais não temos controle.

Ao mesmo tempo existia uma parte de mim, secreta e bem oculta, que sentia pena de mim. Passar tão rapidamente – em um ano – da condição de "esposa", protegida e sustentada, para a de "mãe solteira" de três crianças, sozinha, desprotegida e insegura quanto à minha capacidade de sustentar-nos a todos, era aterrorizante. Meu único talento era escrever, desenvolvido a duras penas. No início, o desafio concreto de ter de pagar o aluguel todos os meses fascinou-me. Eu recebia muito apoio pelo que estava fazendo. No espaço de um ano, metade das mulheres que eu conhecia bem tinha deixado o marido e vivia sozinha em um apartamento grande e caro como o meu, com filhos de idade aproximada à dos meus e preocupações semelhantes às minhas. Ficamos muito íntimas. Víamo-nos todos os dias e conversávamos ao telefone todas as noites. Sem dúvida constituíamos uma rede de apoio mútuo, e sabe Deus como qualquer uma de nós teria se virado sem ela.

Mas estávamos também negando algo essencial. Parecíamos estar mais interessadas em conservar nossa vida exatamente como tinha sido antes da partida da figura paterna do que em confrontar o desafio de fazer algo novo. O surpreendente é eu ter conseguido existir tanto tempo sem *decidir* nada! Não queria ser só, experimentar a condição de ser só; assim, continuei a dividir minhas responsabilidades com os outros, como sempre o fizera. Nenhuma de nós realmente desejava tomar decisões por si mesma. Consultávamo-nos o tempo todo – particularmente sobre coisas relativas às crianças. Emprestávamos dinheiro umas às outras e nos encontrávamos de manhã cedinho em esquinas de nossos bairros. Às vezes, ali mesmo na rua, abraçávamo-nos e chorávamos. Não nos envergonhávamos de exprimir abertamente nossas fraquezas, mas também achávamos nossa vida hilariante. Passávamos madrugadas bebendo vinho e fumando maconha e recomeçamos a namorar como adolescentes. Eu não tinha ideia de que tipo de homem me interessava ou seria bom para mim. Comportava-me como uma garotinha ao escolher homens com quem sair: este era engraçado, aquele era sério e altivo, o terceiro era sexy, mas atrevido demais. Sair com homens punha-me em pânico. Sentia-me como uma menina de catorze anos presa dentro do corpo de uma mulher de trinta e três. Passei a encaracolar os cabelos, afinar demais as sobrancelhas e preocupar-me com meu hálito.

Estávamos crescendo, só isso. Voluptuosas, sabidonas, com aquela aparência de astúcia e sofisticação que só os habitantes de Manhattan têm – assim nos víamos. Na verdade éramos púberes com chiclete preso no aparelho corretivo de dentes. O fato de estarmos descasadas, isto é, sem homens em casa, desvelava o que éramos: crianças assustadas, inseguras e incrivelmente atrasadas em termos intelectuais e psicológicos. Estávamos contentes por nos sentir livres da jaula, mas por dentro recuávamos diante da nova liberdade para dirigir nosso destino. À nossa frente, estendiam-se caminhos escuros conduzindo à selva sombria.

Sintomática de meu descomprometimento para com o mundo dos adultos era minha ambígua atitude com relação ao dinheiro. Precisava ganhar mais, mas não conseguia fazer nada a respeito. O que recebia como escritora garantia-nos a sobrevivência todos os meses, porém eu prosseguia contando com alguma solução mágica que me "desse uma brecha". Durante os primeiros anos, nunca avaliei as realidades financeiras de minha vida; nunca pensei em retornar aos estudos; jamais elaborei algum plano que ajudasse a estabilizar minha situação. Tal como um avestruz, mantinha a cabeça firmemente enterrada na areia, os olhos cerrados, torcendo para que "tudo desse certo". A dura realidade se impingia à medida que as contas mensais tinham de ser pagas, mas a isso eu reagia com passividade. Nenhum progresso quanto à condução de minha vida; eu estava simplesmente evitando a forca.

Ao mesmo tempo, estava convencida de não querer casar-me de novo. Quando casada, não encontrara a força necessária para combater essa avassaladora necessidade de dependência; sozinha, era forçada a fazê-lo. Em certo sentido, meu instinto era correto. Embora a dependência subjazesse à minha frenética luta como mulher descasada, pelo menos eu não a sentia o tempo todo, reforçando a cada dia o desamparo em que me encontrava quando casada.

No entanto uma parte inconsciente de mim sonhava com a prisão. Como uma adolescente, deliciava-me com minha nova liberdade; contudo, ao primeiro evento perturbador, eu me via fantasiando a proteção ilusória dos velhos tempos. No fundo, eu havia estabelecido uma moratória a meu crescimento. Pelo medo, vivia dentro de limites rígidos que me impediam a aprendizagem, a melhor exploração de meu potencial mental e a descoberta de capacidades das quais eu nem tinha consciência.

Psicologicamente falando, o problema abrangia mais do que meros sentimentos de inferioridade e timidez. Eu oscilava entre a megalomania e os mais degradantes sentimentos de incompetência. Embora me apercebesse visceralmente disso, nem conseguia imaginar como quebrar essa estrutura. "A mulher é uma perdedora", segundo Janis Joplin. Fiquei fascinada com o surgimento da concepção da mulher como oprimida. Infelizmente, os aspectos mais tendenciosos do movimento feminista corroboravam e reforçavam minha própria paralisia pessoal. Eu usava o feminismo como uma racionalização para me manter na mesma situação. Em vez de concentrar-me em meu próprio desenvolvimento, minha atenção se focalizava "neles". "Eles" me deixavam na pior. As mulheres não conseguiam ser felizes, porque os homens não lhes davam permissão, ponto final.

Algo de especial ocorreu. Minha produção literária melhorou, e minha carreira começou a ter expressão. Isso também me assustava, e eu era incapaz de valer-me com incentivos a mim mesma. Em vez de me contentar com o desabrochar de meu talento literário, comecei a sentir que não era muito inteligente, apenas hábil e manipuladora. Via-me como uma jornalista que "se virava". Uma manchete aqui, outra acolá, mas um dia eu seria desmascarada como a fraude que eu sabia ser.

Nesse ponto eu deveria ter começado a suspeitar que alguma coisa eu *conseguia* com uma tal visão negativa de mim mesma. Na verdade eu *não queria* ser bem-sucedida; se assim não fosse, o mundo saberia que eu de fato não *precisava* de ninguém para cuidar de mim. "Eu cuido de mim sozinha." Proferir essas palavras, e com sinceridade, seria o mesmo que estar sifilítica. Seria o mesmo que entregar o trunfo escondido. "Eu cuido de mim sozinha!" Quanta presunção! Seria quase como igualar-me aos deuses. Admitir *isso* seria renunciar a todos os resíduos do desamparo que reivindicava ajuda.

O jogo então transformou-se em: "Cuido de mim sozinha... *quando posso*". Infelizmente, contudo, é impossível ficar sentado e andar ao mesmo tempo. Minha vida tornou-se ainda mais restrita. Aprendi as formas mais trapaceiras de evitação. Passava quase todo o meu tempo livre – e muito do não livre – com outras pessoas. A justificativa que me dava era a de que precisava disso após os longos e solitários anos de meu casamento. O que provavelmente era verdade, só que estava usando as pessoas para evitar a conscientização de mim mesma. Tornei-me uma borboleta social, a rainha da Avenue West End. Trabalhava até tarde da noite e acordava no final das manhãs. Até o ato de escrever tornou-se uma espécie de válvula de escape. Escrevendo eu cutucava o centro do vulcão, fazendo-o expelir um pouco de fumaça, e depois ia dormir, mais uma vez ignorando a causa do fogo destrutivo que rugia dentro de mim.

Como a tarefa de nos sustentarmos parece exigir um esforço hercúleo, as mulheres não percebem que o comodismo é tudo, menos sinal de dignidade. É uma perda de tempo. Em última análise, é uma fuga ao desafio. As mulheres precisam fazer mais. Temos de descobrir do que temos medo, para ultrapassá-lo.

A menininha dentro de cada mulher

Para mim é muito difícil fazer qualquer coisa sozinha.

Sempre senti que meu lugar era "por trás" de alguém. Eu tinha um irmão mais velho que era perfeito. Em muitos aspectos eu me sentia feliz por crescer à sua sombra. Isso me proporcionava uma sensação de segurança.

Frequentemente sinto-me inadequada por não ser casada nem ter filhos, apesar de saber que isso é considerado legal e moderno, especialmente aqui em São Francisco. Mas não foi assim que fui criada, e não é assim que quero ser. Nunca senti querer realmente ser independente.

Esta admissão de dependência foi extraída de uma entrevista gravada com uma bem-sucedida psicoterapeuta solteira de trinta e dois anos, com doutorado em Psicologia. Feminista, ela trabalha na Califórnia; é irônico notar, contudo, como está confusa em relação a seu papel no mundo – a aguda contradição entre sua necessidade básica de estar seguramente "por trás" de alguém e sua ambição de êxito, de progredir, de viver por conta própria.

"Sempre que a vida se apresenta muito dificultosa, a possibilidade de desistir e refugiar-se sob a proteção masculina faz-se presente, num golpe mortal à determinação de sobreviver independentemente", escreve Judith Coburn em *Mademoiselle*. "Nas ocasiões em que deixo as contas atrasadas se amontoar, o carro praticamente cair aos pedaços e coisas desse tipo, o que estou anunciando é: veja, sozinha não dá, preciso que alguém venha me salvar[1]".

Outra mulher, uma talentosa compositora que se diz uma "feminista militante", está tentando entender por que não consegue reunir energias para lançar-se dentro da indústria da música. "Talvez eu simplesmente esteja querendo que um homem tome conta de mim", conclui.

Basta ouvir conversas de mulheres hoje, e logo faz-se claro que a "nova mulher" na realidade não é nada nova; ela é uma mutante. Ela vive numa espécie de Terra do Nunca, numa gangorra entre dois conjuntos de valores, o velho e o novo. Emocionalmente, ela não está em paz com nenhum dos dois nem acha meios de integrá-los. "Todas as portas estão abertas", diz Anne Taylor Fleming, escrevendo na *Vogue*; a questão, porém, é decidir em qual porta adentrar: "Se somos boas mães, podemos trabalhar? Se trabalhamos bem, podemos amar? Devemos competir lá fora ou não? Podemos ficar em casa e não nos sentir culpadas, inúteis e estranhamente feridas?[2]".

Confusas e ansiosas, as mulheres recuam diante da possibilidade de vivência total de suas potencialidades. Uma agente de turismo que conheci no verão passado disse: "Ainda não somos capazes de firmar-nos em nossos próprios pés e dizer 'Sim! Posso fazer isso. Sou competente'. O medo ainda impera entre nós".

Por que as mulheres têm tanto medo? A resposta a essa pergunta se acha na raiz do Complexo de Cinderela. A experiência tem algo a ver com isso. Se você não sair e *agir*, permanecerá para sempre temerosa dos negócios do mundo. Contudo, várias mulheres alcançam certo grau de sucesso na carreira e na profissão e ainda assim mostram-se, no fundo, inseguras. De fato, como veremos nos capítulos seguintes, é espantoso que tantas mulheres nos dias de hoje retenham um núcleo oculto de dúvida em relação a si mesmas, enquanto externamente se comportam como se fossem monumentos de autoconfiança. Recentes pesquisas em psicologia demonstram que esse núcleo de dúvida *é característico das mulheres de hoje*. "Descobrimos que os atributos 'passividade', 'dependência' e, principalmente, 'autoestima rebaixada' são as variáveis que repetidamente diferenciam as mulheres dos homens", relata a psicóloga Judith Bardwick, com base em estudos conduzidos na Universidade de Michigan[3].

Poucas mulheres precisam de pesquisas para disso se convencerem. A falta de autoconfiança parece perseguir-nos desde a infância e com intensidade tão palpável que, às vezes, temos a sensação de tratar-se de algo com existência própria. Miriam Schapiro, uma pintora de Nova York, conta ter passado a vida inteira com a sensação de que dentro dela vive uma criança desprotegida, uma "criatura frágil e indefesa, tímida e autorrecriminadora". Somente quando pinta, diz ela, a criança "consegue tornar-se mais assertiva, viva... e mais livre em seus movimentos[4]".

Independentemente do vigor investido em nossa tentativa de viver como adultas – flexíveis, potentes e livres –, a menininha dentro de nós sobrevive, assombrando nossos ouvidos com murmúrios assustados. Tal insegurança tem efeitos amplos e resulta num fenômeno social incômodo: as mulheres em geral tendem a funcionar bem abaixo do nível de suas habilidades básicas. *Por razões culturais e psicológicas – um sistema que na realidade não espera muito de nós, em combinação com nossos receios de nos afirmar e enfrentar o mundo –, as mulheres estão se mantendo por baixo.*

A famosa "situação de desvantagem" da mulher

Para começar, consideremos a história de nosso progresso econômico nos últimos vinte anos. Apesar do movimento de conscientização dos anos 1960 e 1970, as mulheres atualmente se encontram em situação mais desfavorável do que no tempo das saias-balão e dos espartilhos. Em comparação com os homens, hoje ganhamos menos dinheiro que há duas décadas. Em 1956, a média salarial das mulheres constituía 63% da dos homens. Agora ganhamos menos de 60% do que percebem os homens. Não obstante o desenvolvimento de cursos e ação política que enfocam o problema da mulher, a maioria de nós ainda adentra o mercado de trabalho com salários e posições inferiores aos dos homens. Dois terços das mulheres que trabalham ganham menos de 10 mil dólares anuais[5]. Mal ganhamos o suficiente para sobreviver, quanto mais para garantir o futuro. Aumento do capital, participação nos lucros, uma boa aposentadoria – estes são termos empresariais, da alçada dos *homens. Metade das mulheres trabalhadoras não tem direito à Previdência.* Constituímos – aparentemente por nossa própria vontade – um exército de parasitas mal pagas tão maciço e tão característico que os cientistas sociais atribuíram-nos nova denominação: "Os 80%". Com isso referem-se à porcentagem de mulheres que ocupam posições braçais ou semiespecializadas, recebendo salário ínfimo

– mulheres que se acham, ao menos economicamente, rastejando como vermes no fundo de um poço.

Até recentemente, as pessoas que trabalham com estatística abominavam a expressão "mulheres no mercado de trabalho", como se fôssemos um exército de amazonas pronto a dominar a Terra. A noção do crescimento da força e da mobilidade femininas está no ar há pelo menos um quarto de século. Entretanto, como os sociólogos finalmente começam a reconhecer, "para cada profissional-mulher bem-sucedida há outra cuja 'participação no mercado de trabalho' consiste em manipular uma máquina de fábrica oito horas por dia, e outra cujo trabalho esgota-se em arrumar camas e limpar banheiros, e mais uma que passa o dia datilografando cartas e arquivando correspondência nos grandes e impessoais escritórios da burocracia americana". (Esta afirmação foi feita por James Wright, da Universidade de Massachusetts, que, com base na informação levantada em seis pesquisas nacionais, concluiu que o grau de satisfação das mulheres que trabalham fora de casa não é maior do que o das que trabalham dentro dela[6]. É fácil ver por que, estatisticamente, as mulheres demonstram pouco entusiasmo por seu emprego, uma vez que 80% delas deixam o conforto do lar para apenas conseguir faxinar escritórios e/ou arquivar papelada por baixos ganhos e sem direito à Previdência).

Num nível superficial pode parecer que o problema da mulher não é nem um pouco diverso do problema do homem; pouquíssimas são as pessoas (de ambos os sexos) que chegam um dia ao topo do mundo dos negócios. Mas com as mulheres a história é diferente. Vários estudos consistentemente demonstram que, entre os homens, o QI guarda relação mais ou menos estreita com o nível de desempenho, ao passo que, entre as mulheres, essa relação é essencialmente nula. Essa chocante discrepância foi revelada pela primeira vez por um estudo sobre crianças bem-dotadas conduzido em Stanford. Mais de seiscentas crianças com QI superior a 135 (1% da população) foram identificadas nas escolas da Califórnia, e seu desempenho foi acompanhado até se tornarem adultas. A ocupação das mulheres cujo QI, na infância, equiparava-se ao dos homens era, na maioria, insignificante. Aliás, *dois terços das mulheres com QI de 170 ou mais (gênias) ocupavam-se como donas de casa ou escriturárias*[7].

O desperdício de talento feminino é um escoadouro de cérebros que afeta o país inteiro e por isso vem sendo examinado atentamente por diversos psiquiatras. Surpresa com o número de mulheres em conflito com o tema "realizações" que a vêm procurando nos últimos anos, a dra. Alexandra Symonds percebeu que as talentosas frequentemente se mostram relutantes em avançar para posições de autossuficiência. Entravam o processo ou tornam-se excessivamente ansiosas em relação a obter promoções. Muitas delas gravitam ao redor de mentores, preferindo trabalhar como brilhantes (e não reconhecidas) assistentes dos homens no poder – rejeitando tanto o crédito quanto a responsabilidade por suas contribuições. Em terapia, aferram-se a essa subordinação. "Cada passo em direção à autoasserção sadia é consciente ou inconscientemente reprimido", diz Symonds. "Algumas mulheres afirmam explicitamente que gostam de ser cuidadas e não tencionam modificar essa posição. Outras vêm com a aparente resolução de mudar isso, porém, quando confrontadas com a realidade de tal modificação e as inevitáveis opções entre separação e autoemergência, entram em pânico[8]."

Em seu consultório em Manhattan, a dra. Symonds trata várias mulheres bem-sucedidas; entre elas constatou que o problema era de autoconfinamento. Com relação a suas habilidades inatas, grande parte dessas mulheres parecia incapaz de exercitar por completo seu potencial.

Por quê? O que é que "segura" essas mulheres?

"O medo", responde a dra. Symonds. As mulheres não querem experimentar a ansiedade intrínseca ao processo de crescimento. Isso tem a ver com a forma como foram criadas. Quando crianças, elas não aprendem a ser assertivas e independentes; pelo contrário, são ensinadas a ser não assertivas e dependentes. O fato de que o sinal verde foi aberto para elas, "permitindo-lhes" ser independentes, só veio confundi-las. Ao redor desse "núcleo de dependências" brotado na infância, explica Symonds, desenvolve-se "uma constelação de traços de caráter inter-relacionados que se reforçam mutuamente". Esses traços se cristalizam com os anos. "Como qualquer estrutura de caráter estabelecida, é impossível rompê-lo sem ansiedade."

Portanto, é o rompimento de uma estrutura de caráter – ou a perspectiva de fazê-lo – que leva as mulheres de hoje a se sentir tão perdidas. A estrutura dependente foi classificada como apropriadamente "feminina" pelos psicanalistas mais influentes. A seguinte passagem do texto clássico *The Psychology of Women* (Psicologia feminina), de Helene Deutsch, pode parecer antiquada (foi publicado em 1944). Mas não se iluda, ela reflete as mesmas ideias de nossos pais e mães no tocante à educação de suas filhas. Consequentemente, a noção de Deutsch da mulher como "a companheira ideal" casa-se perfeitamente com nossa autoimagem.

Deutsch assegurou ao mundo que a maior felicidade da mulher é subordinar-se a seu homem:

> Elas parecem ser facilmente influenciáveis e adaptar-se a seus companheiros e compreendê-los. São companheiras adoráveis e não agressivas e desejam permanecer nesse papel; elas não insistem em ter os próprios direitos – muito pelo contrário.

Quanto à capacidade feminina para a originalidade e a produtividade, Deutsch faz lembrar uma superiora de convento:

> ...estão sempre prontas a renunciar às próprias realizações sem se sentir lesadas por isso e se rejubilam com as realizações de seus companheiros... Elas têm uma extraordinária necessidade de apoio quando engajadas em qualquer atividade dirigida para fora do lar.

Atualmente, psiquiatras menos cegos reconhecem o número contorcionista exigido das mulheres numa idade em que se espera que reprimam seus impulsos mais sadios. Symonds observa que as mulheres *não* nasceram com esse protótipo "ideal"; elas tiveram dar duro para atingi-lo. "A fim de conseguir renunciar às próprias realizações sem sentir-se lesado, é preciso despender constantes esforços. Para ser adorável e não agressiva, a mulher passa a vida inteira contendo seus impulsos hostis ou agressivos. Até a autoasserção sadia é costumeiramente sacrificada, pois pode ser confundida com hostilidade. Portanto, com frequência reprimem sua iniciativa, renunciam a suas aspirações e infelizmente acabam bastante dependentes, com uma profunda sensação de insegurança e incerteza quanto a suas capacidades e seu valor[9]."

Tendo em mente a enorme mudança ocorrida no que a sociedade considera ser um comportamento feminino "adequado", retomemos a questão das atuais atitudes femininas quanto ao trabalho e ao dinheiro. (Como veremos, essas atitudes são vitais no processo do que chamamos "situação de desvantagem da mulher").

Certas tendências recém-emergentes (ou só agora reconhecidas) começam a evidenciar o fato de que as mulheres não têm sido simplesmente *mantidas* economicamente dependentes; elas mesmas fazem por contribuir para isso. Por exemplo, entre 1960 e 1976, o número de formandas de faculdades cresceu quase 400%[10]. No entanto mais da metade das meninas americanas no segundo ano do ensino médio ainda afirma desejar um emprego em uma dentre apenas três categorias profissionais: secretariado e atividades de escritório afins, serviço social e magistério, e enfermagem[11].

"A discriminação de sexos no mercado de trabalho é uma realidade, porém a principal razão para a falta de produtividade profissional das mulheres é sua má vontade em assumir um compromisso profissional de longo prazo", escreve Judith Bardwick em *The Psychology of Women: A Study of Biocultural Conflicts* (Psicologia Feminina: Um Estudo de Conflitos Bioculturais). Relacionando os dados obtidos pelo National Manpower Council, pela President's Commission on the Status of Women e pelo Radcliffe Committee on Graduate Education, Bardwick conclui: "Tomando-se a população de moças e rapazes academicamente talentosos, nota-se que o número de calouros e formandos de faculdades entre as primeiras é significativamente menor que entre os segundos. A mesma relação se dá no tocante a cursos avançados. Aquelas que chegam a completar o doutorado usam-no menos que os homens daquela população. Elas são menos produtivas que os homens, mesmo que completem o doutorado, permaneçam solteiras e continuem a trabalhar em período integral".

As mulheres continuam a *escolher* carreiras mal pagas. Em 1976, 49% de todos os bacharelados, 72% de todos os mestrados e 53% de todos os doutorados outorgados a mulheres eram relativos a seis áreas tradicionalmente "femininas" e mal remuneradas[12]. "Se as mulheres continuarem a abraçar profissões costumeiramente ditas femininas", diz Pearl Kramer, economista-chefe do Long Island Regional Planning Board, "a diferença entre o que ganham e o que seus colegas homens ganham persistirá indefinidamente[13]".

Essa é a famosa "situação de desvantagem da mulher". Há muito se sabe que as mulheres não estão realizando aquilo de que são capazes. *O que não foi reconhecido é o papel que desempenham na manutenção dessa situação desvantajosa.* As mulheres não estão apenas sendo excluídas do jogo de poder (embora isso ocorra sistematicamente). Estamos também ativamente *evitando-o*. "Como estamos ficando independentes!", pensamos, exultantes, vendo quantas mulheres estão deixando a vida de "domésticas" para trabalhar fora. Mas, se lermos nas entrelinhas dos resultados estatísticos do recenseamento, notaremos que muitas dessas mulheres *não* apreciam o fato de estarem trabalhando. Elas se sentem sobrecarregadas por isso; mais: às vezes, sentem-se até exploradas por fazê-lo. Bem no íntimo, ainda creem que realmente não deveriam *ter* de ganhar a vida. Ao deixarem o conforto e a segurança de sua cozinha para se tornar força de trabalho, várias delas são motivadas não pelo sentido de responsabilidade por si mesmas ou por uma questão de justiça para com o marido, mas principalmente por uma crise externa. "Acontece que perdemos as rédeas sobre a inflação, e Charlie não está ganhando o suficiente."

Ou então *não* existe nenhum Charlie. Charlie se casou novamente, ou morreu, ou simplesmente sumiu de uma hora para outra nos braços de uma mulher mais nova e menos problemática. Viúvas ou divorciadas, as esposas abandonadas dispõem de pouco ou nenhum dinheiro para sustentar a si mesmas e as crianças. Sob essas circunstâncias, o sentimento advindo do "voltar a trabalhar" não é tão construtivo e libertador quanto poderíamos imaginar. De início pode haver contentamento, como a alegria experimentada pelo adolescente que recebe o primeiro pagamento por algum trabalho, mas a excitação pela libertação é logo suplantada por uma horrível suspeita: *Isso pode durar para sempre.*

Sinais de recuo

Há indícios de que pelo menos algumas mulheres não estão apenas paralisadas, como também envolvidas numa *reação* contra sua nova liberdade – enfim, fugindo a ela. Um estudo efetuado pelo *Wall Street Journal* relata que vários industriais manufatureiros queixam-se da recusa de suas empregadas em cursar programas de especialização elaborados especialmente para elas. "Temos de arrastá-las aos gritos e chutes", desabafou um executivo da General Motors. Com menos irritação, mas igual presunção, um diretor de relações industriais concluiu: "É um condicionamento social. As mulheres nunca tinham aspirado a esses empregos. Fica difícil convencê-las a aspirar a eles agora[14]".

Algumas mulheres casadas estão abandonando seu emprego, dizendo que o trabalho cria mais cansaço e ansiedade do que podem suportar. "É como se sentissem o Grande Sonho Americano escorregando por entre seus dedos", afirma *Better Homes and Gardens* a respeito de um questionário (respondido por 300 mil leitoras) sobre suas reações ao trabalho[15]. A maioria dessas mulheres, casadas e com filhos, tende a deslocar as ansiedades relativas a seu desenvolvimento para o argumento – mais seguro – de que "são mais necessárias em casa". Na verdade, elas tinham perdido o sentido de "ser necessárias", tão importante em sua organização psíquica, e haviam projetado essa perda sobre a família, convencendo-se de que os familiares se sentiam "abandonados" em razão de sua ausência. Algumas dessas esposas contam ter persuadido o marido a mudar para uma casa menor e em vizinhanças menos agradáveis, porque desejavam parar de trabalhar e se dedicar novamente à família – decisão essa que, segundo elas, encheu-as de sentimentos de "extremo alívio[16]".

Existe também a síndrome do "ter outro filho" – uma forma socialmente aprovada de permanecer no lar ou de para ele retornar. De acordo com Ruth Moulton, uma psiquiatra feminista que pertence ao corpo docente da Universidade Columbia mesmo mulheres muito talentosas engravidam para evitar a ansiedade resultante ao desenvolvimento de sua carreira[17]. Um exemplo característico, diz ela, é o caso de uma artista, sua conhecida, que "acidentalmente" engravidou duas vezes num espaço de cinco anos; toda vez que a oportunidade de montar uma exposição se lhe apresentava, ela "escolhia" uma gravidez. Consequentemente suas exposições foram adiadas até bem depois de seus cinquenta anos, o que, escreve Moulton, "reduziu consideravelmente o tempo de desenvolvimento e reconhecimento de seu talento[18]".

Revendo os prontuários de suas pacientes nos últimos anos, a dra. Moulton contou vinte mulheres entre quarenta e sessenta anos que haviam usado a gravidez como forma de escape ao mundo externo. "Em ao menos 50% desses casos", acrescentou, "uma terceira ou quarta criança foi concebida exatamente no momento em que os filhos mais velhos estavam no ginásio ou no colégio, e a mãe se achou mais livre para devotar mais energia a algum tipo de trabalho externo".

"Compulsão de criar filhos" é como Moulton chama essa síndrome; com isso ela indica que a maternidade não está a serviço da gratificação intrínseca da mulher, mas constitui uma substituição à ação no mundo. (Num relatório de 1977 sobre a "Avaliação das Mulheres no Exército", M. Kathleen Carpenter afirma que "as mulheres estão usando a gravidez como veículo para sair" do Exército.)

O fenômeno da "gravidez para evitar a tensão" certamente não tem efeito positivo sobre a mais reverenciada das instituições americanas: a vida em família. Quando se tem filhos para evitar a ansiedade que se segue ao desenvolvimento pessoal, está-se perpetuando um ciclo destrutivo. Tais mulheres se ressentem com o papel restrito e autolimitador que escolheram como saída e, por vezes, tornam-se fóbicas e hipocondríacas. E, talvez o mais importante de tudo, *elas não criam filhos independentes*. Moulton adverte que a dependência da mulher se reflete sobre seus filhos, "interferindo no crescimento independente e na individuação deles".

Uma noção que vem se impondo atualmente (e parece ser atraente a todo mundo: feministas, não feministas, homens) é que, acima de tudo, as mulheres devem poder optar. Elas deveriam poder *optar*, por exemplo, se vão ou não trabalhar, se vão fazê-lo em esquema de período integral ou não, se ficam em casa para se dedicar à família ou não. Ninguém deveria nos pressionar, dizendo-nos "temos de" ou "não podemos" fazer isso ou aquilo. Sugerir que as mulheres são covardes por ficar em casa é tão arbitrário, avisam as feministas, quanto insistir que lá permaneçam quando seu desejo é trabalhar fora. Cuidar das crianças, limpar a casa, prover o marido com os meios para que *ele* possa manejar as ansiedades envolvidas no ganha-pão – essas são contribuições sociais supostamente importantes, de que qualquer mulher pode sentir-se justificadamente orgulhosa. Porém, esse "direito à opção" se vai ou não se sustentar contribuiu fortemente para a situação de desvantagem da mulher. Por ter a opção socialmente legitimada de ficar em casa, faz-se possível – e até costumeiro – o recuo feminino ante a assunção de responsabilidades pessoais.

A verdade é que muitas mulheres que não "precisam" trabalhar, já que seu marido se dispõe a sustentá-las e tem meios de o fazer, *não* trabalham. O crescente número de mulheres trabalhadoras guarda estreita correlação com o aumento do número de casamentos dissolvidos. Quarenta e dois por cento de todas as mulheres que trabalham são "chefes de família[19]". *É espantoso que atualmente, entre as mulheres casadas que vivem com o marido, metade ainda prefira refugiar-se nas lides domésticas[20].*

Alguma coisa aí está errada. Isso se torna perceptível, uma vez que se atente para a situação econômica das mulheres idosas neste país. Quando todo mundo discorre sobre opções, lucraremos mais perguntando-nos: "Quem toma conta das mulheres quando envelhecem?". A resposta, naturalmente, é: ninguém. À época em que os cabelos delas passam a ficar grisalhos, o velho sistema "mulheres e crianças primeiro" há muito caiu por terra. A realidade as atinge em cheio quando o companheiro morre. As últimas estatísticas governamentais mostram que cinquenta e seis anos é a média de idade para as americanas enviuvar. Em cada duas mulheres nos Estados Unidos, uma deverá enviuvar com aproximadamente cinquenta e seis anos. E mesmo aquelas que sempre trabalharam não se veem protegidas na velhice; uma entre quatro delas será pobre – muito mais pobre do que homens na mesma faixa etária. Em 1977, a renda média anual das mulheres idosas era de 3.087 dólares (59 dólares semanais), ao passo que a dos homens idosos era quase o dobro disso. (A principal razão pela qual essa discrepância ocorre é que a Previdência Social americana se define pelo sistema salarial, e já vimos que as mulheres recebem apenas 60% do que ganham seus colegas homens[21].)

Essa, pois, é a triste verdade a que as mulheres jovens – ainda românticas, ainda apaixonadas, ainda acomodadas no sonho de que podem, com segurança, deixar que outros tomem conta delas – dão as costas. O mito dita que a segurança, para as mulheres, está em viver eternamente ligadas, presas, enfurnadas "no seio da família", tal como moluscos. Mas, quando essas mesmas mulheres envelhecem, descobrem-se totalmente à mercê do mundo econômico em que recusaram entrar. *A desolaçao da velhice é a resultante mais pungente, se não a mais destrutiva, do Complexo de Cinderela. Esse ponto cego que mantemos – a incapacidade (ou recusa) de ver a conexão entre a falsa segurança do casamento e a solidão e a pobreza das mulheres mais velhas (muitas vezes viúvas) – assemelha-se a uma doença mental.* Queremos tão desesperadamente crer que alguém cuidará de nós! Queremos tão desesperadamente crer que não temos de nos responsabilizar por nosso próprio bem-estar!

Confusão em Atlanta

Esse mito é particularmente prevalente entre mulheres da classe média. Com lentes cor-de-rosa nos olhos, continuam a procurar emprego como que numa espécie de experimento, como que de brincadeira. Languidamente acomodam-se em um emprego de tempo parcial, em um emprego destinado a "alargar seus horizontes" ou a permitir-lhes "sair de casa e conhecer gente". Destacam-se certas donas de casa da classe média alta que absolutamente não sabem o que fazer com as oportunidades à sua frente, aleatoriamente "decidindo" cultivar sua beleza e conforto o máximo possível, pois o futuro – por mais interessante que possa parecer – mais as atemoriza do que fascina. Tive ocasião de conhecer um grupo de donas de casa assim num jantar em Atlanta, Geórgia.

Eram mulheres esguias e elegantes, de seus trinta e poucos anos. Atraentes e vivazes, tinham marido bem-sucedido: um corretor do mercado de ações, um burocrata do governo estadual, um professor de Psicologia numa universidade local. Uma das mulheres, a quem chamarei Paley, ainda correspondia à imagem daquelas joviais rebeldes sulistas da Secessão. Outra, Helen, imigrara recentemente para o Sul, vinda de Cambridge. Lynann sempre vivera em Atlanta e assim era feliz. Essas mulheres diziam sentir certo grau de frustração na vida – os filhos já estavam na escola ou prestes a nela entrar. Mostravam-se, contudo, letárgicas quando surgia o assunto trabalho. Falavam sobre seus desejos de obter um emprego "fácil", de poucas horas de trabalho e que pagasse bem. Os jogos de bridge já as tinham enfastiado, diziam (embora continuassem frequentando o clube).

Até então, Paley era a única entre elas que chegara a arrumar um emprego. "Trabalho num pequeno restaurante naturalista no fim da rua de minha casa", contou. "São poucas horas por semana, mas com as gorjetas acabo ganhando por hora mais do que meu marido!"

As outras riram. Em toda a sua vida, dinheiro nunca fora problema para Paley. Ela vinha de uma pequena cidade da Geórgia, onde todos se conheciam e todos eram ricos. Agora vivia em Atlanta com a mesma disposição "intrépida" de seus tempos de faculdade na velha Universidade do Estado da Geórgia.

Após o jantar, o tom da conversa pareceu mudar. As mulheres deixaram os homens sentados na sala de jantar com mobília tipicamente sulista e reuniram-se em um canto da sala de estar, onde passaram a falar sobre a aridez da vida delas. Constrangidas, faziam piadas sobre como tudo o que discutiam girava em torno de "detergentes, cera para o chão e goma para o colarinho das camisas do marido". Não havia diferença nenhuma entre essas mulheres e as descobertas por Betty Friedan vinte anos atrás, em seu estudo de formandas da Smith College, que estavam se desesperando com a vida levada nos subúrbios requintados do nordeste do país. Só que não estávamos em 1960, mas em 1980. E essas mulheres ainda não estavam enlouquecendo de frustração. No mínimo levavam vida confortável demais: almoços no clube de campo, carros modernos, inúmeras festas e somente um resíduo de seus dias de faculdade para recordar-lhes ter um dia tido uma visão diferente de si mesmas, ter se sentido livres, "curtindo a vida" e se imaginado *fazendo* coisas.

A comodidade da vida de casada dificultava-lhes ter de "começar de baixo". "Trabalhar *para* alguém não é comigo", comentou Lynann, acrescentando que o maior proveito que tirara de trabalhar havia sido o reconhecimento de que não desejava empregar-se como subordinada. "Quero alguma coisa em nível de gerência. Quero *eu* dar as ordens." (Ao que as demais riram novamente.)

E ela consideraria fazer pós-graduação a fim de realizar seu sonho? Bem, não, nem tanto. Estava interessada num "cursinho" de que ouvira falar e que proporcionaria "certos instrumentos e formas de me apresentar de modo a *parecer* sabida". (Mais risadas.)

Paley não era cega quanto à estrutura social em que estavam entrincheiradas. "Para muitas mulheres em Atlanta, a questão de honra é ainda quanto o marido ganha e quanto ele pode oferecer a ela", disse. "O que conta é: Que tipo de carro ele lhe dá? Você tem empregada ou babá? Vocês têm dinheiro para viajar?"

Ainda pairava o problema da aridez e do tédio. O que *faziam* para preencher as horas vazias em que não estavam fazendo compras ou levando os filhos ao colégio? Liam romances. Em tom de gozação (para mascarar o embaraço geral) começaram a classificar os autores dos romances mais vendidos na época por seu mérito literário. Todas mergulharam no jogo.

"Quanto tempo vocês realmente passam lendo?", perguntei.

Paley – cabelo tingido de ruivo e frisado, unhas impecavelmente manicuradas – respondeu: "Leio sem parar. Passo diversas horas por dia sentada lendo. Fico tão absorta que nem percebo quando minha filhinha entra na sala. Às vezes, ela chora e nem ouço".

Essas são as representantes das mulheres "bem cuidadas": jovens, atraentes, "felizes" – e seguras. Presumem que a dependência financeira é um direito delas por serem mulheres. Em troca devotam-se à casa, orgulhando-se de sua habilidade em limpar, organizar, receber visitas e criar filhos. Mas no íntimo, sem se darem conta, têm de se reportar à "agenda" autoestabelecida: evitar, quase ritualisticamente, qualquer reconhecimento da esterilidade de sua vida. Não pensam sobre o que aconteceria se seu casamento se desfizesse. É claro que o divórcio existe. Ele é tão comum à sua volta! E, pensam elas, as mulheres vítimas dele são muito corajosas na forma de tentar reunir os cacos de sua vida. Mas, para aquelas que se resguardam dentro de um papel definido, o divórcio está longe de ser realidade. O divórcio é para as outras, para mulheres que são... bem, não tão afortunadas. Como o câncer. Ou a morte.

Depressão em todo o país

Originando-se diretamente da confusão de donas de casa como aquelas de Atlanta, surge um fenômeno cultural relativamente novo: a "esposa desativada". Representando uma vasta subcultura de mulheres que enviuvaram ou foram abandonadas pelo marido e que jamais desenvolveram habilidades com que se sustentar, as esposas desativadas constituem uma classe emocionalmente deficiente de 25 milhões de mulheres[22]. Levadas a crer que a sociedade as recompensaria por serem boas esposas e mães e por manterem seu lar reluzindo de limpeza, essas mulheres se veem completamente perdidas ante o desabamento de suas relações conjugais. Acreditam ser incompetentes; os talentos possuídos na época em que saíram da faculdade ou do colégio há muito se atrofiaram. Seus *músculos* estão inativos; suas mentes, idem. Essas são as mulheres que passaram a vida crendo no mito de Cinderela, isto é, que sempre teriam um homem a seu lado. *Os dados estatísticos de um Centro para Esposas Desativadas* em Maryland mostram a realidade cruel desse sonho. Somente 17% das mulheres atendidas nesse centro recebiam pensão, por ínfima que fosse, do ex-marido. Um terço delas vivia em extrema pobreza[23]. E essas mulheres não eram idosas. Sua idade variava entre trinta e cinquenta e cinco anos.

Ao (mais ou menos) apoiar o divórcio – e simultaneamente apoiar a importância do trabalho da mulher que tem filhos –, a sociedade abala a segurança dela. Como resultado, segundo Milo Smith (fundadora da organização "Esposas Desativadas" e dirigente do centro que tem esse nome em Oakland, Califórnia), as mulheres que a procuram pedindo auxílio mostram-se agressivas. Não lhes agrada a ideia de que tudo tenha mudado subitamente. Elas se ressentem por terem de deixar sua cozinha, aprender um ofício e trabalhar fora. São também muito deprimidas. "O suicídio é nosso maior problema", disse Milo Smith. "Já tivemos quatro tentativas de suicídio neste ano, só aqui neste centro."

No dia em que visitei esse centro em particular (há dezenas deles espalhados pelo país), as mulheres que lá chegavam para pedir ajuda vestiam-se bem e usavam batom vermelho vivo. Umas tantas, obesas, usavam longas túnicas. Enquanto aguardavam a entrevista era-lhes servido café por simpáticas recepcionistas e outras empregadas do centro, todas elas esposas desativadas. Tal como ex-presidiárias, as ex-esposas sustentadas tentavam ajudar-se mutuamente. As recém-chegadas tinham os olhos brilhantes e pareciam ansiosas por agradar. A insegurança reluzia em seus olhos como febre.

"Muitas delas chegam aqui num estado lamentável", contou a Sra. Smith, uma mulher de cerca de sessenta anos que iniciou esse trabalho porque havia alguns anos ela mesma fora uma viúva assustada e sem ofício. "Viram uns lixos ambulantes, viciadas em Valium – e pensar que seus médicos dormem com a consciência tranquila!"

Desoladas desde a partida do marido, arrasadas por um sentimento de perda não apenas do marido, mas de um estilo de vida que lhes dava a consciência de identidade, essas mulheres buscavam em seu médico mais do que ele poderia lhes oferecer – e tudo o que recebiam eram tranquilizantes. O desespero das esposas desativadas é palpável. A sociedade não sabe o que fazer com elas, e elas – tendo perdido a *raison d'être* para a qual nasceram e foram criadas – igualmente não sabem o que fazer consigo mesmas. Sua autoestima parece desaparecer da noite para o dia.

Apontando para a entrada do centro, Milo Smith me disse: "Praticamente toda mulher que cruza aquela porta assimilou a ideia de que agora é feia, velha, gorda e inútil".

Pior que isso: sentem que essa nova autoimagem procede de alguma ação concreta contra elas, o que as torna vingativas. "Essas mulheres desperdiçam suas energias fazendo tudo assumir um colorido negativo, destrutivo", afirma a sra. Smith. "São terrivelmente rígidas e inflexíveis. Isso tudo faz parte do quadro depressivo. Você tenta mandá-las *fazer* algo por si próprias e armam-se de desculpas. A típica esposa desativada arranja cinquenta razões para explicar por que é incapaz de fazer aquilo que lhes seria útil, sugere-se. Isso tudo deriva do medo."

"A mulher deprimida é alguém que perdeu", diz Maggie Scarf, falando da "preocupante taxa de depressão" que vem se evidenciando em diversos estudos recentes sobre mulheres, bem como da tendência ascendente a tentativas de suicídio entre elas (especialmente as mais jovens) e da descabida quantidade de pílulas que tomam para abafar a dor emocional. Uma pesquisa conduzida pelo Instituto Nacional de Saúde Mental dos Estados Unidos, terminada no início da década de 1970, revela que um terço da população feminina entre trinta e quarenta e quatro anos usa tranquilizantes fortes para combater a depressão. Ocorre que 85% dessas mulheres confessam jamais ter consultado um psiquiatra[24].

O que exatamente a mulher deprimida perdeu? "Uma coisa de que dependia vitalmente", responde Scarf. "O que tenho visto emergir com uma regularidade quase assombrosa é que a 'perda' em questão é a de um relacionamento emocional crucialmente importante e frequentemente autodefinidor."

As mulheres voltam-se para os outros para obter uma autodefinição – o sentido do que são. A extensão com que se veem através dos olhos do outro é tal que, se algo *acontece* ao outro – se ele morre, ou a deixa, ou apenas se *modifica* de maneira significativa –, elas não mais conseguem ver a si próprias. Como disse uma mulher que perdera o amante com o qual convivera durante três anos (e não tenho dúvidas de que estava falando por milhões de outras mulheres): "Começo a ter a sensação de não existir".

Como o complexo de Cinderela afeta o trabalho feminino

Essa necessidade e fixação no "outro" inibe de todas as maneiras a capacidade feminina de trabalhar produtivamente – de ser original, de comprometer-se com a atividade e dela auferir prazer. O mito que diz que nossa salvação reside em estarmos ligadas a alguém carrega consigo o corolário não explícito de que não seremos nunca chamadas a trabalhar. Quando de repente acontece algo que transforma o trabalho numa necessidade, muitas de nós inflamam-se com uma extrema fúria interna. *Precisar* trabalhar é um sinal de que, de algum modo, falhamos como mulheres.

Ou é um sinal de que o sonho era uma fraude.

"Pelo pouco prazer que eu tirava de meu trabalho, tanto fazia se, em lugar dele, eu estivesse na linha de montagem de uma fábrica de grampos", relatou-me uma curadora de museu. Essa mulher tinha trinta e um anos, não era casada e ocupava uma excelente e invejável posição no mundo das artes em Washington, D. C., quando subitamente tudo o que antes lhe parecera tão excitante despojou-se de colorido e interesse. Isso começou no dia de seu trigésimo primeiro aniversário, pois essa era a data que elegera no íntimo para desobrigar-se de sua independência. "Tarde demais", anunciou uma voz dentro dela. "Você não deveria *ter* de trabalhar mais. Mulheres de sua idade deveriam ter a opção de *não* trabalhar; elas deveriam poder ficar em casa e pintar quadros, ou dedicar-se a obras de caridade, ou criar filhos."

Ela sentia já ter perdido uma oportunidade única; ridículo, talvez, mas isso a punha zangada e insensibilizou-a. Ela achava que estava fazendo o serviço mecanicamente, como por inércia. Perdera a sensação de fazer experiências e desenvolver sua criatividade. Muitos anos mais tarde ela me disse: "Eu me sentia fútil, como se estivesse desempenhando uma infindável série de tarefas que nada significavam além de meras obrigações. Isso reduziu minha eficiência pela metade. Por que envolver-me com uma atividade específica, se em seu lugar instantaneamente apareceria alguma outra exigência despropositada?".

Conheço uma mulher com curso superior que trabalha como faxineira, limpando apartamentos em Nova York, porque, explica, "não quero ter a sensação de estar trabalhando em algo permanente, que escolhi, algo que sugira 'muito bem, este é o tipo de serviço que você vai abraçar, é assim que vai garantir sua vida'".

Essa mulher tem vinte e quatro anos e é extraordinariamente inteligente. Além das faxinas, ela trabalha como freelancer, criando textos de propaganda pelo correio – e o faz com brilhantismo. Seu chefe a considera excelente, o que é verdade – descontando-se o fato de que a cada dois ou três meses ela se "atrapalha" e começa a falhar na data de entrega dos trabalhos. Fica "bloqueada". Não consegue escrever nada. Isso ocorre sempre que ela começa a ganhar um pouco que seja a mais do que necessita para pagar o aluguel e demais contas de sua minúscula quitinete em Greenwich Village. "Se não estou a ponto de ter minha luz cortada por falta de pagamento, tenho a sensação de que minha vida não é *real*", diz ela. "Ter de trabalhar o suficiente para sobreviver mês a mês é uma coisa. Ter de trabalhar porque é isso que os *adultos* fazem, e é nisso que sua vida vai consistir... simplesmente não consigo encarar isso. Sei que é completamente neurótico e infantil, mas *bem no fundo não quero ter de cuidar de mim mesma; quero que alguma outra pessoa o faça*."

Existem inúmeros sinais de que as mulheres estão sofrendo problemas funcionais por suas atitudes em relação ao tema trabalho. Algumas persistem em continuar no mesmo emprego ano após ano, muito embora se entediem terrivelmente. Outras protestam contra a competitividade do mundo masculino, dizendo que "se recusam" a dele participar. O curioso é que em geral são essas mesmas mulheres que invejam os homens por sua capacidade de fazer coisas que elas se sentem incapazes de realizar ou encontram enorme dificuldade para delas se desincumbir. Por exemplo, negociar. Iniciar os próprios projetos. Pedir e conseguir mais dinheiro[25]. Em resumo, assumir um papel ativo com relação ao próprio bem-estar. Há toda uma rede de problemas psicológicos cujos sintomas permanecem confortavelmente enterrados até as mulheres saírem à busca de empregos ou tentarem concretamente entrar num campo profissional. Aí sobrevém a tempestade.

A ansiedade revelada nos testes, por exemplo, é notoriamente mais acentuada nas mulheres do que nos homens[26]. Se, para obter um emprego, mudar de profissão ou alcançar uma posição mais desejável em dada empresa, for preciso um teste, grande parcela da população trabalhadora do sexo feminino desiste dos planos e das ambições profissionais.

(Algumas mulheres entram em pânico diante de *qualquer* tipo de teste, seja o vestibular, o exame de motorista ou o teste de qualificação para o ramo imobiliário.)

Falar em público também é mais difícil para as mulheres. Numa pesquisa cujos sujeitos eram duzentos pós-graduandos da Universidade Columbia, o investigador concluiu que 50% das mulheres não conseguiam falar em público, contra 20% dos homens. Para algumas delas, a ansiedade produzida por essa situação era tão avassaladora que se fazia acompanhar de ataques de tontura e até de desmaios[27].

A comunicação em geral é um empecilho para mulheres cuja autoestima é baixa, provocando uma necessidade interna de ser cuidadas. Certas mulheres ficam confusas, esquecem-se do que queriam dizer, não acham a palavra certa, não conseguem fitar as pessoas nos olhos. Ou enrubescem, ou gaguejam, ou sua voz treme. Ou então perdem o poder de argumentação no momento em que alguém discorda delas. Podem ficar desconcertadas ou chegar às lágrimas – especialmente se o discordante for um homem.

Diversas mulheres com quem conversei descreveram a experiência de diminuição de sua consciência de saber o que sabem, de sua *autoridade*, no mesmo instante em que o pêndulo da conversação se desloca delas para o homem.

Todos esses problemas na realidade são formas sintomáticas da "ansiedade de desempenho", a qual se associa a outros temores mais gerais (indicativos do sentimento de inadequação e desamparo no mundo). Assim, temos o medo de retaliação por parte daquele de quem se discorda; o medo de sermos criticadas por fazer algo errado; o medo de dizer "não"; o medo de colocar as próprias necessidades clara e diretamente, sem manipulação. Esses são os tipos de temor que afetam as mulheres em particular, pois fomos criadas de modo a acreditar que cuidar de nós mesmas, afirmar-nos, é não feminino. Desejamos – intensamente – ser atraentes para os homens: não ameaçadoras, doces, "femininas". Tal desejo tolhe a alegria e a produtividade com as quais poderíamos estar dirigindo nossa vida.

Para não dizer que nos leva a nos comportar como bebezinhos.

"Aparência" e linguagem da "filhinha do papai"

Numa reunião da Academia Americana de Psicanálise, em Beverly Hills, Alexandra Symonds assombrou seus colegas com as seguintes afirmações: "Não é adequado que uma executiva de um banco caia em lágrimas quando seu superior a critica por algo que fez. É inaceitável que uma editora--chefe que ganha 30 mil dólares por ano aja de modo sedutor para obter a aprovação de um plano seu já rejeitado. É incabível que uma professora universitária se mostre amuada por lhe terem programado poucas aulas, esperando que, com tal comportamento, chame a atenção do reitor e ele mude de ideia. Esses são padrões comportamentais de 'filhinhas do papai', não de mulheres libertadas que agem autonomamente[28]".

A dra. Symonds não inventara casos fictícios de "filhinhas do papai" bem-sucedidas na carreira. Estava relatando casos reais de pacientes que a tinham procurado pedindo-lhe ajuda – "supermulheres" em profundo conflito com seus sentimentos de dependência.

À medida que as mulheres ascendem profissionalmente, certas afetações e maneirismos flagram a confiança que tentam aparentar. Aquelas que, no íntimo, não renunciaram a continuar sendo "a filhinha do papai" podem de fato enviar mensagens muito desconcertantes a colegas e pessoas com quem fazem negócios. Tanto quanto o atual estilo de indumentária da "mulher de sucesso" – uma mistura de angelical com provocador –, a apresentação dessas profissionais frequentemente sugere algo de esquizoide. Elas *parecem* tão firmes – até que começam a piscar, revolver os cabelos e sorrir de modo sedutor.

Tais comportamentos não são sempre apreciados pelos homens com quem negociam. Recentemente tive uma breve mesa-redonda com um jornalista financeiro, um corretor de ações de Wall Street e um executivo do campo da propaganda. O objetivo era recolher suas impressões sobre a maneira como as mulheres se apresentam, agem e falam quando tratam de negócios. Aqui estão alguns excertos da conversa:

JORNALISTA: Há alguns meses, entrevistei uma mulher numa ótima posição no Mercado de Ações de Nova York. Ela usava uma camisa de seda branca, muita maquiagem, brincos de ouro que não paravam de balançar e tinha unhas compridas e pintadas de vermelho vivo. Eu mal conseguia olhar para ela, de tão chamativa que era sua apresentação. Seu modo de falar era pontuado por diferentes estilos. Mostrava-se por algum tempo séria e extremamente segura de si; de repente, entremeava o discurso com risadinhas, dava de ombros e levantava as sobrancelhas de modo provocador, para depois reassumir a seriedade e a compenetração.

CORRETOR: Também vejo isso nas mulheres com quem trabalho. A gente fica totalmente desnorteado, como se aguardando o momento em que a próxima "personalidade" vai aparecer. Usualmente, a gente procura sinais que indiquem quando e quem vai emergir da próxima vez.

JORNALISTA: A dicção daquela mulher era superlenta. Ela era muito cuidadosa com a escolha das palavras, sempre observando a maneira como falava, o que comunicava. Aí fazia uma coisa que já presenciei em diversas mulheres com bom emprego: elas terminam as sentenças "amaciando" as palavras e acenando ligeiramente com a cabeça.

PUBLICITÁRIO: Ah, já vi isso. É uma espécie de prepotência mascarada; elas finalizam as sentenças com um ar de superioridade disfarçada. Elas encobrem aquilo de que se podem gabar porque não desejam mostrar-se realmente "vendendo" a coisa.

JORNALISTA: É como se as mulheres tivessem medo de concretamente posicionar-se por trás da força de uma afirmação. Elas vão falando, falando, criando uma boa linha de argumentação, e, de repente, é como se se vissem ganhando campo. Aí têm de recuar. Acho que elas temem o poder.

CORRETOR: Essa diminuição do tom da voz e o aceno são muito comuns.

PUBLICITÁRIO. O aceno tem o propósito de fazer-nos concordar.

CORRETOR: Exato.

PUBLICITÁRIO: Notei que as mulheres são muito rígidas quando falam sobre trabalho. Elas nunca dizem algo como: "Você está ficando *louco?*". É muito frequente ver homens de negócios deixar sua personalidade se exprimir abertamente. Eles não se preocupam em ser aquilo que acham que deveriam ser. São o que são e *fazem* negócios. Já as mulheres são polidas e formais. Entram na sala empunhando a bandeira da etiqueta. Elas me lembram menininhas de ginásio que são as primeiras da classe.

CORRETOR: É por isso que as mulheres se adaptam tanto a empregos como vendedoras ou chefes de departamentos de reclamações. As pessoas podem chegar e falar alto, esnobar ou berrar, e elas simplesmente permanecem tranquilas por trás da base e do blush meticulosamente aplicados todas as manhãs. É como se elas, pessoas, não estivessem presentes. As roupas, a maquiagem e a *feminilidade* são anteparos entre elas e o mundo.

JORNALISTA: Existe um protótipo na adolescência segundo o qual a garota passa a enxergar o mundo de dentro do carro do namorado. Esse protótipo parece persistir por toda a vida. A mulher passeia pelo mundo do homem. Ao entrar no carro dele – que é uma das instituições dele –, a mulher está meramente excursionando. Ela não tenta sentar-se no banco do motorista, fazer as coisas do jeito dela, provocar mudanças. Ela jamais tenta alcançar o poder. É assim que vejo a dependência feminina: a eterna passageira no automóvel do macho.

As mulheres não se sentem à vontade sendo incisivas, pedindo diretamente o que desejam, vendendo aquilo em que acreditam, especialmente quando isso implica passar por cima das opiniões dos outros. Sempre à espreita – às vezes nos momentos mais inesperados –, ataca a tentação de reassumir o papel de ingênua, ou o de sedutora, ou o de menininha mimada. Basta um olhar ou um gesto para fazê-lo – "um aceno de cabeça ou um dar de ombros", segundo as palavras do jornalista.

Em *Women, Money and Power* (Mulheres, dinheiro e poder), a psicóloga Phyllis Chesler sugere que as mulheres fazem tudo isso deliberadamente (ainda que nem sempre de maneira consciente), a fim de permanecer confortavelmente no banco do passageiro. "Mulheres de todas as classes, dentro de casa e em público, utilizam uma linguagem corporal básica para comunicar deferência, inconsequência, desamparo... uma postura teoricamente destinada a pôr os outros à vontade, e os homens 'por cima'."

Há outras maneiras pelas quais as mulheres colocam os homens – ou melhor, quaisquer outras pessoas que não elas mesmas – "por cima". Ultimamente vários estudos têm sido levados a cabo com a finalidade de analisar os padrões de fala e linguagem femininos. Eles indicam que o medo e a insegurança modelam nossa maneira de falar: nossa dicção, nossa escolha de palavras, nossa entonação, nosso tom costumeiro de hesitação, até mesmo a altura de nossas emissões sonoras (em algumas mulheres elas são tão agudas e infantis que parecem apelar por ajuda). O linguista Robin Lakoff verificou que as seguintes características aparecem *consistentemente* na fala feminina:

- Uso de adjetivos "vazios" (maravilhoso, divino, terrível etc.), que denotam pouco significado e destituem o discurso de qualidade concreta. As pessoas cuja fala é entremeada de adjetivos vazios em geral não são levadas a sério.
- Uso de comentários interrogativos ao final de afirmações. ("Está mesmo quente, você não acha?")
- Uso de entonação descendente ou interrogativa ao final de uma sentença, o que lhe retira a ênfase.
- Uso de expressões modificadoras, como "tipo", "uma espécie de", "acho", que dão ao discurso uma qualidade descomprometida.
- Uso de um vocabulário por demais correto e excessivamente polido (por exemplo, evitando gírias e expressões populares).

Por gerarem altas controvérsias, as descobertas de Lakoff acionaram nova onda de pesquisas, conduzidas por estudiosos de todo o país[29]. Muito do que estes verificaram reforçava as observações de Lakoff: as mulheres realmente utilizam formas não assertivas de fala. Sally Genet, da Universidade Cornell, elaborou o termo "declarativa difidente" para descrever nossa tendência a "amaciar" asserções.

Falando como falamos, nós, do sexo feminino, estamos definitivamente fazendo com que algo aconteça – ou não aconteça – em termos de nossa eficácia na comunicação com outrem. "A fala pode não somente *refletir* diferenças de poder", nota Mary Brown Parlee, uma das psicólogas da redação da revista *Psychology Today*. "Ela pode ajudar a *criá-las*[30]."

Em outras palavras, as profissionais que se utilizam do estilo "declarativo difidente" para se comunicar possivelmente jamais "chegarão lá".

Há uma nova crise na feminilidade: o conflito sobre o que é e o que não é "feminino", impedindo muitas mulheres de funcionar de maneira bem integrada e feliz. Há anos, a feminilidade vem sendo associada – mais: *identificada* – com dependência. Sucumbindo ao que chamo o "Pânico do

Gênero Feminino", as mulheres temem que um comportamento independente seja não feminino (ver Capítulo 6). Podemos não chegar a visualizá-lo como *masculino*; ao mesmo tempo, porém, não o *sentimos* como feminino. Numa expressão vívida desse novo Pânico do Gênero Feminino, uma jovem corretora do mercado de ações me disse: "Penso que alguém – pode ser homem ou mulher – me ensinará a ser como um homem, ganhar dinheiro como um homem, ser confiante e capaz como um homem. Quando isso tiver sido realizado, voltarei a ser uma mulher. Engravidarei e cuidarei do bebê por uns seis anos. Aí voltarei a ser um homem".

A terrível confusão que as mulheres têm experimentado quanto à feminilidade relaciona-se intimamente com nossa escolha de não vivermos como nossa mãe. Os psiquiatras têm verificado que quanto mais confinadas e dependentes são nossas mães, maior será nossa ansiedade com relação à adoção de atitudes e comportamentos diversos. "A mãe que se autoanula, a mãe que sofre em silêncio, ainda que *diga* à filha: 'Não se deixe aprisionar como eu; lute por alguma coisa', pode entretanto sentir-se ressentida e ameaçada pelo fato de sua filha não imitar seu papel autorrestritor", diz Alexandra Symonds[31].

O fato de ter uma mãe revoltada produz um de três padrões característicos nas filhas. O primeiro é a depressão leve e crônica – uma tristeza ou depressão que parecem sempre presentes. Segundo a dra. Symonds, isso é típico da mulher intensamente envolvida com seu trabalho e que dá muito aos outros, deixando de nutrir-se emocionalmente.

A segunda síndrome passível de manifestação nas mulheres que tentaram divergir do modelo da mãe é a insegurança na área da identidade feminina (o tipo de confusão expressa pela jovem corretora de ações). "Fico atônita com o pânico, terror mesmo, que assalta essas mulheres perante os aspectos de sua personalidade que elas consideram masculinos", assinalou a dra. Symonds, acrescentando que, *até hoje*, as mulheres que lutam por uma vida independente ainda estão ao sabor das ondas ditado pelas expectativas culturais em relação a elas.

O terceiro padrão é representado pelo núcleo escondido de dependência, tão negado e geralmente disfarçado por trás de máscaras de autossuficiência admiravelmente convincentes. A mulher pseudoindependente pode trabalhar fora em período integral, cuidar bem da família, organizar e desempenhar com esmero as lides domésticas e, em geral, mostrar uma necessidade compulsiva de ser "perfeita", tanto no lar como no serviço. Ela também pode chorar a noite inteira quando o marido está fora de casa.

É comum, atualmente, a tendência feminina a tentar resolver os próprios problemas modificando o rumo das coisas externas: casando-se (ou separando-se), mudando de emprego, mudando de casa, associando-se a um sindicato ou lutando pelos direitos da mulher. Entretanto o fato é que, caso ela não tenha resolvido seus conflitos relativos à dependência, sua vida nunca mudará em função de ter achado o homem "certo", ou o emprego "certo", ou o estilo de vida "certo". Seu trabalho na luta pelos direitos da mulher pode bem aliviar o senso de isolamento. Mas nenhuma dessas modificações externas poderá desatar o nó subjacente a atitudes confusionistas e autodestrutivas.

As mulheres que desejam começar a se sentir melhor a respeito de si mesmas devem partir da confrontação com o que ocorre dentro de si. Após conversar com psicoterapeutas e psiquiatras de diferentes regiões do país, entrevistar várias mulheres e simplesmente observar a vida daquelas que viviam ao meu redor, cheguei à seguinte conclusão: *a primeira coisa que as mulheres têm de reconhecer é o grau em que o medo governa a vida delas.*

O medo, irracional e caprichoso – um medo sem nenhuma relação com capacidades ou mesmo com a realidade –, é epidêmico entre as mulheres de hoje. Medo de ser independente (que poderia implicar acabarmos sozinhas e desamparadas); medo de ser dependente (que poderia implicar sermos engolidas por algum "outro" dominador); medo de ser competente e *boa* no que se faz (que poderia implicar termos de *continuar* a ser boas no que fazemos); medo de ser incompetente (que poderia implicar termos de continuar a nos sentir inúteis, deprimidas e *inferiores*).

O medo é uma armadilha presente em todos os estágios da vida da mulher, desde que se torna adolescente e desejosa de exercer atração sobre os homens. Armadilha, por um lado, porque talvez ela não consiga atrair o homem e, por outro lado, talvez o consiga, o que vai aprisioná-la e limitá-la pelo resto da vida. O medo é palpável nas "esposas desativadas", cujos maridos abandonaram-nas, e nas viúvas que se veem perdidas após a morte do marido. Ele está presente em mulheres que tentam lançar-se numa profissão, em mulheres que querem desfazer seu casamento, mas não têm coragem de dar o primeiro passo, em mulheres que o desfizeram, mas se acham totalmente paralisadas diante da perspectiva de viver por conta própria.

Talvez o mais doloroso de tudo seja que o medo está até em mulheres que ascenderam muito em sua carreira – e *pensavam* ter ultrapassado esse problema – apenas para descobrir que, no ponto X da carreira, num nível no qual a atuação verdadeiramente independente não mais poderia ser evitada se quisessem vencer por completo, são subitamente assaltadas pela ansiedade e não conseguem prosseguir. *A fobia acha-se tão infiltrada na experiência feminina que assume as proporções de uma peste secreta. Ela se desenvolve ao longo de muitos anos e através do condicionamento social e é tão insidiosa, justamente porque tão aculturada, que nem chegamos a reconhecer o que nos aconteceu.*

As mulheres não se libertarão enquanto não pararem de ter medo. Nós não começaremos a experimentar uma mudança real em nossa vida, uma emancipação real, até iniciarmos o processo – quase de lavagem cerebral – de diluição das ansiedades que nos impedem de nos sentirmos competentes e inteiras.

CAPÍTULO 3

A REAÇÃO FEMININA

No colégio, eu me tornei um problema para as freiras, que viam em mim uma personalidade paradoxal. Eu era a um só tempo indisciplinada e líder. Agia de modo provocador, menosprezando aquelas estranhas criaturas de hábitos pretos que me intimidavam, apesar de tudo. Já na segunda série eu era representante da turma e frequentemente tinha problemas por gozar os professores sempre que havia oportunidade. Não conseguia resistir ao impulso de exibir-me como a sabichona. Mesmo agora, ao relembrar aqueles dias, recupero a deliciosa sensação de desafiar um sistema que qualificava de ridículo e professores a quem não podia respeitar.

Minha confusão era genuína. Por trás do meu exterior de sabichona, existia uma menininha – não uma jovem a caminho de tornar-se mulher –, uma *menininha* assustada e confusa sobre tudo, uma menina a quem, acima de tudo, perturbava o fato de aparentemente ninguém saber como dela cuidar. Enquanto meus pais consideravam que eu estava em boas mãos, as freiras pareciam estragar minha educação a cada ano que passava. Eu estava sendo forçada a amadurecer rápido demais. Entrara no ensino médio aos doze anos e partira para a faculdade aos dezesseis. Todo mundo se maravilhava com minha precocidade, porém ninguém parecia saber do que eu necessitava emocionalmente, muito menos eu. Na verdade, eu era uma contrafóbica em potencial: por fora, durona, por dentro, assustada e tentando desesperadamente, a todo custo, ocultar meu medo.

Terminei a faculdade aos vinte anos. Em menos de duas horas após o término de minha formatura, eu estava no aeroporto de Washington, D.

C., pronta para partir para uma nova vida. Meu futuro fora brilhantemente selado (assim eu pensava) por um acontecimento afortunado. Eu participara de um concurso da revista *Mademoiselle* para universitárias e de repente descobrira ser uma das vencedoras. Dezenove outras jovens e eu – as "editoras convidadas" – íamos passar um mês trabalhando na edição especial sobre faculdades. O que ia acontecer após esse mês excitante? Quem sabia? Quem ligava? Para pessoas especiais como nós, obviamente o mundo já tinha planos.

Quinze anos mais tarde, quando Sylvia Plath publicou o pungente relato de sua deprimente experiência como editora convidada em *The Bell Jar*, fiquei tão incomodada que não consegui terminar o livro na época. Mas, enquanto passava pela mesma enganosa introdução ao deslumbrante mundo da edição de revistas, tinha os olhos totalmente fechados ao que estava acontecendo dentro de mim. Em termos emocionais, *nenhuma* de nós sabia realmente o que estava ocorrendo. Jovens talentosas e inteligentes, produto dos anos 1950, estávamos na realidade avançando para a beira do precipício. Não fazíamos ideia de quanto nossa vida mudaria, de quanto "quebraríamos a cara" em razão das profundas modificações que ocorriam na cultura. Muito se esperava de nós, contrariamente às coisas que se esperavam, até então, das mulheres em geral. Coisas novas para as quais não tínhamos sido preparadas.

No final do mês como editora convidada, recebi a proposta para permanecer na revista. Eu nunca havia dedicado muito tempo a reflexões sobre trabalho ou planejamento de minha própria vida. Esperando de algum modo "ser cuidada" de novo, aceitei a proposta de emprego e montei um apartamento com três amigas da faculdade no East Side de Nova York.

Depois de um ou dois anos, tendo me cansado de fazer a mesma coisa dia após dia, a fascinação pelo emprego começou a desvanecer-se, e a tensão por mal ganhar o suficiente para sobreviver começou a me irritar. Eu dizia a mim mesma estar muito melhor do que minhas companheiras de apartamento; moças em cuja vida os pais sempre interferiam, suplicando que os deixassem pagar suas contas dentárias e comprar-lhes roupas. Com um salário de 50 dólares semanais, eu levava uma vida pobre, orgulhosa e totalmente confusa. Não me ocorreu tentar mudar alguma coisa: um novo emprego, diferentes companheiras de apartamento, talvez até um *companheiro*.

No terceiro ano, minha cabeça fervilhava de questionamentos, e passei a beber demais nos fins de semana. *O que estou fazendo aqui? Será que a vida vai ser sempre isto? Será que nada novo vai acontecer? Conhecerei algum homem legal? Será que um dia irei me casar?*

Finalmente uma coisa aconteceu. Quatro anos depois de ter descido no aeroporto de La Guardia (Nova York), vinda de Washington, D. C. – meus sonhos recepcionados e acalentados pelas luzes de Nova York –, aconteceu: fiquei com medo.

E foi sem aviso-prévio. Havia mais de três anos eu vinha desempenhando o mesmo trabalho sem futuro como repórter. Nunca tivera coragem de tentar escrever um artigo, embora meu orgulho estivesse ferido e eu achasse que deveria estar "fazendo alguma coisa". (Recolher artigos de jornais de estudantes universitários e fazer entrevistas uma vez por mês estava longe de ser "fazer alguma coisa".) Sei agora que o que eu realmente queria era ser salva, transportada em asas mágicas para uma nova vida, na qual eu seria confiante, criativa, potente e, acima de tudo, estaria segura. O insípido e infindável cotidiano de jovem solteira trabalhando em Nova York, sem um homem nem perspectivas, estava diminuindo minha autoestima cada dia que passava. Eu não estava conscientemente "procurando um homem". Também não estava tentando elaborar uma nova vida. Não fazia ideia de como poderia preencher o futuro que surgia à minha frente, imenso, exigente e com potencial para ser esquecido.

Lá estava ele, o Complexo de Cinderela. Antigamente ele atacava meninas de dezesseis ou dezessete anos, impedindo-as muitas vezes de cursar uma faculdade e empurrando-as para o casamento. Agora ele tende a atacar mulheres já com curso superior, após terem experimentado o gosto do mundo. Quando as primeiras sensações inebriantes de liberdade se dissolvem e a ansiedade toma-lhes o lugar, as mulheres começam a ser incomodadas pelo velho anseio de segurança: o desejo de ser salvas.

Nem todas as mulheres sofrem do medo em seu grau agudo ou fóbico. Para a maioria delas, ele é uma coisa difusa e amorfa, algo que vai corroendo as bases sem dar mostras. Eu, no entanto, era extremamente vulnerável. Nas vezes em que o desejo de ser salva me assaltou com mais força (em meu último ano de faculdade, após alguns anos de trabalho sem perspectivas e depois que meu casamento se desfez), fiquei com medo.

Uma tarde, enquanto fazia uma pesquisa no Museu do Brooklyn, fui atingida por uma onda de vertigem tão forte que precisei sentar-me com a cabeça entre os joelhos. Como nunca tinha sentido tontura nem desmaiado, a experiência me aterrorizou. Vivi seis meses de pavor de ser assaltada por outro daqueles ataques e não me iludi. A vertigem me subia à cabeça quando entrava no ônibus de manhã para ir trabalhar, ou quando entrava nas lojas, ou quando descia a escada do metrô. Massas de pessoas cruzavam comigo, um só corpo de formas embotadas, dando-me a estranha sensação de estarem sem ligação com o chão que pisavam. O que aconteceria se eu desmaiasse no meio da multidão ou no meio da rua? Durante seis meses, esses sintomas bizarros tiveram preponderância sobre tudo o mais. Era como se constituíssem uma metáfora para uma questão não articulada, mas central: *Quem me segurará se eu cair?*

Ao fugir da faculdade para Nova York, eu pensava estar escapando à sufocante opressão do meio escolar de meninas católicas em que crescera. O problema era que eu não acreditava em minha capacidade de talhar um lugar para mim no mundo. Com o passar do tempo, durante o qual os dias eram preenchidos com os mesmos rituais imutáveis, minha autoimagem começou a se deteriorar, tendo suas velhas bases de sustentação substituídas por uma sensação de falta de raízes. A realidade de meu relacionamento com meus pais, minha religião e todo o meu background estavam enterrados num passado cuja influência eu continuava tentando ignorar. Na mesma medida em que tinha me rebelado contra a segurança e as restrições de minha infância – as freiras, as regras, as idas semanais ao confessionário, o instinto cruamente infalível de meu pai de cortar relações sempre que eu ameaçava resolver algo por mim mesma, o apoio silencioso de minha mãe às atitudes dele – na medida em que desejava não ter mais nada a ver com tudo isso, simultaneamente eu dependia de *tudo* isso. Eu crescera com a Igreja ditando minhas decisões nas questões morais e meus pais dizendo como decidir-me nas questões seculares de minha vida. Se por acaso as coisas ficassem confusas, eu deixava a Igreja tomar as decisões práticas e meu pai, as decisões morais. Aparentemente não fazia diferença quem decidia o que por mim, contanto que *alguém* o fizesse.

Em setembro daquele quarto ano em Nova York, as crises de pânico desapareceram tão misteriosamente quanto tinham surgido. Por diversos meses vivi em guarda, receosa de que, caso olhasse por cima do ombro, a "coisa" – as terríveis palpitações de medo – ainda estivesse lá. A certa altura do terceiro ano, consultei-me com um médico que me assegurou nada haver de errado fisicamente em mim. Agora que os sintomas debilitantes tinham sumido, agradeci a Deus pela suspensão de minha sentença. Resolvi "esquecer" a experiência, preferindo pensar nela como um interlúdio inusitado, em vez de vê-la como um sinal de que algo estava fundamentalmente errado. Nunca ouvira ninguém descrever uma experiência como aquela pela qual eu tinha passado, o que a fazia parecer mais horrível e ameaçadora. *É característico da personalidade dependente ignorar os sinais de problemas, examiná-los o mínimo possível, "aguentá-los".* ("Quem sabe um dia tudo mudará", Cinderela pensava, varrendo as cinzas do borralho.)

Em abril, conheci um homem. Ele era católico e um intelectual. Vivera em Paris durante três anos, com uma bolsa de estudo na Sorbonne. Agora trabalhava como repórter de uma revista, escrevia poesias e cozinhava muito bem. Achei-o fascinante. Quase imediatamente decidi colocar meu destino em suas mãos.

Em um mês, eu estava grávida e, pouco mais tarde, casada. Essa foi uma das últimas decisões que meu pai me ajudou a tomar. Não pedi sua intervenção, porém, não a rejeitei. Meu pai me disse que, naquelas circunstâncias, a única atitude moral compatível era casar-me. "Você tomou essa decisão no ato mesmo da concepção", declarou.

Eu não estava realmente envolvida com a moralidade das coisas. Para ser moral, deve-se ser autêntico. Não sabia distinguir verdadeiramente o que era certo e o que era errado, a não ser segundo os ditames do catecismo. Sempre vivera convenientemente seguindo regras estabelecidas para mim pelos outros. Agora, como antes, segui-as. Mergulhei no casamento como quem desaba sobre um colchão de penas, só para adiar os temores na rua e os terrores noturnos por mais dez anos.

Os primeiros sinais

Psiquiatras que trabalham com mulheres complexadas observaram certas similaridades em suas origens. Elas tendem a revelar na infância a necessidade de se mostrar autoconfiantes e controladoras de seus sentimentos. Enquanto crianças, esforçam-se por desenvolver as habilidades e as qualidades que lhes oferecerão a ilusão de força e invulnerabilidade.

Quando adultas, em geral procuram empregos que reforcem a imagem de autossuficiência. Muito do que as meninas pré-fóbicas tentam realizar na vida é perfeitamente normal – mais: admirável – em e *por* si. O atributo neurótico surge quando o impulso para a realização se transforma numa compulsão – elas não podem *não* realizar.

A *raison d'être* de tais jovens é construir uma fortaleza por trás da qual possam esconder seu núcleo de insegurança e medo. A mãe de uma amiga minha até hoje gosta de recordar-lhe o seguinte: "Você sempre agiu como se ninguém pudesse lhe dizer nada. Desde seus catorze ou quinze anos, você deixou bem claro não haver nada que eu pudesse fazer ou dizer que de algum modo lhe fosse útil".

O azar foi que a mãe levou a sério a farsa de autoconfiança da filha. Ela sentira medo por ela, perplexa, perguntando-se como sua garotinha repentinamente se tornara uma sabe-tudo. Mas, ao proclamar a mensagem: "Não preciso de ninguém; sei cuidar de mim mesma", sua filha adolescente estava exibindo um sintoma evidente. Toda aquela autonomia era um engodo, numa tentativa de supercompensação de uma profunda falta de confiança.

Não é incomum que pré-fóbicos exibam modos desafiantes quando adolescentes. Eles podem ser fisicamente ativos, assumindo riscos e sendo agressivos nos esportes, ou podem provocar aqueles que têm autoridade sobre eles. Independentemente do estilo pessoal, diz Alexandra Symonds, que estudou fobias em mulheres, a mensagem é a mesma: "Não preciso de ninguém; eu tomo conta de mim". Passo a passo, ano a ano, a fachada contrafóbica é meticulosamente desenvolvida. Os detalhes podem variar de uma pessoa para outra, mas o quadro caracterológico básico permanece o mesmo: dominador, mandão, seguro de si próprio. Pode haver uma atraente exuberância acobertando o velho núcleo, uma constrangedora energia parcialmente provinda dos esforços (do contrafóbico) em controlar seu meio ambiente imediato. Por exemplo, os contrafóbicos costumam ser bons companheiros de conversa, compelidos que são pela necessidade de articular e definir tudo. Em festas e reuniões, eles em geral têm uma presença marcante. Quem poderia adivinhar que aquela vistosa assistente governamental de vestido de seda verde que está sendo o centro das atenções na festa – pondo todos perplexos com suas anedotas e seu decote ousado – é uma fóbica disfarçada, insegura quanto a sua inteligência, seu poder de atração, o tamanho de seus seios?

Mulheres contrafóbicas têm dificuldade em se relacionar positivamente com homens. Elas têm uma imperiosa necessidade de se sentir superiores, de estar "com o controle nas mãos". Em seus relacionamentos amorosos, acabam invariavelmente queixando-se dos homens com os quais quiseram se envolver. Após a lua de mel, começam a agir de modo frio e arredio. Seus homens ficam aturdidos, sentindo-se estranhamente culpados sem saber o que fizeram de errado. O que fizeram de errado foi *acreditar* na imagem de autoconfiança projetada por mulheres que são basicamente dominadas pelo medo. Se levadas a sério, essas mulheres nunca chegarão a encostar-se em seus homens, o que, secretamente, é o que sempre desejaram. Prevalece um sistema de duplas mensagens, no qual elas agem de maneira audaciosa, impudente e independente, mascarando seus sentimentos básicos de insegurança e desamparo. Os homens não compreendem que foram enganados por uma falsa fachada de autossuficiência. Eles podem até ter desejado o que suas *mulheres* querem: um "outro" forte e independente em quem se encostar. Então sobrevêm terríveis conflitos quando a verdade das necessidades das mulheres emerge e os homens ou não se dispõem, ou são incapazes de preenchê-las. Foi essa a dinâmica no primeiro relacionamento afetivo de uma jovem californiana a quem chamarei Jill.

O pai de Jill era um advogado bem-sucedido e espirituoso. A mãe, embora "apagada" em situações sociais, obtinha muita satisfação em sua carreira como ilustradora freelancer de revistas. Jill, filha primogênita, sempre se sentia desnorteada por suas discrepantes imagens masculina e feminina: a mulher, um ser silencioso, mas bem cuidado; o homem, vivaz e extrovertido, porém só e desprotegido em um mundo de competitividade. Aos vinte anos, Jill começou a viver seu conflito interno. Foi morar com um carpinteiro, jovem inteligente, mas inculto, que não tinha certeza do que desejava fazer da vida. Logo Jill passou a se sentir infeliz, frustrada, e começou a atormentar o companheiro. Resolveu fazer psicoterapia e queixava-se da incapacidade de decidir se queria ser psicóloga, advogada, ceramista ou musicista. Não obstante ter finalmente aberto uma loja de cerâmicas, o conflito vocacional era o menor de seus problemas.

Para começar, Jill era sexualmente insegura; ela era o tipo de pessoa que precisava ser o centro das atrações em festas e vivia temerosa de que seu namorado conhecesse alguém mais atraente e a abandonasse. As queixas de Jill com relação ao dinheiro também eram sintomáticas. Ela queria uma casa maior e sentia-se confusa quanto a quem cabia essa responsabilidade, se a ela ou ao namorado. No íntimo, guardava rancor contra o namorado por ele não ganhar o suficiente para comprar o tipo de casa por ela desejado. Teimava, contudo, em ignorar a profundidade desse rancor, que contrastava tão agudamente com seus ideais feministas.

"O interessante é", recorda a terapeuta de Jill, "que Jill sempre dava a impressão de ser terrivelmente responsável. Era pontual em nossas sessões terapêuticas e as finalizava por si, em vez de esperar passivamente que eu as encerrasse. Ela parecia eficiente e controlar tudo. Aí, em algum ponto entre o segundo e o terceiro ano de terapia, tudo desmoronou".

Sem nenhum aviso, numa manhã, Jill começou a sofrer de hiperventilação, tonturas e palpitações: todo o conjunto dos sintomas de ansiedade. Tinha medo de sair de casa. Sua "súbita" insegurança se manifestava de todas as formas. Por exemplo, ligava para a casa da terapeuta num sábado à noite para avisar que se atrasaria para a sessão de quinta-feira. "Não há nenhum problema em ser chamada em casa numa emergência", disse sua terapeuta, "mas aquilo não era emergência. De repente, aquela pessoa super-responsável estava me tratando como sua mãe. Eu devia estar à sua disposição sempre que ela quisesse. Acabamos descobrindo que o antigo comportamento contradependente de Jill fora uma grande manobra defensiva por parte dela. E a manobra havia sido executada com tanto êxito que depois de dois anos eu pensava: 'Por que esta mulher ainda vem aqui?' Ela aparentava ser tão *competente...*"

"Agora Jill está começando a expressar sua raiva. Vejo que ela está furiosa porque sentiu-se insatisfeita comigo durante dois anos e *eu* nunca lhe disse nada a respeito. Eu lhe mostrei que a questão era: Por que *ela* nunca me falou a respeito? Agora, repentinamente, teme sair e fazer coisas por sua conta. Teme tirar férias, pois não consegue desprender-se da rígida estrutura de sua vida. Com o cair da fachada, estamos descobrindo que ela ainda é muito dependente dos pais, e *isso* é que estava sendo acobertado por aquele comportamento contradependente. Sua dependência emerge sob a forma de raiva do namorado e de mim. Ela está zangadíssima porque ele não vai ser advogado para cuidar dela adequadamente. E *eu* não vou ser sua mãe."

Jill havia sobreposto a imagem de seu pai, forte e dinâmico, a seu amante, esperando que este trouxesse para casa tanto o pão quanto a estimulação social, exatamente como seu pai sempre fizera. Dinheiro, exaltação, amigos políticos estimulantes – tudo isso fora proporcionado a Jill e à sua mãe por "papai". Em comparação com seu pai, o homem com quem ela estava vivendo perdia de longe. "Ele é um rapaz simpático, sensível e doce, de quem os pais dela gostam muito", a terapeuta contou, "mas é evidente que Jill está insatisfeita com ele. Durante a faculdade ela namorou um homem que estava incerto sobre o que desejava ser, e eles terminaram porque Jill não pôde tolerar a ambivalência dele. Ela não consegue se sentir forte, a menos que seu homem se sinta forte".

Jill não quer ser como a mãe, reclusa e passiva. Identifica-se principalmente com o pai. No entanto, ela certamente não deseja ter de *ser* uma figura tão poderosa, provedora de tudo em *sua* própria vida. Isso é o que o *homem* deveria fazer por ela. Quando não o faz, ela se sente enganada e furiosa. "Jill é o tipo de mulher muito sexualizada no início de um relacionamento, mas que, depois de algum tempo, vê todo o seu entusiasmo e excitação se esvair em razão de todo aquele ódio", diz sua terapeuta.

Tocando o medo

Os sintomas fóbicos de Jill chegaram precisamente no momento em que ela se deu conta de que jamais conseguiria o que de fato desejava – fazer com que outra pessoa assumisse os riscos de sua vida. "Ela agora se encontra no ponto em que tem de tomar decisões realmente cruciais e maduras", sua terapeuta prossegue, "devendo renunciar à figura do pai, que resolveria toda a sua vida. Ela talvez tenha de voltar a estudar, a fim de aprender algo que lhe seja mais intelectualmente satisfatório do que sua lojinha de cerâmicas – algo que também a sustente da maneira como na verdade deseja ser sustentada. Agora, aos vinte e sete anos, ela possivelmente terá de resolver fazer essas coisas por si mesma, sem esperar que o companheiro lhe proporcione tudo. Ela está começando a se atracar com tudo isso, e o que está emergindo é puro medo. Ela está em pânico".

Se conseguir olhar-se através desse medo puro, Jill poderá se encaminhar para uma vida mais livre, menos tensa e mais gratificante. Antes da "quebra", ela estava fazendo tudo a seu alcance para evitar experimentar esse medo. Sua principal estratégia foi tentar reproduzir o mesmo ambiente protetor que tivera quando criança, manipulando o amante na esperança de levá-lo a agir como seu pai. Em parte, foi a recusa do namorado em desempenhar o papel de pai de Jill que precipitou sua crise com relação ao tema da dependência. Embora essa crise possa ser dolorosa e assustadora, ela agora tem a chance de se libertar de seus velhos hábitos e amadurecer. Ela enxergou — mais: ela *viveu a experiência* — sua máscara contrafóbica e dispôs-se a tentar seguir por si, sem a concha, sem escudo, desprotegida, vulnerável.

Não tão afortunadas são as mulheres cujos padrões contrafóbicos passam despercebidos ou não reconhecidos. Estas provavelmente passarão a vida inteira construindo defesas cada vez mais impenetráveis. Estas são as mulheres que fariam qualquer coisa, *privar-se-iam* de qualquer coisa — amor, satisfação, felicidade —, a fim de jamais ter de experimentar aquilo por que Jill passou: pânico, confusão, raiva.

As mulheres contrafóbicas escolhem certas profissões reforçadoras da autoimagem; profissões sobre as quais muitas mulheres mais abertamente inibidas poderiam afirmar: "Ah, eu nunca poderia fazer *isso*; eu teria medo demais disso". O que, naturalmente, é o x da questão. Para essas mulheres, o sentir-se indefesas e assustadas é tão ameaçador que despendem todas as suas energias na construção de uma vida — e de um estilo — destinada a pôr todo mundo (inclusive elas) fora do caminho certo. Elas podem se tornar pilotos de carros de corrida. Ou atrizes. Ou prostitutas. (Jane Fonda fez o papel de uma personalidade contrafóbica típica em *Klute: o passado condena*.)

Ou, como Abigail Fletcher, elas podem ansiar por apanhar criminosos. Assim como existem diferentes objetos fóbicos, também existem diferentes modos pelos quais uma pessoa basicamente amedrontada desenvolve uma personalidade contrafóbica. No caso de Abigail, a arrogância e o cinismo se desenvolveram e formaram uma concha dura. Ela acreditava em sua autoimagem forte, exceto nas vezes em que um namorado a deixava para desposar e ter filhos com outra. Então Abigail se sentia péssima e derrotada por semanas, talvez meses, mas por fim punha-se de pé, erguia a cabeça, e sua índole vingativa e recriminadora retornava redobrada. De vez em quando, só para provar quão infinitamente dispensáveis eram os homens, tinha um caso com uma mulher.

Estava tudo lá, esse ser "inabalável", afiado como a ponta de um estilete, na época em que Abigail se tornou mãe, aos dezoito anos de idade. Isso ocorreu em 1976. Ela engravidou para fugir dos pais – pessoas inseguras que, por mimarem e superprotegerem a bela filha, tinham-na levado a sentir-se sufocada e assustada. A fim de negar esses sentimentos incômodos, ela se tornara uma versão durona da Princesa Judia-Americana. Ela acreditava com todas as forças que lhe cabiam, por direito, as melhores coisas da vida. Ela também suspeitava profunda e amargamente que nenhum príncipe encantado jamais chegaria para lhe proporcionar aquelas coisas, uma vez que não tinham sido proporcionadas por aquele seu marido maconheiro, o homem com quem se casara aos dezessete anos e que a deixara um ano depois, após dar-lhe uma filha.

A ocultação do medo: o estilo contrafóbico

A história de Abigail dará um vislumbre do que constitui a defesa contrafóbica, um modo de ser pseudoindependente que finge possuir autossuficiência quando, na verdade, por dentro a pessoa é tímida, incerta sobre tudo e temerosa demais de perder a identidade, a ponto de nem mais ser capaz de se apaixonar.

Apesar de os detalhes dessa história serem específicos do caso de Abigail Fletcher (seu nome é fictício), o estilo pseudoindependente pode ser reconhecido por muitas mulheres. É o estilo das pessoas em estado de absoluto terror, como a mulher tão inundada por sentimentos de vulnerabilidade (por causa de seu sexo) que quase preferiria ser homem.

O classificado no *Globe* de domingo anunciava "DETETIVE, HOMEM OU MULHER" e fora colocado pelo departamento de recursos humanos de uma loja na área do Quincy Market, no centro de Boston. Esse "DETETIVE" chamou a atenção de Abigail Fletcher. Ela precisava muito de um emprego; com um ano cursado na Universidade de Boston e sua boa aparência, provavelmente ser-lhe-ia fácil achar emprego como recepcionista em algum lugar, mas quem queria ficar sorrindo tolamente o dia todo? De uma ou outra forma, Abigail conseguira até então evitar essa espécie de serviços monótonos e não tinha intenção de deixar-se engolir por eles agora. Ultimamente estivera trabalhando numa distribuidora de filmes com o namorado; o negócio que rendera bastante fracassou, e ela viu-se às voltas com a carência de dinheiro. Ah, mas não era por isso que ia trocar sua inteligência por uma mesa de recepção, de jeito nenhum. Ela costumava dizer que tinha um bom nariz e uma boca grande, o que significava – sem rodeios – que gostava de imiscuir-se na vida dos outros e que era capaz de falar bem e cruamente se a ocasião assim o demandasse. Abigail gostava de imaginar-se como uma investigadora do lado da lei e da justiça. Costumava fantasiar que trabalhava para o Departamento de Proteção e Defesa do Consumidor. Na fantasia, via-se em sua jaqueta de camurça e seu jeans sofisticado, com os longos cabelos castanhos cortados ao estilo de Farrah Fawcett, e enfrentando os açougueiros de Boston com relação à quantidade de gordura em cada porção de carne vendida.

"DESNECESSÁRIO EXPERIÊNCIA PRÉVIA", dizia o classificado. Tratava-se de uma colocação na equipe de segurança da Towne & Country, uma loja grande e requintada. Abigail pensou: "É comigo mesma"; era hora de agir. Ela era pequena, mas bastante valente para esse serviço; de quebra, tinha um corpo razoavelmente bem preparado, graças, em parte, às aulas de jiu-jitsu que tomara algum tempo atrás no porão de uma igreja budista, e em parte aos genes de sua doce e querida mamãe. "Sim, definitivamente esse serviço é para mim mesma."

Abigail divertiu-se por ocasião da seleção na Towne & Country. Notou de imediato que o entrevistador, um tal de Hollis, queria cantá-la. Uma vez encerradas as perguntas essenciais ("Cê toma drogas?" – "Puxo fumo". "Já roubou alguma coisa de algum empregador?" – "Não". "Algum outro tipo de drogas?" – "Nããão". "Cê tem dívidas grandes?" – "Claro, 400 dólares no cheque especial"), ele reclamou da equipe inadequada que tinha e explicou o programa de treinamento oferecido pela loja.

"Você foi aceita", disse-lhe o Sr. Hollis ao telefone no dia seguinte. "Bem-vinda ao Corpo de Segurança da Towne & Country."

Abigail teve de conter uma gargalhada ao descobrir que um dos sujeitos com quem teria treinamento era o medroso Mário, um de seus ex-colegas no curso de jiu-jitsu. Um bebezão chorão, fora como o classificara mentalmente. Quando lutavam juntos e ela tentava chutá-lo, ele instintivamente dobrava os joelhos para proteger os testículos e acabava sempre levando o chute nas canelas. Ela o chamava de "Esconde-Ovos".

Não escapou a Abigail a diferença entre ela e os treinandos do sexo masculino: só *eles* recebiam aulas de caratê e técnicas de "vem-comigo". ("Vem-comigo" é quando se torce o braço do ladrão por trás das costas de tal modo que a pessoa é levada para a sala da Segurança sem apresentar problemas.) Imediatamente, Abigail dirigiu-se a Hollis: "Quando é que *eu* vou começar a ter essas aulas?". Ele se limitara a dar um falso sorriso paternal e malicioso e dissera: "Tão logo você faça sua primeira detenção".

"Merda", Abigail pensou. "Eu já sou faixa verde, coisa que o 'babaca' do Esconde-Ovos nem sonha conseguir."

Abigail passou a ir trabalhar de jeans e tênis. A atmosfera de cilada e ação rápida deliciou-a desde o início. Foi ensinada a "extinguir", que significava seguir suspeitos tão de perto que se acabava por fazê-los sair da loja, amedrontados, antes que pudessem pegar qualquer coisa. Ela aprendeu a "forçar a devolução", isto é, tentar forçar alguém que *parece* ter pegado algo a "disfarçar" e jogar a mercadoria numa mesa ou em outro lugar qualquer e ir embora.

Abigail era uma aprendiz viva. Aprendeu depressa todas as dicas e truques, as seções da loja mais passíveis de ser roubadas, as posições dos espelhos e os sistemas de alarme ocultos. No começo, ela passou bastante tempo rastejando pelo soalho carpetado das espaçosas cabines de prova. Essa era a parte do serviço de que mais gostava, bem como a que mais produzia resultados. Carregava consigo uma caixinha de pílulas cheia de alfinetes e, quando lhe dava na veneta, metia-se numa cabine vazia e fechava as cortinas com os alfinetes, com o propósito de espionar em paz. Em seguida deitava-se no chão e olhava pela abertura do cano de ventilação, tentando enxergar o mais possível. Era divertido ver as mulheres fazendo poses, suspirando de orgulho e eliminando gases. Às vezes via uma delas arrancando a etiqueta dos artigos e colocando coisas na bolsa, na sacola de compras ou dentro da calcinha ou da meia-calça. "Metedoras" – assim eram chamadas aquelas que utilizavam esse terceiro método, e em geral eram profissionais.

As profissionais podiam ser extremamente assustadoras. Frequentemente eram grandalhonas e de outras nacionalidades (combinação que, desde seus tempos de colegial no lado sul da cidade, o South Side, sempre aterrorizara Abigail) e especialistas em desnortear os outros. Um dia uma dessas, com um corpanzil enorme, percebeu que Abigail a seguia, virou-se, aproximou-se quase a ponto de tocá-la e falou num murmúrio rouquenho com bafo alcoólico: "Se quiser aprender a seguir a gente, faz isso *bem* de perto, esquece os espelhos". "Tá querendo ensinar o pai-nosso pro vigário, dona?", retrucou Abigail, mas seus joelhos tremiam como geleia.

Após duas semanas de treinamento, Abigail fez sua primeira "detenção". A experiência foi chocante para ela. A mulher que flagrou não era de outra nacionalidade, nem estava vestida com farrapos, como Abigail imaginara. Era simplesmente a Sra. Hansen, americana e pequena, com um coque grisalho bem preso à nuca e olhar de puro pânico.

Nervosa, Abigail teve de levar a Sra. Hansen à sala do Sr. Hollis. Todos os volumes das sacolas de compras da mulher foram espalhados sobre a grande escrivaninha de mogno do Sr. Hollis. A Sra. Hansen não carregava drogas consigo. Quanto a armas, o que tinha era um porta-agulhas e alguns carretéis de linha, do tipo carregado por mulheres melindrosas, no caso de perderem um botão da roupa na rua. O porta-agulhas e os carretéis foram confiscados.

Encerrada a revista, Abigail (que inusitadamente se identificara com a mulher) experimentou uma queda abrupta em sua taxa de adrenalina. A cena toda era por demais deprimente. Desempenhou o resto do encargo automaticamente. Parte de seu dever era acompanhar a mulher até o elevador e conduzi-la ao andar térreo. A Sra. Hansen agarrava-se às suas sacolas, com a cabeça baixa. Abigail seguiu com ela pela seção de perucas, luvas e lingerie, depois cruzaram a seção de perfumaria, onde se fazia sentir fortemente o odor de patchuli, até alcançarem a porta de entrada. Lá, sem olhar para trás, a Sra. Hansen deixou Abigail e, como um animal assustado, rapidamente fugiu entre a multidão na Rua Market.

Sentindo-se culpada e com o coração apertado, como sempre, Abigail tentou recuperar sua frieza. Ridículo deprimir-se com isso. Era um *emprego*, nada mais. Afinal de contas, se não precisava, para que aquela louca estava roubando? Abigail sabia o que faria. Assim que chegasse em casa, tomaria um bom banho quente de banheira. Depois poria a menina na cama, colocaria um disco dos Rolling Stones para tocar e enrolaria uns baseados.

Por estranho que pareça, no dia seguinte, Abigail foi bem-sucedida de novo – duplamente, aliás: pegou dois rapazes, um de quinze e um de dezesseis anos. Dessa vez realizou seu trabalho eficientemente, sem remorsos. Estava "à toda". Forte, invulnerável, sentia-se como numa "viagem" de intensas proporções. Controlar a própria vida era fácil se assim resolvesse, pensou. O trabalho não apresentava complicações. Sua vida amorosa estava também "numa boa". Os homens acorriam para ela como abelhas para o mel. Em poucos anos, abriria a própria firma de segurança e daria o fora do South Side.

Só havia uma falha em seu plano. O que Abigail não sabia – o que ela não podia prever – era que nunca seria capaz de apaixonar-se profunda e irrevogavelmente. A menos que acontecesse algo que penetrasse seu núcleo tão bem oculto. Ela teve inúmeros namorados, homens que, de início, eram atraídos por seu charme e autoconfiança, mas posteriormente eram repelidos pela maneira pegajosa com que se agarrava a eles. Mal começava a sair com um homem e já estava lhe oferecendo "uma comidinha caseira", bem como desfilando suas novas roupas íntimas. "Está tudo bem", o homem devia pensar consigo mesmo. Mas não estava. Essa Abigail oscilava de um extremo a outro. Era perceptível que tecia uma teia para enredá-lo. Ela era boa de cama; porém, de um modo indefinível, ficava claro que não estava *presente*. Uma doida metida a durona. Uma narcisista. Mais ou menos como uma puta.

A característica surpreendente da personalidade contrafóbica é sua eficácia no tocante à defesa. Mulheres contrafóbicas raramente experimentam o medo, de maneira que não têm ideia do grau em que ele domina sua vida.

A fobia nas mulheres pode ser associada a um temor de abandonar sua repressão sexual e ao sentimento de desamparo e vulnerabilidade. Esse temor às vezes se expressa por meio de fantasias de prostituição e dominação. Abigail gostava de visualizar-se como uma "rainha do sexo", uma mulher do tipo "ame-os e deixe-os", a quem nunca faltavam belos presentes e namorados charmosos, mas que jamais se "amarrava". Essa fantasia era um complexo acobertamento de uma terrível e profunda solidão – uma solidão provinda da incapacidade de soltar-se e entregar-se a outro ser humano. A entrega era demasiadamente ameaçadora. Provocava-lhe a sensação de poder perder as fronteiras da própria personalidade.

Tais temores têm raízes numa profunda solidão infantil. A necessidade de amor não preenchida na infância pode fomentar um desejo passivo e potencialmente destrutivo de entregar-se a qualquer um. Os pais de Abigail lhe tinham proporcionado todos os cuidados de que eram capazes, no entanto, ela jamais se sentira apoiada como carecia. E nunca sentira que seus pais verdadeiramente se importavam com ela; se assim fosse, eles não teriam alimentado sua necessidade de crescimento?

Era dessa maneira que Abigail protegia sua necessidade íntima e inconfessável. Contudo, ela também nutria desejos agressivos de libertar-se dessa necessidade – de libertar-se dos *homens*, de cuja força tanto precisava e invejava – e exercia essa agressividade sobre os homens no emprego. Desdenhava o Sr. Hollis, o Esconde-Ovos e qualquer outro que não lhe despertasse interesse romântico[1]. Seu real pavor dos homens em geral era expresso em sua linguagem "masculina" – em todo o seu modo de ser exterior, aliás. Seria bom ser forte e *segura* (como o são os homens), não facilmente explorável. Não vulnerável e incerta. Como o são as mulheres.

A reação feminina

O medo há muito vem sendo considerado um componente natural da feminilidade. Ter medo de ratos, do escuro, de ficar só – essas coisas são consideradas temores normais em mulheres, mas não em homens. *Finalmente psicólogos e cientistas sociais começaram a sustentar que a fobia, ou medo irracional, não é mais "normal" ou sadia nas mulheres do que nos homens.*

No entanto ela aparece mais frequentemente entre as mulheres. Perplexa pelo número de pacientes fóbicas que procuram seu consultório em Nova York, Alexandra Symonds diz que, se por um lado dão a impressão de temer ser controladas por outrem, na realidade essas mulheres receiam tomar o controle de sua vida nas próprias mãos. Temem dar cunho e direção pessoais à vida. Temem o movimento, a descoberta, a mudança – qualquer coisa incomum e desconhecida. E o que mais as debilita é seu medo da agressividade normal e da assertividade[2].

As mulheres experimentam muito mais medo do que deveriam. Como ele caminha lado a lado com a dependência, faz-se essencial uma boa análise e identificação do que constitui a reação fóbica. As mulheres perdem muita coisa simplesmente com a finalidade de evitar e reduzir o medo. Vivian Gold, uma psicóloga que clinica em São Francisco, conta ser procurada por pessoas do sexo feminino com todo tipo imaginável de temores. "Elas têm fobia de sair, fobia de envolvimentos interpessoais, fobia de tomar iniciativas em seus relacionamentos – fobia em relação a toda espécie de coisas."

A intensidade do medo que assalta as pacientes da dra. Gold nem sempre transparece de imediato, o que se deve a dois fatores. O primeiro deles é o fato de considerar-se *apropriado* certo grau de medo e evitação nas mulheres; o segundo, a dor envolvida no manejo do medo e da evitação. "Em geral eles não aparecem durante o primeiro ano de tratamento", diz ela. "No começo, as pacientes preferem falar de problemas no casamento ou da tomada de decisões quanto à carreira. Somente bem mais tarde é que emerge seu pavor à solidão. Algumas não conseguem passar nem uma noite sozinhas."

"As fobias de muitas mulheres têm raízes no fato de terem tido pais superprotetores", diz Ruth Moulton, "pais que atemorizavam as filhas projetando sobre elas as próprias ansiedades. Pais que diziam às filhas que não deviam sair com homens desconhecidos; que deviam chegar em casa cedo; que, se não tomassem cuidado, seriam estupradas". (É óbvio que existem motivos concretos pelos quais se deve ensinar as meninas a ser cautelosas; todavia, os efeitos patológicos de todos os avisos e ameaças feitos na infância indicam que uma educação de massa com vistas à autodefesa seria um instrumento mais construtivo do que fomentar a crença de que a jovem tem de estar constantemente em guarda se quiser sobreviver.)

A vida da mulher fóbica tende a ser levada em círculos concêntricos cada vez menores. Aos poucos, amigos e atividades são abandonados. Aquela que nos tempos de escola adorava esportes transforma-se numa matrona totalmente sedentária. Esquiar é muito arriscado. ("Pode-se quebrar a perna", diz consigo mesma, acreditando estar sendo sensata.) Até o tênis fica fora, pois certas jogadas podem ser agressivas demais. Viajar pode se tornar um problema. Os aviões são um perigo. Os pilotos costumam estar embriagados, diz ela, acenando com os mais recentes dados estatísticos de acidentes aéreos. Qualquer um com a *cabeça no lugar* teria medo de voar. (É claro que não ocorre à mulher fóbica que voar é um símbolo de separação do príncipe encantado, seja ele quem for, com quem ela conta para cuidar dela.)

Às vezes, a reação fóbica força as mulheres a evitar atividades tão aparentemente inócuas que jamais se adivinharia que o medo estava no fundo da coisa. Muitas das mulheres com quem conversei contaram que tinham parado de ler depois que tiveram filhos. "Simplesmente não dava mais tempo", era a explicação usual. "Depois tornou-se uma espécie de hábito. Meu marido passava o tempo todo lendo, mas eu não; meus filhos cresceram, saíram de casa, e, sei lá por quê, eu nunca mais retomei o hábito da leitura. Em lugar disso, tricô e televisão."

Essas mulheres evitavam ler porque a leitura é um viajar – um viajar para longe de casa e do marido, um viajar só. Ler era uma das diversas atividades "abandonadas", mas experimentadas pelas fóbicas como tendo meramente desaparecido de sua vida. Acabou sem questionamento[3].

As formas menos agudas de fobia são bem mais comuns – e também mais dificilmente identificáveis como irracionais. Exemplo delas é o modo como as mulheres se refugiam no lar. É fácil usar a alternativa doméstica como proteção contra as vicissitudes de um mundo que nos assusta. "Gente demais me inquieta", diz a escritora Anne Fleming, justificando por que prefere ficar em casa. "A ideia de estar numa redação de jornal cheia de máquinas de escrever tinindo me intimida. Não quero ouvir o medo dos outros tentando sobreviver num circo profissional. E certamente não quero que ninguém veja o *meu* medo."

Uma mulher que conheci e que se sustentou até os trinta e três anos, idade com que se casou (e abandonou o emprego como se tivesse recebido um seguro de vida inextinguível), agora está pensando em voltar a trabalhar e construir uma nova carreira. Está igualmente considerando deixar o marido – ideia essa que vem acalentando há anos, mas que aparentemente a aterrorizava. Ela me disse o seguinte: "À noite fico deitada na cama olhando para o teto. E aí me assalta um temor de que ele vá se abrir e me aspirar para cima, engolindo-me".

A antecipação do voltar a viver por sua conta apavora essa mulher. Andando pela rua, ela às vezes tem a sensação de que os edifícios vão tombar sobre ela.

Enquanto o casamento parece eliciar o surgimento da fobia em algumas mulheres, o divórcio efetua o mesmo em outras. "Descobri que tinha um número enorme de pacientes que passaram a isolar-se e mostrar-se atemorizadas após um divórcio pedido por *elas*", disse-me Ruth Moulton.

Ela prossegue dizendo que essas mulheres sofrem de "uma necessidade compulsiva de ter um homem". De fato, todas as suas pacientes que apresentavam fobias compartilhavam da mesma ilusão: "Se ao menos houvesse um homem em casa – mesmo que dormindo, bêbado ou doente –, seria melhor do que estar só".

A fuga à independência

Uma vez chegada a idade em que supostamente estão aptas para o casamento, muitas jovens excessivamente dependentes acham a farsa de ser forte difícil, senão impossível, de manter. Elas podem ter sido grandes vencedoras na adolescência, mas agora anseiam por jogar fora a máscara e alimentar sua dependência. Sem disso se conscientizar, procuram uma situação na qual possam abandonar sua fachada de autossuficiência e retornar àquele estado aconchegante da infância tão sedutor às mulheres: o lar. Que outra circunstância é mais ideal para uma "vencedora" brilhante, que outra motivação poderá levá-la a deixar tudo avidamente, senão a de ser dona de casa? E, quando subitamente se entedia das lides domésticas, surpreende-se.

Seguramente ninguém se surpreendeu mais do que Carolyn Burckhardt ao perceber quão bem-vinda era a comodidade da vida doméstica no bem-aventurado dia em que se tornou a Sra. Helmut Anderson. "Essa era uma componente de mim que jamais imaginei existir", ela me contou doze anos mais tarde, rememorando a época (apenas entrara na casa dos vinte) em que "decidira" ter alguns filhos antes de enfronhar-se de vez na carreira de musicista. Agora, aos trinta e tantos anos, Carolyn (tanto o seu nome quanto o do marido foram mudados) estava tentando reordenar sua vida. Todos os planos da juventude tinham ido por água abaixo, cedendo sob o peso de um casamento opressivo. Era uma situação sobre a qual ela não detinha nenhum controle.

Quando jovem, Carolyn fora contralto de primeira ordem, uma das mais jovens cantoras a ser convidadas a participar da Santa Fé Opera Company. Esforçada e talentosa menina de Shaker Heights, Ohio, ela crescera participando de caçadas e corridas de cavalo e – acima de qualquer outra coisa – treinando, treinando, treinando, o que resultou numa voz admirável para aquela idade. Todos os que a conheciam ficavam impressionados com sua disciplina, sua maturidade, seu profundo senso de objetivo a atingir. "Carolyn sempre soube o que queria, desde bem pequena", sua mãe costumava comentar na roda de amigas do clube de campo. Elas concordavam silenciosamente, no íntimo invejando-a, já que, enquanto as filhas ocupavam-se em "bolar" penteados sofisticados e engomar suas blusas e saias, Carolyn ia se envolvendo em algo bem... *significativo*.

A menina trabalhava febrilmente, quer estivesse desmazelada e com os cabelos desgrenhados ou elegantemente vestida em seu traje completo de equitação. Por fim, nos últimos anos da adolescência, desistiu da equitação e passou a praticar o canto durante duas, três, quatro horas diárias. Na primavera de seu último ano na faculdade, Carolyn foi a Santa Fé para concorrer a uma vaga na companhia de ópera e, para alegria e satisfação de seus familiares, foi aceita. Imediatamente fizeram-lhe as malas e despacharam-na para o ingresso no mundo da música. Quem iria imaginar que, apenas seis meses mais tarde, mandada pela mamãe para uma semana de apresentações em Nova York, ela iria conhecer o elegante Helmut Anderson e se apaixonar por ele?

Se isso não tivesse ocorrido, Carolyn provavelmente teria entrado para uma companhia de ópera de Nova York; contudo, quando Helmut pediu-a em casamento, ela resolveu facilitar as coisas para o marido, "ficando em casa algum tempo". Helmut, aos vinte e quatro anos, estava terminando seu doutorado. Ele precisava da paz e quietude de um lar enquanto escrevia a tese de doutorado.

Em resumo: precisava de uma esposa.

A esposa secretamente fóbica

Sem prestar muita atenção ao fato (Quem é que prestava muita atenção a essas coisas?, comentou suspirando), Carolyn engravidou de imediato, e novamente oito meses após o nascimento do primeiro filho. Jovem, cheia de energia, loucamente apaixonada e com toda uma história de vitórias atrás de si, Carolyn imaginou que seria fácil retomar a carreira quando as crianças entrassem no jardim de infância. Enquanto isso ela seria dona de casa, mãe e secretária, papel esse – e que choque descobri-lo – que adorava. "Eu nunca brinquei de casinha quando pequena", contou-me. "Depois dos seis ou sete anos, nunca mais dei a mínima a bonecas. Mas, quando Helmut e eu nos casamos, senti-me encantada por ficar em casa, encantada por cuidar de uma casa, encantada, enfim, por ser esposa e dona de casa. O que me pegou de surpresa. Era como se algo dentro de mim tivesse dado um giro de cento e oitenta graus e de repente tudo tivesse ficado no lugar certo."

Helmut, que logo obteve aulas numa universidade próxima, adotou como seu um dos cômodos do apartamento, a sala de jantar. Por ser esse o melhor cômodo da casa, já que contava com mais luz e ventilação, rapidamente a sala tornou-se seu escritório.

Para Helmut, a situação era bastante satisfatória. Através das portas envidraçadas da sala, ele podia observar todas as atividades e o curso de vida de sua pequena família. Carolyn sempre garantia que as crianças brincassem em silêncio quando Helmut estava em casa. "Psiu, papai está trabalhando", era o que os filhos ouviam dia após dia desde bem pequenos. Aquele arranjo era inconveniente em alguns aspectos, porém Carolyn achava-o um preço insignificante em relação ao possuir o resto do grande e desorganizado apartamento de Brooklyn Heights. *Exceto, é claro, quando Helmut saía do escritório, apossando-se de todo o apartamento.*

Era uma daquelas pequenas cotas de realidade desagradável que tão frequentemente preferimos ignorar: Carolyn não tinha nada de verdadeiramente seu. Tudo o que *eles* possuíam era de Helmut. O cachorro era de Helmut; no contrato do apartamento, Helmut era quem figurava como inquilino; a comida sobre a mesa, até mesmo o veículo de fuga a tudo isso (o talão mensal de bilhetes do trem para New Haven, onde ele lecionava) – tudo era de Helmut.

Na época em que, afinal, compreendeu isso, Carolyn beirava os trinta anos. Acordou certa manhã (assim lhe pareceu, como se tivesse acabado de despertar) para o fato de que Helmut era um "Eu Tenho" e ela, que durante toda a infância sempre "tivera" e fizera por ter coisas, de algum modo fora rebaixada para a humilhante posição de "Eu Não Tenho". Bastava Helmut pigarrear por trás das portas de vidro de seu escritório, e a família automaticamente passava a caminhar na ponta dos pés e a sussurrar. As crianças brigavam (interminavelmente, parecia-lhe), e lá vinha ela voando da cozinha para aquietá-las. Quando uma das crianças estava doente e a outra não, ela contratava uma pajem para levar a não doente à escola, pois Helmut jamais auxiliava nessas "coisas triviais". Nos dois dias da semana que passava em casa, ele escrevia – e só, *independentemente* do que ocorria à sua volta. Lá pelo fim de cada inverno, época em que os vírus já tinham feito sua visita à casa, Helmut reclamava incessantemente do dinheiro gasto com pajens. Estavam em 1978; Helmut lecionava em uma das universidades de maior prestígio do nordeste americano. Foi nessa época que a administração dessa universidade teve de se curvar às exigências de mudanças feitas pelas estudantes, inconformadas com a discriminação dentro da Educação. No entanto, na casa de Helmut nada se modificou: *ele*, Helmut, era o astro brilhante na constelação familiar. Carolyn não passava de um satélite.

O caso é que assim se passaram oito anos. A ópera assumira contornos vagos na imaginação de Carolyn: ofuscante demais para ser visualizada com clareza ou em detalhes e fugaz demais para emergir em sua consciência por mais de um momento. Era uma coisa do passado, de uma menina cheia de sonhos e sem percepção do mundo real. Uma menina com a ideia louca e infantil de que a vida poderia ser vivida no centro de um palco.

Carolyn já não era mais uma cantora. Estava magra e tensa, seus cabelos haviam perdido o volume. A pele aveludada da infância começara a perder o viço. "Mas, *querida!*", sua mãe exclamava pelo interurbano, quando Carolyn tentava desabafar com ela. "Eu não compreendo. Helmut está indo *tão* bem! Professor adjunto nessa idade não é de se desprezar, hein? Em breve vocês terão mais dinheiro e as coisas ficarão mais fáceis."

Carolyn não podia dizer à mãe que dinheiro não era a solução. Carolyn não achava as palavras para explicar que já não era nem menina nem mulher; que, vivendo no limbo atemporal do servir a outro, era apenas uma criatura inteiramente sem autonomia. Aquilo com que sonhava – mas somente durante o sono – era a possibilidade de estar no controle. Sonhava que era uma cirurgiã, a quem a equipe de assistência respondia tão destramente que lhe bastava pedir com os olhos os instrumentos operatórios.

Quando Timothy, o filho mais novo, entrou na escola, Carolyn começou a falar em "fazer alguma coisa". "Helmut, realmente acho que tenho de fazer alguma coisa", dizia.

"Por Deus, *por favor*, faça alguma coisa", ele respondia. "Você está me enlouquecendo."

Acontece que Carolyn perdera a combatividade e o ânimo que a tinham amparado durante os anos de adolescência. A reação de Helmut fazia-a sentir-se abandonada, como se ele *não quisesse* cuidar dela, como se tudo o que ele queria dela era ser deixado em paz. Carolyn desejava a *opção* de sair e fazer alguma coisa, mas certamente não queria sentir *ter* de fazê-lo. Ela deveria poder ter alguma escolha quanto ao modo de conduzir sua vida.

Entretanto, a atenção dada por Carolyn ao tema da escolha era superficial e falsa. Ela preferia viver *sem* opções – como vinha fazendo desde o dia de seu casamento – a assumir o risco de experimentar a própria individuação. Por isso submetia-se. Quando Helmut começou a resmungar sobre as contas ao mesmo tempo que insistia em que ela passasse a recepcionar em melhor estilo, Carolyn tomou suas palavras como uma ordem. Ocorre que ele estava se tornando *conhecido* no mundo acadêmico. "Chega dessa droga de bolachinhas e patê", reclamava. "Chega desse vinhozinho barato. Isso é para aluno de pós-graduação. O pessoal com quem lido está acostumado ao scotch."

Nesse ponto, o que Helmut realmente desejava era uma segunda fonte de renda na família, algo que ajudasse a melhorar um pouco o nível econômico da vida deles. Ele estava *além* do nível em que viviam. Seus escritos agora eram publicados regularmente; *falava-se* dele em seu campo acadêmico. Em vez de apoiá-lo, queixava-se ele com vários dos colegas mais íntimos de Yale, a esposa e os filhos estavam atrapalhando.

A evitação como fuga de si mesma

A evitação fóbica de Carolyn foi se tornando cada vez mais aparente, pois ela nada fazia para desenvolver um novo curso de ação para si mesma. Respondendo não a algum ditame interno no sentido do crescimento e desenvolvimento, mas apenas *reagindo* à pressão de Helmut pela criação de um palco iluminado por seu brilhantismo, ela tentou desesperadamente arranjar fórmulas mais inteligentes de controlar a despesa familiar. Fez um curso de extensão universitária grátis sobre seleção de vinhos. Ampliou seu repertório culinário, especializando-se na produção de refeições exóticas que requeriam pouca carne. Quando recepcionavam, em lugar das bolachinhas com patê, passou a servir canapés requintados, feitos com pão integral preparado por ela mesma, regados com o melhor Bordeaux, comprado por menos de 4 dólares a garrafa nas mais longínquas e nojentas lojas de bebidas que escarafunchava. A fim de melhorar a aparência do apartamento, ela começou a frequentar lojas de artigos de segunda mão, em busca de tapetinhos, abajures de bronze e bandejas recobertas com finíssima camada de prata – coisas, enfim, que a ajudassem a criar um ambiente de conforto e sucesso. Carolyn nunca lera *O Segundo Sexo*. Se o tivesse feito, teria de duelar com as observações de Simone de Beauvoir sobre os perigos oferecidos às mulheres pelo excessivo envolvimento com a casa. "Nessa insanidade (...) a mulher se ocupa tanto que se esquece da própria existência", expunha De Beauvoir. "De fato a vida doméstica, com suas tarefas meticulosas e ilimitadas, permite à mulher uma fuga sadomasoquista de si mesma (...)"

Se Carolyn estava ocupada demais para se aperceber das implicações de tanta ocupação, o mesmo não se dava com Helmut, que começava a achar a esposa um fracasso total. As esposas de seus colegas *faziam* coisas, mesmo que isso significasse apenas retomar os estudos. "Puxa, Carolyn, torta de frango *de novo?*", dizia, cinco minutos antes de suas visitas chegarem. "Acho que *talvez* os Aronson já tenham comido esse negócio no mínimo nas três últimas vezes que estiveram aqui!"

"Eu precisaria de um ano", Carolyn dizia a si mesma. "Eu precisaria de um agente, um empresário, um acompanhante. Eu teria de viajar ao menos quatro meses por ano, às vezes durante semanas seguidas, e *aí*, no fim das contas, sei lá se não ia descobrir que não sou mais capaz de fazer ópera."

Pensou em fazer Medicina, mas essa era uma ideia absurda demais para receber muita atenção. Levaria "apenas" dois anos para preparar-se para os exames, depois quatro anos de curso, depois os anos de interna e residente... Com horror Carolyn deu-se conta de que estaria com mais de quarenta ao iniciar a profissão de médica e que a vida até lá seria difícil – terrivelmente difícil, impossível mesmo. Helmut simplesmente jamais se ajustaria aos problemas que sua volta aos estudos criaria.

Sempre, nesse ponto da fantasia, os olhos de Carolyn se enchiam de lágrimas. "Eu provavelmente nem conseguiria *entrar* na faculdade de Medicina."

Era mais fácil para Carolyn julgar-se não "suficientemente inteligente" do que enxergar o grau de sua dependência de Helmut para tudo. O resultado dessa dependência foi levar Helmut a matá-la simbolicamente. Ele, um tirano cruel que tinha todos os desejos satisfeitos, não estava mais lhe sendo fiel.

Somente nas horas solitárias daquelas noites em que Helmut permanecia em New Haven é que Carolyn se permitia refletir sobre a *frequência* dos pernoites dele fora de casa. Com que facilidade isso se tornara rotineiro! Uma ou duas vezes por semana ele telefonava com uma desculpa: o tempo estava ruim e ele ia dormir na casa de um amigo; ou então teria de usar a biblioteca até tarde e não compensava tentar pegar o trem da madrugada para logo depois retornar.

Quanto fingimento! E há quanto tempo isso vinha acontecendo! Excetuando o sucesso acadêmico, que parecia aumentar a cada ano, Helmut desapontara Carolyn em quase tudo o que dele esperava. Ele era pai das crianças apenas no tocante ao suprimento de suas necessidades físicas. Embora passasse mais tempo em casa do que a maioria dos homens, ele raramente via os filhos, a não ser nos passeios ritualizados que faziam nas tardes de sábado.

Quanto ao relacionamento com *ela*... bem, Helmut dificilmente era o que se poderia chamar de companheiro, já que só se dirigia a Carolyn para falar do estritamente essencial (para ele): que fosse buscar suas camisas na lavanderia; que tratasse de livrá-lo da obrigação de comparecer àquelas chatíssimas reuniões de pais da nova escola de Timothy; e não dava para ela garantir que sua mãe não viesse visitá-los até depois do ano-novo? Pois *naturalmente* a mãe dela nada tinha a ver com os convidados para a ceia de 31 de dezembro (os convidados eram seus amigos do departamento).

Aos trinta e dois anos, onze depois de ter se casado, Carolyn começou a apresentar súbitas e prolongadas crises de choro. O mero *pensar* em mudanças — um emprego, umas curtas férias sozinha, a menor escapada que fosse do pesadelo em que sua vida tinha se transformado — a fazia sentir-se intoleravelmente cansada e apática. Sua vida era uma roda-viva e sempre igual: a escola das crianças, o açougueiro, a cozinha, a loja de bebidas. Perdeu peso, mal se importando com o efeito sobre sua aparência, pois seu corpo era-lhe agora um estorvo. Veio a insônia povoada pela memória de estranhos sonhos, com imagens de violência e morte. Helmut a estava pressionando a sair e arrumar um emprego. Estava insatisfeito com ela. Isso a enraivecia, mas ela não ousava expressar seus sentimentos. *Quem ele pensava que era, exigindo que ela se modificasse depois de tudo a que renunciara por ele? Ela renunciara à própria vida! E ele? Ele não renunciara a nada.* Ele estava tentando expulsá-la do ninho antes que estivesse pronta para voar. Não, ela *não* estava pronta. Alguém havia cortado suas asas. Alguém se esquecera de ensiná-la a voar.

Quando, afinal, Helmut decidiu deixá-la, Carolyn contava quarenta anos e ainda não aprendera a lição. O divórcio quase a destruiu. Ela levou muito, muito tempo para reunir os cacos de sua vida. Demorou muito até descobrir que fora ela, e não ele, o instrumento de seu martírio. Demorou muito até que aprendesse aquilo a que ninguém pode fugir nesta vida: a responsabilidade. Todas as ocupações e preocupações com as coisas da família tinham-na feito *sentir-se* responsável, o que foi um enorme engano. Desde o dia em que Carolyn Burckhardt conheceu Helmut Anderson, ela não mais tomara uma única decisão independente em relação à própria vida. Ela se tornara uma auxiliar – e adulta somente de nome. Após uns tantos anos de casada, sua evitação fóbica crescera até o ponto em que renunciara a *toda* a sua autoridade e a outorgara a Helmut, na esperança de que ele a salvasse.

São as mulheres com mais de trinta anos as mais passíveis de ser pegas de surpresa. Fomos criadas e modeladas para sermos dependentes – para sermos mães e esposas somente; para, em última análise, o que na realidade consiste numa infância infinitamente extensa. Com a dissolução de seu casamento, as mulheres costumam ficar profundamente chocadas ao se verem com as rédeas de sua vida nas mãos pela primeira vez. Porque, bem no fundo, elas sempre acreditaram ser seu direito serem sustentadas e cuidadas por outrem. *A questão que se coloca a essa altura é: o que fez as mulheres assim?*

CAPÍTULO 4

O DESAMPARO FEMININO

Todo mimo e proteção que recebi como primogênita duraram cinco anos. Foi aí que meus pais me matricularam na pequena escola católica do outro lado da linha férrea. Minha vida escolar iniciou-se cedo, em parte porque eu já sabia ler, pelo que conseguiram convencer a escola *Holy Name of Mary* (Sagrado Nome de Maria) a me aceitar com tão pouca idade, e em parte em virtude do nascimento de meu único irmão.

Sentindo-me confusa e um pouco rejeitada, lá fui eu para receber ensinamentos de freiras austeras, membros de uma instituição onde jamais, da primeira à décima segunda série, me senti à vontade. Eu tinha facilidade para aprender e em geral me entediava enquanto outras crianças precisavam se esforçar muito, vendo e revendo as mesmas coisas vezes sem conta. Ocasionalmente minha rapidez e prontidão me conduziam à afetação; em geral, porém, faziam-me sentir peculiar.

Pulei metade da segunda série e metade da quinta, entrando na sexta série na St. Thomas Aquinas (São Tomás de Aquino), uma escola desorganizada nos arredores de Baltimore. Tinha então nove anos de idade. Essa era a escola católica mais próxima de onde morávamos. As crianças lá eram pobres, hostis e, se espertas, não gostavam de mostrar-se inteligentes. Passei a maior parte do tempo tentando evitar apanhar ao término do período escolar. Ao fim da oitava série nosso QI foi testado. O diretor da escola, na melhor tradição antieducacional, anunciou os resultados à turma. Meu escore foi o mais alto; desse momento em diante, os colegas passaram a me fitar como se eu fosse o inimigo – em suma, um elemento alienígena. "Ela acha que é tão inteligente!", as meninas sussurravam entre si às minhas costas quando eu passava por elas para ir à lousa resolver equações.

Felizmente fui mandada para um colégio particular no interior, muito embora as meninas de lá fossem quase tão desinteressadas no aprendizado quanto as da escola anterior. Apesar de ser provocadora e rebelde (consequência de nunca me ter ajustado a escola alguma), eu era vista como uma líder. Fui eleita representante de toda a turma, editora do livro anualmente publicado pelas estudantes e baliza dos desfiles da escola. Logo transpus esse recém-descoberto poder para minha vida em família, usando-o para combater meu pai, que repentinamente passara a interessar-se por meu desenvolvimento intelectual. Eu estava sempre tentando mostrar-lhe que era inteligente, que sabia coisas, que estava começando a pensar. E ele sempre tentando me mostrar que melhor seria para mim se eu simplesmente reconhecesse quão pouco sabia sobre *qualquer coisa* e aceitasse sua doutrinação. Seu campo era a ciência – a Ciência e a Matemática. À medida que nossa disputa crescia, menor era minha motivação para a Matemática. Quando entrei na faculdade, minha ansiedade relativa à ciência assumira proporções tais que quase fui reprovada em Química.

Por muitos anos pensei que meus problemas se originavam de meu pai. Somente quando cheguei à casa dos trinta comecei a suspeitar que meus sentimentos em relação à minha mãe eram parte do conflito interno em desenvolvimento desde uma tenra idade. Minha mãe era uma pessoa tranquila, avessa a gritos e repentes nervosos, sempre lá, sempre aguardando a mim e a meu irmão na volta da escola. Matriculou-me numa escola de balé quando eu era bem pequena e mais tarde – até a metade de minha adolescência – sutilmente forçou-me a estudar piano. Todos os dias ela se sentava a meu lado e contava os compassos, com a regularidade e a previsibilidade de um metrônomo. Igualmente regular era sua sesta vespertina, sua escapadela da realidade do cotidiano. E também era frequentemente acometida de uma variedade crônica de doenças: dores de cabeça, bursite, fadiga.

Em nível superficial, aparentemente nada havia de incomum em sua vida: ela era a típica dona de casa da época. No entanto... aquele esquivamento peculiar, aquelas pequenas moléstias, das quais muitas, penso agora (e ela concorda), relacionavam-se com uma raiva não expressa. Ela evitava confrontações com meu pai, levando-nos a crer que era inteiramente a favor dele. Quando chegava a tomar posição em algum assunto, a tensão originada pelo ato era visível. Ela o temia.

Comparado com minha mãe, meu pai aparecia como um ente muito grande e marcante – o pai todo-poderoso, com uma voz forte, gestos expansivos, rude e de maneiras por vezes embaraçosas. Era autoritário, professoral; ninguém que o conhecesse podia facilmente ignorá-lo. Antipatizar, sim; esse sentimento podia seguramente ser causado por ele. Mas era impossível fingir não perceber sua presença. Meu pai forçosamente abria caminho até a consciência daqueles com quem entrava em contato; sua personalidade se impunha a todos. Tinha-se a impressão de que ele devotava atenção àqueles em cuja companhia estava; na verdade, em geral as conversas pareciam brotar essencialmente de alguma necessidade oculta dele mesmo.

Eu o amava muito. Adorava sua vivacidade e autoconfiança, seu idealismo, sua energia vibrante. Seu laboratório na Faculdade de Engenharia da Universidade Johns Hopkins era calmo; todo aquele equipamento, grande e frio, impressionava. Ele era o Mestre. Falando com outras pessoas, minha mãe se referia a ele chamando-o de "dr. Hoppmann". E apresentava-se como a Sra. Hoppmann. Ao atender o telefone, dizia: "Aqui é a Sra. Hoppmann", como de algum modo refugiando-se na formalidade da frase e no uso do nome de meu pai. Éramos, de fato, uma família bastante formal.

No trabalho – que era sua vida –, meu pai lidava com giz, números e aço. Em seu laboratório, havia máquinas. Sobre sua mesa, havia um peso de papéis maciço, que lhe fora presenteado por alguém do Departamento de Metalurgia. Era um pedaço de aço prensado, com uma fria cruz traçada com extrema precisão bem ao centro. Agradava-me sentir-lhe o peso em minha mão. E me perguntava como é que alguém poderia admirá-lo, pois não era nem belo nem inspirador.

Diante da personalidade forte de meu pai, parecia difícil para minha mãe afirmar-se como pessoa. Ela se mantinha quieta e a tudo consentia. Somente aos sessenta e poucos anos ela, a décima quarta entre dezesseis filhos de uma família de fazendeiros de Nebraska, começou – silenciosa e determinadamente – a viver a própria vida, quase à revelia de meu pai. Com a idade, minha mãe foi se tornando mais incisiva e interessante, diversamente de todo o período de meu desenvolvimento; naquela época, ela era totalmente submissa. A mesma submissão que eu via em praticamente todas as mulheres que conheci durante meu crescimento. O que, em outros termos, consistia numa necessidade de deferência ao homem que "cuidava" dela, o homem de quem dependia para tudo.

Quando entrei no colégio, comecei a trazer minhas ideias da escola para casa – não para minha mãe, mas para meu pai. Sentados à mesa do jantar, ele dissecava tais ideias com desprezo passional. Depois prosseguia um pouco sobre o ponto em questão, entrava em digressões – abstrações que pouco tinham a ver comigo –, mas sempre infundindo grande energia na conversa. Sua energia tornava-se minha própria energia – era o que eu pensava.

Meu pai considerava seu dever (atribuído por Deus) assinalar-me a direção da verdade – especificamente falando, corrigir as atitudes errôneas que me eram impingidas pelos "intelectuais de terceira categoria", isto é, meus professores. Seu papel de professor fascinava-o bem mais, penso agora, do que seu senso de obrigação para com o desenvolvimento de minha aprendizagem. Com doze ou treze anos comecei a perseguir aquilo que viria a ser uma das ambições de toda a minha vida: fazer meu pai calar a boca. A dependência que tínhamos era mútua e peculiar: eu queria a atenção *dele*; ele queria a *minha*. Ele acreditava que, se eu apenas me dispusesse a ouvi-lo compenetradamente, ele poderia me entregar nas mãos o mundo, por inteiro e sem falhas, como uma pera descascada em uma bandeja de prata. Eu não desejava ouvi-lo compenetradamente e não queria uma pera descascada. Eu desejava descobrir a vida por mim mesma, por meus próprios meios, tropeçando sobre ela como por surpresa – eu queria a maçã rubra, ainda que disforme, que cai de uma árvore não podada.

Quando eu me queixava com meu pai a respeito de seus métodos de argumentação e de sua aparente necessidade de ter a razão acima de tudo o mais, ele ria e dizia que minha percepção dele era falsa. Apenas simulávamos um jogo de esgrima, explicava ele, o que era uma excelente forma de "afiar" meu espírito. O fato de me envolver no jogo, dizia, apenas confirmava seu respeito básico à minha capacidade de "absorção".

As mensagens que comecei a receber de meu pai a partir dos doze anos me confundiam. Eu acreditava que meu pai estava me treinando para batalhar no mundo tumultuado e abrasivo dos adultos e das ideias. (Ele não afirmava ser isso o que estava fazendo?) Entretanto, ele parecia estar pessoalmente interessado nesse ganhar ou perder. Mesmo naquela época, algo me dizia que a relação entre combate e persuasão era pequena.

Quando comecei a escrever – isso foi na casa dos vinte –, não me dei conta de que estava adentrando um campo completamente oposto ao de meu pai. Comecei escrevendo sobre aquilo que classificava como "coisinhas", relatos curtos relativos a estados de espírito, artigos ditados pelo subjetivismo – nada muito temerário, pensava eu. Certamente nada que requeresse um Pensar Real. O Pensar Real era para homens. O Pensar Real era para professores, pais, padres.

Afora algumas contendas verbais extenuantes com alguns dos professores da faculdade, adquiri pouca experiência no aprendizado do desenvolvimento de uma posição racional – fosse em relação ao que fosse. Ainda na faculdade eu mais competia do que produzia qualquer pensamento independente. Amedrontava-me muito o tipo de desenvolvimento mental e emocional originado do isolamento, quando enfrentamos a nós mesmos. Tanto que levei quase vinte anos para me entregar a ele. Eu tentava clarificar, objetivar as coisas e minha posição quanto a elas diferenciando-me de algum Outro forte e poderoso – homem ou mulher, quem quer que fosse – sobre quem pudesse projetar a imagem interiorizada de meu pai. Desnecessário dizer que essa "objetivação" tinha vida curta. Eu me distanciava do Outro como um elástico esticado, "curtia" minha diferenciação por um breve momento e depois entregava-me novamente, assim que a tensão da separação se tornava opressiva demais para ser suportada.

Intimações ao desamparo

Já há algum tempo os psicólogos sabem que as necessidades de afiliação femininas são mais fortes do que as masculinas, mas só recentemente desvendou-se a razão disso, graças aos estudos realizados sobre as meninas. Por causa de uma dúvida intensa e profundamente assentada quanto à própria competência (desenvolvida desde o início da infância), *as meninas se convencem de que precisam ter proteção, sob pena de não sobreviver*. Essa crença é incutida nas mulheres pela ação de expectativas sociais de base enganosa e pelos temores dos pais. Como veremos, uma ignorância monumental modela a forma de pensar dos pais sobre suas filhas, de sentir em relação a elas e de interagir com elas. A capacidade das meninas de se fazerem seres humanos independentes é coartada pelas atitudes protetoras dos pais – tal como se tivessem os pés atados.

O treinamento oferecido às meninas é diverso do oferecido aos meninos. O delas leva-as a transformar-se em adultas que se submetem indefinidamente a empregos de nível inferior ao de suas capacidades.

Leva-as a se sentir intimidadas pelos homens que desposam e a acatar-lhes todas as palavras na esperança de serem protegidas.

Leva inclusive, como veremos, à debilitação das faculdades intelectuais femininas.

Elogiadas pelos professores por nossa diligência e bom comportamento na escola, nós, confiantes que tais qualidades poderão nos ajudar a vencer no mundo profissional, logo nos apercebemos de que somos tratadas como se não fôssemos tão crescidas assim. Virtuosas, talvez. *Legais*, talvez (do tipo: "Que legal a Mary encarregar-se de todas aquelas faturas chatas por nós, né?"). Mas infantis. Desmerecedoras de sermos levadas a sério. E, como os bons escravos nas antigas plantações, facilmente exploráveis.

Desde tempos imemoriais, os homens vêm demonstrando que, na grande ordem das coisas, as mulheres realizam muito pouco. Onde, perguntam eles, estão as físicas que revolucionaram o conhecimento científico? Como é que inexistem Bartoks do gênero feminino? (Tais questões são geralmente levantadas no intento de abafar quaisquer sugestões no sentido de as mulheres serem tão inteligentes quanto os homens.) Novos estudos evidenciam cada vez mais que *as mulheres se impedem de progredir*. Nós sabotamos a própria originalidade. Andamos em segunda –, evitando as marchas mais potentes que possibilitam maior velocidade –, como se tivéssemos sido programadas para fazê-lo.

E na realidade o fomos.

A psicologia vem investigando de perto como as mulheres agem e se sentem com relação ao modo como foram ensinadas a se comportar e forçadas a se sentir quando crianças. É chocante saber que o quadro mudou bem pouco nos últimos vinte anos? A forma pela qual as meninas são socializadas continua a predeterminar um doloroso conflito quanto à independência psicológica necessária para as mulheres se libertarem e assumirem seu lugar ao sol.

O aprendizado

Gostamos de pensar que, como pais, estamos fazendo tudo diversamente – que *nossas* filhas não sofrerão os efeitos da criação discriminatória e superprotetora a que fomos sujeitos. Contudo, as pesquisas indicam que a maioria das crianças de hoje está sendo desvirtuada pelos mesmos tipos de papéis fixos (e artificiais) com que você e eu nos identificamos.

A dominação masculina – e sua cúmplice feminina – pode ser observada já nas crianças das escolas maternais. "Você fica aqui com as mamães e os bebês. Eu vou pescar", diz o pequeno Gerald à pequena Judy, e afasta-se correndo.

"Eu quero ir também", grita Judy, correndo atrás dele. Gerald vira-se e repete: "Não, você fica aqui com as mamães e os bebês".

"Mas eu quero ir pescar!", grita Judy.

"Não", insiste Gerald. "Mas quando eu voltar eu te levo a um restaurante chinês."

Essa cena foi observada entre duas crianças de quatro anos de idade, na sala de brinquedos de um jardim de infância, e relatada na revista *Harper's* pela supervisora do grupo de crianças, Laura Carpenter[1].

"Outra cena que observo de vez em quando é mais ou menos a seguinte", escreveu ela: "Três ou quatro meninos pequenos se sentam em volta de uma mesinha na cozinha de brinquedo. Os meninos começam a requisitar coisas: 'Me dá uma xícara de café!', ou 'Me passa a manteiga!', ou ainda: 'Mais torrada!', enquanto as meninas põem-se a correr freneticamente entre o fogão e a mesa, cozinhando e servindo. Numa dessas situações os meninos se mostraram impossíveis de contentar, pedindo um café atrás do outro, levando a única menina da brincadeira a correr desvairadamente pela cozinha para atendê-los. Finalmente ela ganhou controle da situação, anunciando que não havia mais café. Aparentemente não lhe ocorreu sentar-se à mesa e pedir café a um dos meninos".

As meninas nesse jardim de infância estavam fazendo um antigo sistema de troca: servir o amo em troca de proteção. Professores, terapeutas e demais profissionais que trabalham ou estudam com jovens do sexo feminino deploram a continuidade da existência do Complexo de Cinderela – a crença, por parte das meninas, de que sempre haverá alguém que vai cuidar delas. "Apesar de toda a ênfase que hoje se coloca na ampliação dos papéis femininos, não houve mudanças significativas na preparação das meninas para a idade adulta", disse Edith Phelps, diretora executiva do Girls Clubs of America (Clubes de Meninas Americanas), numa recente conferência. "Sua preparação continua no máximo destrutiva – e no mínimo cheia de conflitos[2]."

Estudando adolescentes na Universidade de Michigan, a psicóloga Elizabeth Douvan descobriu que, até os dezoito anos (e às vezes acima disso), as meninas praticamente não mostram nenhum impulso para a independência, não se rebelam nem confrontam a autoridade e não defendem "seus direitos de formar e preservar crenças em mecanismos de controle independentes[3]". Com respeito a todos esses aspectos, elas diferem dos meninos.

E os dados mostram que a dependência nas mulheres cresce à medida que elas envelhecem. Também revelam, surpreendentemente, que, desde bem pequenas, as meninas são treinadas *para* a dependência, ao passo que os meninos são treinados para *livrar-se* dela.

Como começa tudo isso?

As meninas iniciam o jogo da vida um passo adiante dos meninos. Elas são mais habilitadas verbal, perceptual e cognitivamente. Desde o nascimento, elas contam com uma vantagem, em termos desenvolvimentistas, equivalente a quatro ou seis semanas de vida. Quando entram na primeira série, as meninas se encontram um ano à frente dos meninos nesses aspectos[4].

Então, por qual motivo, já aos três ou quatro anos de idade, elas desempenham com tanta "naturalidade" o papel de serviçais?

Eleanor Maccoby, uma psicóloga de Stanford com especialização em fatores psicológicos da diferença de sexos, responde que "a chave do problema reside em se ou quão cedo a menina é encorajada a assumir a iniciativa, a responsabilidade por si mesma, e a resolver sozinha seus problemas, em vez de, para isso, depender de outrem[5]".

Os psicólogos afirmam que a estrutura independente é montada antes de a criança atingir os seis anos de idade. Alguns deles creem agora que as meninas são incapacitadas de dar a virada crucial em seu desenvolvimento emocional, *precisamente porque* seu trajeto lhes é demasiadamente facilitado

– porque são *superprotegidas, exageradamente* ajudadas e ensinadas no sentido de que tudo o que têm a fazer para manter a continuidade da ajuda é ser "boas".

Acontece que os comportamentos reforçados nas meninas não são reforçados nos meninos. Muito do que se considera "bom" em garotinhas é considerado extremamente repulsivo em garotinhos. Timidez e fragilidade, ser "bem-comportada" e quieta e depender dos outros para obter auxílio e apoio são coisas julgadas naturais – se não desejáveis – nas meninas. Os meninos, em contrapartida, são ativamente desencorajados a apresentar formas dependentes de relacionamento – elas os tornam "maricas". Gradualmente, diz Judith Bardwick, "o filho é forçado a apresentar comportamentos independentes e é "recompensado por isso".

Por que os menininhos (e *não* as menininhas) crescem aprendendo a ser independentes, por que eles não têm medo de se arriscar sozinhos (ou melhor, por que o fazem *apesar de seu medo*) e por que eles começam a desenvolver padrões pessoais de autoestima virtualmente antes de deixarem as fraldas? Essas são questões que estão sendo examinadas por pesquisadores como Bardwick e Douvan[6]. Com isso desenvolveu-se uma teoria relacionada com os efeitos construtivos da tensão. Aos olhos dos pesquisadores, ao garotinho não resta escolha senão a de lidar com a tensão produzida pela repressão de seus "comportamentos instintivos" (aqui alude-se às proibições de atos como morder, bater e masturbar-se em público) e pelo processo "masculinizante" de extinção de seu comportamento dependente. Essa tensão, creem eles, é, em última análise, benéfica: a experiência de ter de manejar restrições e, eventualmente, ter de se bastar sem a aprovação adulta ajuda a guiar o menino pelo caminho correto – o caminho da descoberta de viver de acordo com as próprias inspirações.

Em geral, o processo de adotar um modo de ser independente se inicia, nos meninos, aos dois anos. Durante os três anos seguintes, eles aos poucos se alienam da necessidade de aprovação externa e passam a desenvolver critérios independentes pelos quais se sintam bem consigo mesmos. A maioria dos meninos atinge esse ponto vital do processo de maturação *antes de completar seis anos de idade.*

Com as meninas a coisa é bem diferente. Em estudos desenvolvimentistas importantes e frequentemente citados, Jerome Kagan e H. A. Moss descobriram que tanto a *passividade* quanto uma *orientação dependente em relação aos adultos* apareciam consistentemente nas meninas, desde a infância até a idade adulta. Mais: descobriram que esses dois traços de personalidade eram os mais estáveis e previsíveis dentre todos os traços de caráter feminino. A menina passiva nos três primeiros anos de vida seguramente (ou quase) persistirá sendo passiva no início da adolescência; da mesma forma, pode-se esperar da adolescente passiva um comportamento excessivamente dependente de seus pais também quando atingir a idade adulta[7].

À medida que crescem, as meninas tendem a *aumentar* o grau de dependência em relação aos outros. Numa espécie de aberração do desenvolvimento normal, as crianças do sexo feminino utilizam suas precoces habilidades perceptivas e cognitivas *não* para apressar o processo de separação da mãe, *não* para se envolver na satisfação de realizar por realizar (elas em geral perseguem as realizações em nome da aprovação consequente), *não* para efetuar uma crescente independência, mas sim para aprender e antecipar as exigências adultas – e a elas se conformar.

Bardwick e Douvan acreditam que a problemática das meninas em parte se origina de uma insuficiência de tensão quando pequenas. Já que seu comportamento costuma agradar aos adultos desde o início (em geral elas não mordem, nem tiram sangue de ninguém, nem se masturbam em público), elas não necessitam fazer nada mais desafiante, em termos desenvolvimentistas, do que continuar a ser como são – verbal e perceptualmente hábeis, não agressivas e extremamente precisas em adivinhar o que desejam delas aqueles de quem dependem.

Os adultos, por seu lado, não interferem nem se opõem ao comportamento "instintivo" das meninas – *exceto às suas ações tateantes rumo à independência*. Estas, eles bloqueiam sistematicamente – como se suas filhinhas, ao estender os braços para fora e se arriscar, estivessem cortejando a própria morte.

Ajuda excessiva e "mutilação" feminina

O treinamento à dependência tem início bem cedo na vida da menina. Os bebês do sexo feminino são carregados com frequência e menos vigorosamente manuseados do que os bebês do sexo masculino[8]. Apesar de serem mais adiantadas em termos de maturação, as meninas são *consideradas* mais frágeis. Recebendo menos estimulação física, elas podem não obter a mesma espécie de encorajamento dado aos meninos por suas precoces explorações aventureiras. É comum os pais de meninas exibirem apreensão quanto à sua segurança antes mesmo de elas deixarem o berço.

Um estudo efetuado em 1976 indicou que os pais fazem uma distinção de sexo ao interpretarem o significado do choro dos bebês. O choro de uma mesma criança foi interpretado por pais como *medo*, se achavam que a criança era do sexo feminino, e como *raiva*, se pensavam que era do sexo masculino. Ademais, as mães *respondem* diferentemente ao choro. Quando suas filhinhas choram, elas estão mais prontas a interromper o que fazem e a correr para confortá-las do que quando se trata de menininhos. (Aparentemente é mais fácil para os pais ignorar o choro de bebês do sexo masculino.)

Outra diferença notável é que a mãe *aumentará* o contato com o bebê-menina, se esta está irritada, mas o *diminuirá* se o bebê for um menino – ainda que o filho esteja *mais* irritado ou mais aflito que a menina.

De acordo com o psicólogo Lois Hoffman, da Universidade de Michigan, esse condicionamento precoce pode bem significar "o início de um padrão de interação (...) no qual as filhas rapidamente aprendem que a mãe é uma fonte de conforto e que o comportamento dela é reforçado pelo cessar do choro".

Em outras palavras, os bebês do sexo feminino aprendem que o auxílio vem depressa se choram por ele, e as *mães* desses bebês aprendem que o choro terminará se correrem para ajudá-los. Precisamente o contrário acontece quando a interação é entre mães e filhos. Porque pensa que os bebês do sexo masculino são mais fortes, a mamãe não sai voando pela casa, arriscando-se a tropeçar no aspirador, para confortar o filhinho que chora. Por conseguinte, ele não é tão sistematicamente reforçado pela ideia de que "basta chorar, que serei ajudado imediatamente". Há horas em que ele tem de consolar-se sozinho. Ocasionalmente, descobre, isso funciona. Ele é capaz de consolar-se. Pouco a pouco aprende a fazer isso em base mais regular. *Pouco a pouco aprende a se tornar o próprio provedor emocional.*

Após alguns meses, a criança começa a engatinhar, levanta-se no berço pela primeira vez e finalmente dá os primeiros passos. E a ansiedade parental começa a desfigurar sua própria alegria. O feito da criança enche os pais de orgulho, combinado com uma nova ambivalência, pois agora o "nenê" passará a correr novos riscos: tomadas de eletricidade, objetos quebráveis nas prateleiras baixas da estante, tombos resultantes de uma audácia desmedida. Tal como ciganos que leem tudo numa bola de cristal, mamãe e papai começam a prever essas catástrofes no momento mesmo em que o bebê começa a engatinhar.

Só que essas catástrofes potenciais não assumem caráter tão trágico e vívido na mente dos pais se o bebê é um menino. As pesquisas indicam que a ambivalência relativa aos primeiros movimentos infantis em direção à independência é maior quando a criança é do sexo feminino. Billy, esse (pequeno) garotão valente, está com tudo. Deborah precisa ser muito vigiada, precisa de muita ajuda. Quando Billy dá os primeiros passos, mamãe e papai não cabem em si de tanta felicidade. Quando a pequena Deborah dá os primeiros passos, a felicidade é obscurecida pelo princípio da preocupação. Infelizmente a pequena Deborah levanta os olhos e vê a ansiedade nos olhos de mamãe.

Essa primitiva indicação de ansiedade por parte da mãe – por alguns pesquisadores denominada "supersolicitude apreensiva" – leva a criança a duvidar de sua competência. "Se mamãe está com medo de eu não conseguir fazer isso, ela deve saber de algo que não sei", pensa a pequena Deborah.

Um derivado de seu imenso temor pelas filhas é a tendência dos pais (um termo mais apropriado talvez seja *compulsão*) a proteger – saltar e pegar o bebê antes que tropece e caia: é preciso garantir que aquela coisinha não se machuque. Mas, se o menininho se machuca, isso é considerado parte do processo de maturação. "Tudo bem, tudo bem, Billy", a mãe murmura, abraçando-o. "Você logo aprende." Se Debbie, a pequena Deborah, bate a cabeça, é hora de pânico – e culpa. Mamãe não devia ter desviado os olhos naquele instante. Mamãe devia ter *garantido* que nada aconteceria à pequena Debbie. Afinal de contas, a pequena Debbie é apenas "uma menininha".

É nessa altura que os pais começam a inculcar nas filhas pequenas a ideia de que, no que concerne a assumir riscos e à avaliação da própria segurança, elas não devem confiar em si mesmas.

E, como sabemos, a autoconfiança é crucial no desenvolvimento da independência.

Em geral o medo se instala em meninas pequenas em razão das atitudes da mãe. Mães ansiosas instruem os filhos a evitar comportamentos que as possam deixar – a *elas*, mães – ansiosas. Ao ensinar a filhinha a prevenir riscos, a mãe ansiosa inadvertidamente impede a criança de aprender como lidar com o medo.

O único método de que tanto os seres humanos quanto os animais dispõem para aprender a controlar o medo em novas situações é aproximar-se e retirar-se da situação amedrontadora repetidamente. "A repetida estimulação da resposta de medo em doses pequenas e controladas acaba por produzir a extinção dessa resposta", explica Barclay Martin em *Anxiety and Neurotic Disorders* (Ansiedade e Distúrbios Neuróticos).

A mãe não deseja que Debbie sequer se defronte com a situação causadora de medo, de sorte que a criança não reúne experiências suficientes para aprender a controlar sua resposta a ele. Crianças sem experiência no manejo da resposta de medo são passíveis de se tornarem adultos cuja vida será governada pelo medo. Em essência, a pequena Debbie permanecerá propensa a ter medo durante todo o primeiro grau escolar, depois no segundo, na faculdade, até sair para o gélido mundo terrificante dos adultos. Lá, tentará "virar-se", "controlando-se". O medo — e sua subjugação ou, melhor dizendo, sua total evitação — por fim será transformado no determinante básico da vida de Debbie. Consequentemente, é claro, ela terá grande dificuldade em desenvolver autoconfiança[9].

Vários estudos revelam que meninas — especialmente as mais inteligentes — têm graves problemas na esfera da autoconfiança[9]. Elas consistentemente subestimam a própria capacidade. Quando se lhes pergunta como acham que se sairão em diferentes tarefas — sejam tarefas novas, sejam as já experimentadas por elas —, oferecem estimativas mais baixas do que as dos meninos e, em geral, subestimam também seu desempenho real. Um estudo chegou a revelar que *quanto mais inteligente é a menina, menores são suas expectativas de ter sucesso em tarefas intelectuais.* Meninas menos inteligentes têm expectativas mais altas sobre si mesmas do que as inteligentes[10].

O baixo grau de autoconfiança é uma praga entre muitas meninas e leva à extensa gama de problemas inter-relacionados. As meninas costumam ser altamente sugestionáveis e tendem a mudar de opinião quanto a seus julgamentos perceptivos se alguém discorda delas. Estabelecem para si mesmas padrões mais baixos do que os meninos. Se para os meninos tarefas difíceis representam desafios, as meninas geralmente tentam evitá-las. Inclusive em idade pré-escolar, os meninos demonstram *mais* envolvimento nas tarefas, *mais* autoconfiança e são *mais* capazes de obter incrementos em seu QI.

Por volta dos seis anos, o quadro de *probabilidades* relativas ao desenvolvimento intelectual, bem como à independência, já se acha configurado.

Nessa época, já se podem fazer previsões. A criança de seis anos, cujo QI provavelmente aumentará nos anos seguintes, é aquela já competitiva, assertiva, independente e dominadora entre outras crianças, de acordo com Eleanor Maccoby. A criança de seis anos cujo QI *decrescerá* nos anos futuros é passiva, tímida e dependente. "Com base nessa evidência", aponta Maccoby, "as características daquelas cujo QI aumentará não parecem muito femininas".

Tudo isso, nas meninas, é associado a exageradas "necessidades de afiliação", quer dizer, necessidades, acima de tudo, de participação em *relacionamentos*. Dado seu *sentimento* de incompetência, não é de admirar que a garotinha fosse plantar-se ao lado do Outro mais próximo e a ele agarrar-se por toda a vida.

Lois Hoffman descreve abaixo a sequência desenvolvimentista que faz das meninas adultos necessitados de excessivo apoio dos outros:

> Pelo fato de a menina contar com: a) menos encorajamento para os comportamentos independentes; b) mais proteção parental; c) menos pressão cognitiva e social no sentido de estabelecer uma identidade separada da mãe; d) menos conflito na relação mãe-filha – e o conflito é um dos elementos essenciais no processo de separação –; por tudo isso ela se envolve menos na exploração independente do seu ambiente. Resulta que ela não desenvolve as habilidades necessárias para manipular seu ambiente nem a confiança em sua capacidade para fazê-lo. Ela persiste em sua dependência dos adultos para a solução de seus problemas e, por causa disso, *necessita* de laços afetivos com os adultos[11].

Como podemos ver, os problemas da dependência excessiva seguem as meninas até a idade adulta. No entanto, dificilmente as mulheres se conscientizam de terem tido uma infância dominada por restrições e superproteção. Sua autopercepção não lhes fala de uma infância na qual seus esforços pela independência foram reprimidos – e, quando assaltadas por problemas relativos à dependência na vida adulta, espantam-se. As que fazem psicoterapia acabam rememorando as estranhas proscrições dos pais, as quais se revestiam de caráter tão ameaçador: os avisos, os estritos horários para chegar em casa, as súplicas para não se "cansarem" – pobres borboletas frágeis, cujas asas podem deixar de sustentá-las a qualquer momento.

Ruth Moulton diz que os problemas psicológicos mais graves de várias de suas pacientes originam-se da "inibição (iniciada bem cedo) de toda e qualquer asserção e, às vezes, de toda atividade física, considerada ou perigosa ou não feminina". Duas das pacientes da dra. Moulton haviam sido literalmente amarradas à cama, à noite, quando pequenas. Diz ela que as histórias da infância de suas pacientes revelam diversos desses exemplos de "excessivas restrições e superproteção".Todas as histórias desembocam no fato de que, quando crianças, essas mulheres foram levadas a se sentir fracas – incapazes de usar o próprio corpo, incapazes de se defender física e verbalmente. Produz-se o que Moulton chama de "síndrome da boa menina". Crescidas, essas mulheres agem de modo a continuar a sentir-se seguras. *Elas* agora se autorrestringem[12].

A prova comportamental mais concludente no treinamento das meninas é a *ajuda excessiva* – a tendência dos pais em correr para auxiliar as filhas quando elas não precisam realmente disso, ou quando elas estão aprendendo a recuperar o equilíbrio após cambalearem (processo fundamental para o desenvolvimento da confiança e da autoestima). Elas acabam não tendo *chances* de se reerguer. São levantadas no colo, seu vestido é rearranjados, e elas, recolocadas no chão, lembrando bonecas a que se dá corda para efetuarem os mínimos (e mais estudados) gestos.

Por que a *ajuda excessiva* é tão destrutiva? "A perícia e o poder requerem a capacidade de tolerar frustrações", explica Lois Hoffman. "Se o pai ou a mãe respondem depressa demais com um auxílio, a criança não desenvolverá tal tolerância."

"A independência é resultante do aprendizado de que se pode realizar coisas por si mesmo, de que se pode contar com a própria capacidade e confiar no próprio julgamento", Judith Bardwick escreve em seu livro *The Psychology of Women* (Psicologia Feminina). As meninas são consistentemente reforçadas na noção de que só podem realizar coisas com a ajuda de outrem. No fim interiorizam a ideia de que não estão à altura de sobrepujar os desafios da vida por conta própria.

Certas "doenças" de fundo dependente afetam apenas pessoas do sexo feminino. Uma delas é a anorexia nervosa, a bizarra síndrome da morte por inanição, doença na qual adolescentes do sexo feminino recusam-se a comer até morrer, numa tentativa tristemente paradoxal de alcançar algum controle sobre sua vida. Anualmente uma em cada cem adolescentes se entrega a um desses regimes anoréxicos debilitantes. Cerca de 10% delas acabam se matando por falta de alimentação.

"Meninas com personalidade conformista sentem-se obrigadas a fazer algo que requeira alto grau de independência, a fim de serem respeitadas e reconhecidas. Quando tudo o mais falha, a única independência que sentem é a que reside no controle do próprio corpo", diz a dra. Hilde Bruch, uma autoridade nessa moléstia.

A maioria dos casos de anorexia nervosa é representada por jovens do sexo feminino – *raramente* do masculino – entre doze e vinte e um anos de idade, com educação esmerada, alto nível de motivação e provindas de um lar com situação financeira confortável. Segundo a dra. Bruch, seu tratamento pode ser bastante longo e trabalhoso. "A convicção de ser inadequada e não ter valor como pessoa está tão profundamente assentada, tão fortemente enraizada, que (a jovem anoréxica) se retrai por trás da máscara de superioridade sempre que experimenta a menor dúvida acerca de si mesma ou se defronta com alguém que dela discorde. Ela precisa ser certificada de que é um indivíduo adequado e com valor, antes de poder ser curada[13]."

Outras vítimas da dependência neurótica são as esposas espancadas. O fato de com frequência serem financeiramente dependentes dos homens que as espancam configura a armadilha estagnante. Mas é a dependência *emocional* que tranca a fechadura da armadilha. "Muitas mulheres são vítimas de uma espécie de pânico ante a ideia de sobreviver de outra maneira que não dependendo dos maridos", diz Kenneth McFarlane, do extinto Departamento de Saúde, Educação e Bem-Estar. "A vida inteira ensinaram-lhes que isso é impossível. É um processo de condicionamento."

Em situações nas quais não detêm nenhum controle sobre seu ambiente, os animais começam a desistir de lutar. Novos estudos indicam que o mesmo se dá com os seres humanos. Passe um dado período numa situação sobre a qual sente não ter nenhum controle e você simplesmente parará de reagir. Esse fenômeno foi denominado *desamparo aprendido*, por Martin Seligman[14]. Diane Follingstad, da Universidade da Carolina do Sul, passou a empregar alguns dos princípios de Seligman a respeito do desamparo aprendido num programa de tratamento que ela elaborou para esposas espancadas. Follingstad ensina essas mulheres a *desaprender* num período relativamente curto de tempo o que levou anos para seus pais e a sociedade nelas inculcar. "As mulheres sentem não ter controle sobre nada, já que os fatos de sua vida são causados pelo acaso, pelo azar, pelo destino. Não percebem que se trata de 'Se eu fizer X, obterei Y'", diz a dra. Follingstad. Tendo sido "modelada" para acreditar que nada há em suas mãos para dominar a situação, a esposa espancada permanece sendo espancada. Somente após começar a desembaraçar-se da crença em seu desamparo é que ela pode romper o círculo vicioso de dependência e seu efeito brutal sobre ela.

O conceito do desamparo aprendido atraiu a atenção de muitos psicólogos, que se puseram a procurar sinais dele ao longo do processo desenvolvimentista. Carol Jacklin, do Departamento de Psicologia de Stanford, falou-me da existência de novos estudos que assinalam que o desamparo está sendo ensinado a nossas filhas por suas professoras de primário. "As professoras elogiam os meninos por seu trabalho escolar e censuram-nos por seu mau comportamento – barulho e coisas desse tipo. E às meninas tocam os cumprimentos por seu trabalho *não* escolar – como estão limpas e arrumadinhas, como são bem disciplinadas e daí por diante."

Esse tipo de padrão de reforçamento, diz Jacklin, faz com que as meninas *experimentem* o fracasso no trabalho escolar, ainda que estejam se saindo bem nos estudos. E é notório que as meninas são mal equipadas para o manejo de situações em que pensam que fracassaram ou podem vir a fracassar. "Todos nós já passamos por situações que ao menos *parecem* marcadas pelo fracasso. A questão é: você persevera, você se esforça mais ou desiste? A conclusão – e acho que é uma conclusão triste" –, prossegue Jacklin, "é que as meninas desistem".

Uma vez criada, a dependência da garotinha é sistematicamente apoiada durante toda a sua infância. Por ser "boazinha" – não desafiante, não provocadora, não queixosa –, ela é recompensada com boas notas, com a aprovação dos pais e professores, com a atenção de seus colegas. Que razões ela tem para se tornar rebelde ou não conformada? Tudo vai bem, de modo que ela persiste conformando-se às expectativas externas. Reforçada por pouco mais que um bom comportamento e uma memorização competente, a menina vai acumulando êxitos. A vida é boa – e essencialmente fácil.

Até a puberdade. É aí que as coisas começam a mudar de figura para a média das meninas americanas.

Adolescência: a primeira crise da feminilidade

No jargão dos psicólogos do desenvolvimento, uma "crise" é um período de tensões e rupturas, marcado pela instabilidade, durante o qual a ansiedade relativa às próprias capacidades e/ou à própria identidade aumenta. No processo de resolução de nossas crises desenvolvimentistas, crescemos em maturidade e saúde psicológica.

A adolescência reserva às meninas um estágio desenvolvimentista particular – aquilo a que Bardwick e Douvan se referem como "a primeira crise da feminilidade". Até os doze ou treze anos, as meninas acham-se mais ou menos livres para se comportar como bem entenderem. Com a puberdade, contudo, a porta da armadilha começa a fechar-se. Agora espera-se da jovem um repertório comportamental novo e bastante específico. De maneira sutil (mas muitas vezes não tão sutil), ele passa a ser reforçado por seu "sucesso" com rapazes. Independentemente de quanto a filha possa estar realizando em outras áreas da vida, a mãe de uma menina de quinze anos que não esteja namorando começa a se preocupar. Gentil, mas firmemente, pressiona a filha a arranjar um namorado. E inevitavelmente isso se faz acompanhar de uma mensagem inequívoca: não é bom ser demasiadamente competitiva com os homens. *Bom é agradá-los*, "dar-se bem" com eles[15].

É nesse ponto que as meninas se defrontam com o que certamente se afigura o *problema central da feminilidade em nossa cultura: o conflito entre dependência e independência*. Qual o meio-termo ideal entre ambas? O que é "certo"? O que é "apropriado"? Uma menina extremamente dependente, sem opinião própria e sem "personalidade", é considerada boboca e chata, mas uma menina extremamente independente também não é um bom negócio. Pode até ter vários amigos, mas, nos assuntos românticos, eles se retraem.

Nenhuma garota que cresceu em nossa sociedade precisa ser avisada disso: ela o *sabe*. E, portanto, passa a modificar suas prioridades. Na adolescência, sua tarefa desenvolvimentista básica é conseguir relacionamentos "bem-sucedidos" com os outros. De acordo com seu aprendizado na infância, ela prossegue dependendo das reações dos outros como sua fonte básica de autoestima. Perto do final do ensino médio ou então na faculdade, diversas jovens repentinamente mandam seus valores individuais às favas, rejeitando o fator realização pessoal em favor de uma alarmante corrida à aceitação social[16]. A consequência é evidente: uma interrupção abrupta na tarefa de desenvolver meios individuais de obter o desejado e fazer-se autônoma. *Em virtude do enquadramento que lhes reserva a sociedade, as mulheres deixam de experimentar a necessidade de desenvolver a autonomia, até que alguma crise posterior faça ruir sua complacência, mostrando-lhes quão tristemente indefesas e frágeis elas se permitiram ser.*

A oposição de obstáculos à filha adolescente

Entre os fatores determinantes da vida da adolescente, um dos mais significativos é a família específica a que pertence. Ali, entre as quatro paredes da sala de estar de mamãe e papai, ela será encorajada a romper com o enquadramento e tornar-se um indivíduo único, ou aprenderá a montar o jogo da segurança.

Examinando as histórias da infância das pacientes que se tornaram profissionais bem-sucedidas, Ruth Moulton percebeu certas tendências fundamentais na forma como cresceram. Em geral o pai aparece como agente repressor dos atos independentes da filha, e a mãe se cala. Das conflitantes expectativas dos pais emerge a mulher inteligente, ávida por realizações e que, em geral, desempenha atividades abaixo do nível de seu potencial.

Em primeiro lugar, tomemos a mãe do tipo "indefinido". Ela própria há muito tempo coartou seu desenvolvimento, assumindo uma posição de inferioridade perante o marido. Sua postura submissa recobre-a com o que uma filha descreve como "um ar de insignificância e efemeridade". Um número espantoso de mulheres que entrevistei concluiu, quase se desculpando: "Não sei dizer muito sobre minha mãe. Há nela algo de vago que me impossibilita uma definição concreta".

Uma mulher fazendo pós-graduação em Psicologia e em Terapia, após consideráveis progressos na dissolução de sua dependência, ainda se vê às voltas com a aparente falta de substância com que sua mãe se lhe afigura: "É estranho, considerando que ela ainda vive e que nos vemos com relativa frequência. Simplesmente não consigo uma visão clara do que ela é – ou da natureza do nosso relacionamento. Acho que nunca consegui isso".

Outra mulher descreve o "vazio" experimentado durante seu crescimento, a lacuna em seu relacionamento consigo própria como entidade feminina. "Meu pai era a pessoa que dirigia minha vida. Agora que tenho filhos, muitas vezes olho para trás e me pergunto: 'Onde é que minha mãe estava naquela época? Por que ela deixou meu pai dominar tudo? Será que ela não se importava, ou era simplesmente uma pessoa fraca?'"

"Meu pai era o centro", conta uma pintora do Missouri, que sempre fracassa quando se compromete a apresentar seus quadros em exposições. "Minha mãe era definida por ele. Se ela se comportava bem, ele lhe dava amor, presentes e cuidava dela — ela era uma rainha. Ele *realmente* cuidava dela. Ela se comportava bem; ela era uma ótima dona de casa. E ele cumulava-a de presentes o tempo todo."

"Ela era inteligente?", pergunto.

"Não sei", a mulher responde. "Penso que deve ter sido, em alguma época anterior de sua vida. Mas ela parou de pensar."

Uma das razões pelas quais a mãe persiste sendo uma figura obscura é o fato de ter sido intimidada pela personalidade vivaz e poderosa do marido. A mediadora — uma espécie de meia pessoa que escolhe a segurança de participar como um dos elementos de propriedade do marido — assim se protege dos aspectos mais abrasivos da vida no mundo. Grandes lutas, a disputa aberta pelo poder — estas não eram características do relacionamento da menina com a mãe indefinida. Pode até ter existido algum tipo de calma estagnada, uma aura de paz (falsa, pois mascarava o paralisante paradoxo nuclear: *Mamãe sempre estava presente — ah, sempre, eternamente presente. Mas ao mesmo tempo ela não estava presente!*[17]. Sem consciência disso, a menina que é produto de uma família assim cresce desligando-se cada vez mais do que os psicólogos rotulariam de seu "núcleo feminino".

"Sentia-me culpada o tempo todo", foi o que me contou uma executiva de uma agência de publicidade nova-iorquina. "Eu *vivia* com culpa por jamais me sentir feminina. Meu pai me encorajava a levantar o nariz, usar sapatos de salto alto e me dar ares de 'dama', mas eu não queria parecer uma dama. Tinha algo a ver com o fato de minha mãe ser uma 'dama', e acontece que ela não passa de uma apaziguadora. Mamãe não exige nada; ela não questiona nada; não quer saber de nada."

A cisão, portanto, tem lugar com respeito a uma distinção básica que a filha efetua: o pai é ativo, a mãe é passiva. O pai é capaz de cuidar de si mesmo, a mãe é indefesa e dependente[18].

Às vezes, observa-se um vínculo especial entre a filha e o pai. Eles são amigos. Ele lhe fala de como ela se parece com ele. Ela se enche de orgulho e satisfação, imaginando-se alguém muito especial. Pamela Daniels, uma socióloga de Wellesley, recorda "o ritualzinho retórico desempenhado por meu pai e por mim na frente das visitas. Ele perguntava: 'Quando o papai te pede para fazer alguma coisa, o que você faz?'. E minha resposta era: 'Faço!'. Não havia no mundo pai mais orgulhoso nem filha mais obediente[19]".

Imagine então o choque quando repentinamente o pai se distancia, assim que a razão de seu "orgulho e alegria" tenta viver a própria vida.

A traição do pai

"Comumente o pai estimula a filha até o ponto em que ele começa a temer que os conhecimentos dela sobrepujem os seus", Ruth Moulton assinala. "Ou então ele receia sentir-se sexualmente atraído por ela. Frequentemente, o pai que se distancia da filha na adolescência é o mesmo pai que lhe ofereceu todo tipo de estimulação intelectual quando ela era mais nova[20]."

A seguinte história me foi relatada por uma jovem mãe de Washington, D. C.: "Desde os cinco anos de idade todos davam por certo que eu seria uma virtuose no piano. Aí, subitamente, eis-me de malas prontas para partir para a faculdade, e meu pai me pergunta em que estava planejando me especializar. 'Em música, é claro', eu lhe disse. 'Não', retrucou ele; a música era um campo em que dificilmente se conseguia sobreviver. 'Faça Pedagogia. Assim, no mínimo, você estará garantida dando aulas'".

A jovem seguiu o conselho do papai e formou-se em Pedagogia, especializando-se em pré-escola. Após o término do curso, lecionou por alguns anos, depois casou-se e teve filhos. Durante o curso colegial, ela fora eleita a aluna "mais capaz de vencer" – eleição feita em nível estadual. Hoje, a carreira ambicionada, a música, há muito manifesta-se apenas em seus sonhos, como um fantasma.

Com tristeza, ela me disse: "Há doze anos, não toco piano". Aliás, ela nem tem nenhum piano.

Muitas jovens que começam a vencer em áreas da intelectualidade ou criatividade veem-se – sem aviso, de súbito – despojadas de todo o apoio do pai[21]. É um choque, experimentado profundamente como uma traição.

"Eu cumpria à risca todos os seus conselhos e desejos", escreveu Simone de Beauvoir, falando de seu relacionamento com o pai na adolescência, "e aquilo parecia irritá-lo. Ele havia projetado para mim uma vida de estudos e, no entanto, censurava-me por enterrar o nariz nos livros o tempo todo. A julgar por seu ar carrancudo, pensar-se-ia que eu o estava contrariando ao seguir o caminho que ele escolhera para mim[22]".

Falta à menina a compreensão com que objetivar o que está acontecendo com o pai. "Eu ficava me perguntando o que fizera de errado", De Beauvoir ressalta. "Sentia-me infeliz e pouco à vontade, e aninhava ressentimento em meu coração[23]."

Seguramente o ressentimento está presente, porém a jovem filha fica perplexa com isso, pois acredita no pai e na descrição que *ele* faz da situação, isto é, que ele se preocupa com ela. Ou deseja treiná-la para a vida. Ou pensa que, para ela, o melhor é casar-se e alimentar suas ambições como um hobby, já que, de qualquer modo, ela não conseguiria sustentar-se usando apenas seus talentos.

Por vezes nota-se que o pai está competindo com a filha com o mesmo vigor com que competiria com um filho. Contanto que ele ocupe a posição dianteira na corrida, tudo bem; ele se sente seguro, e a camaradagem persiste. Contudo, assim que a menina começa a dar sinais de ultrapassá-lo, iniciam-se os problemas. O pai pode tornar-se abertamente hostil, criticando-a "para seu bem", ou, sob forma mais insidiosa, pode ficar melancólico e alimentar a autocompaixão. Fala-se muito da mãe causadora de culpa e praticamente nada a respeito do pai que faz o mesmo. Entretanto, no conjunto familiar específico que aqui descrevemos, pode bem ser o pai quem tenta reprimir os esforços da filha, fazendo-a sentir-se culpada.

No ano em que terminou o colegial, Hortense Calisher confessou ao pai seu desejo de ser escritora – em particular (na época), poetisa. Qual a reação dele? Ela conta que ele tirou um caderno com os próprios poemas, caderno que "jamais mencionara, folheou-o muito rapidamente diante dos meus olhos e disse: 'Olha aqui. Eu já quis fazer isso. Mas não se pode ganhar a vida com poesia, querida'".

Como é que ela *ousava* tentar o sucesso naquilo em que ele fracassara –, era a implicação não falada. Pondo-se na posição distanciada necessária à mulher que deseja ativamente romper a estrutura da síndrome da filha indefesa, Hortense retorquiu: "Eu não *quero* ganhar a vida com poesia". E a partir daí pôs-se a *fazê-lo*[24].

Coisas estranhas podem acontecer quando o pai sente que as filhas estão fugindo ao seu controle. Em suas várias décadas de prática psiquiátrica, Ruth Moulton viu uma incidência assustadora de pais que, por vingança, afastavam-se das filhas no momento em que elas tentavam quebrar a estrutura. Um conhecido dela tentou convencer a filha a casar-se tão logo terminasse a faculdade. "A moça *não* queria casar-se na época; queria, sim, fazer Direito", conta a dra. Moulton. "Apesar do fato de *saber* o que desejava, no início foi-lhe quase impossível consegui-lo."

Para essa mulher, o que papai pensava dela era demasiadamente importante. O risco de ser rejeitada por ele era potencialmente devastador. "Ela teve de atravessar uma grande depressão, numa terapia bastante longa", narra a dra. Moulton, "antes de finalmente conseguir enfrentar o pai e seguir o próprio caminho". Ainda assim, em todos os momentos cruciais de sua vida, lá estava o papai metendo o bedelho. Exatamente quando ela pensava ter "elaborado" sua relação emocional com ele, algo acontecia para relembrá-la do grau pernicioso de sua necessidade da aprovação dele.

"Um dia essa mulher recebeu a oferta de uma bolsa de estudo na Europa. Novamente seu pai se enfureceu", prossegue a dra. Moulton. "Ele queria que ela ficasse em casa e estudasse na universidade estadual; ela, por sua vez, desejava ir à Europa e acabou fazendo isso, malgrado o pai."

Depois disso, o relacionamento deles nunca mais foi o mesmo. "Dez anos mais tarde, quando o pai morreu, a mulher percebeu que na verdade o perdera no ponto em que começara a desobedecê-lo."

Para algumas mulheres, o momento da partida ou de se separar de papai e do que papai deseja não ocorre senão bem mais tarde. Meredith, uma mulher que lutara arduamente no mercado de trabalho de Nova York por dezoito anos, recentemente teve de enfrentar o relacionamento infantil que mantivera com o pai; isso foi ocasionado pela perda do emprego que detinha havia alguns anos numa grande editora.

Ela perdera o emprego por questões de politicagem interna. "Boa colaboradora", Meredith jamais imaginara deixar "O Grande Pai" (como atualmente chama a estrutura paternalista da corporação). Todavia, quando "O Grande Pai" a deixou, ocorreram-lhe diversas alternativas, todas elas aptas a fomentar-lhe o crescimento pessoal. Ela poderia estabelecer-se como freelancer; ou poderia procurar um emprego em outra editora; poderia, igualmente, voltar a estudar e especializar-se em algo totalmente novo.

"Senti que era uma boa hora para ao menos considerar abraçar uma nova profissão", disse Meredith, na época com trinta e nove anos. Achava que poderia tirar proveito do que lhe acontecera, transformando o aspecto negativo da situação num trampolim para a mudança. Mas seu pai – que vinha lhe ditando o que fazer desde seus catorze anos, quando teve de recusar o primeiro convite para sair com um rapaz, pois ele não era "bom o suficiente" para ela – tinha outras ideias. "Papai ficou horrorizado por sua filha ter sido despedida e queria 'fazer alguma coisa a respeito e já'. Ele conhecia alguém que conhecia alguém que conhecia o dono da empresa – esse tipo de coisa."

Consciente da longa história de intromissão de seu pai em sua vida, Meredith resistiu aos esforços paternos no sentido de solucionar-lhe o impasse. "Quem sabe?", ela comentou com ele. "Talvez eu volte a estudar e vire uma psicoterapeuta."

Muito bem, se era uma nova profissão a que a filha almejava, ele até concordava. Mas... *psicoterapia?* A advocacia era a profissão certa para a sua cria.

"Se você fizer Direito, eu pago o curso", anunciou.

Se, por outro lado, ela insistisse em se tornar uma terapeuta, ele *não* lhe pagaria o curso. Psicoterapia não era algo "adequado" para ela.

"Mais uma vez", disse-me Meredith, "a mensagem era: 'Se você fizer as coisas a *meu* modo, cuidarei de você'. É realmente nisso que consiste meu relacionamento com meu pai durante todos esses anos. Quando penso nisso, tenho vontade de chorar".

Embora pensar a respeito *sempre* tivesse o efeito de provocar-lhe sentimentos de desamparo e vontade de chorar, Meredith afinal chegou a uma conclusão: ou permanecia sendo a garotinha do papai pelo resto da vida, ou, apesar da ansiedade causada, começava a dar passos no sentido de dirigir a própria vida.

"Após todos esses anos, por fim admito que sou uma princesa", ela confessa. "Meus pais me diziam o que fazer, o que pensar, que roupa usar. Em nossa família nunca se fazia nada *separada* ou *diversamente* dos outros. Fazia-se tudo em conjunto. Íamos às compras juntos. Eles escolheram minhas roupas até eu sair de casa, aos vinte e um anos. Até hoje em minha carta de motorista consta o endereço de meu pai, em Rhode Island. Sempre que ela precisa ser renovada, tenho de ir lá para fazê-lo."

Consciente da conexão entre sua dependência dos pais e o enorme abalo sentido quando da perda do emprego, Meredith diz: "Eu tinha medo de não poder *existir* sem a corporação. Eu não tinha nenhum tipo de economia. Nada de caderneta de poupança, pois a companhia sempre proporcionara as 'mordomias' – igualzinho a papai. De repente, a influência que meu pai tivera sobre minha vida tornou-se dolorosamente clara. Vi que, se quisesse uma modificação no estado das coisas, teria de esquecer o que *ele* desejava e ir em frente para fazer o que *eu* desejava".

Pela primeira vez em sua vida, Meredith virou realista e dona de si. Concluiu que, naquela altura, a situação econômica geral era instável demais para favorecer uma mudança de carreira. Assim, lançou-se num sistema de editoração freelance. Alugou um pequeno escritório numa ótima localização em Manhattan, contratou uma equipe pequena, mas competente, e foi à caça de clientes importantes – e obteve êxito. Hoje, dois anos mais tarde, ela está bem, tanto profissional como financeiramente. "Agora", diz ela, "tenho o dinheiro e a confiança necessários para mudar de área de atuação, se o desejar. Pela primeira vez na vida *sei* do que sou capaz de fazer por minha conta, porque pus os pés no chão e agi!"

A traição da mãe

Em geral as filhas percebem os problemas de sua vida como sendo originados da relação com seus pais, homens altivos e dominadores. Na realidade, contudo, ambos os pais contribuem para a dificuldade feminina em crescer e libertar-se. A mãe indefinida tende a ser quase tão dependente da filha quanto o é do marido. Ela peca por omissão, por *não* apoiar os esforços da filha no sentido de viver por sua conta.

A dra. Moulton relata o caso de uma profissional brilhante que durante anos viveu grandes conflitos por causa das exigências da mãe, mulher dependente. De qualquer modo, essa mulher foi obstinadamente levando sua vida, chegando a completar o doutorado. Casou-se, teve filhos e continuou a trabalhar em período parcial. Apesar de ter passado por um longo e penoso trabalho terapêutico com o fim de libertar-se das garras opressivas de uma mãe dependente, agora que estava confortavelmente ajustada a uma vida em que casa e trabalho se harmonizavam, quanta mágoa sentia pelos atos vingativos da mãe! E pudera! A mãe atacava a filha com todo tipo de reprovação: ela não deveria estar trabalhando; coisas terríveis aconteceriam às crianças; seu lugar era no lar; e assim por diante. O *coup de grâce**, no caso, foi que mamãe causou um tumulto familiar de tal proporção que o pai da mulher em questão ofereceu-se para *pagar-lhe um salário* se ela acedesse em ficar em casa com os filhos e "descansar". Dessa forma, disse a mulher à dra. Moulton, "minha mãe não mais se preocuparia e pararia de *encher-lhe* a paciência".

"Desde pequena, sempre me preocupei com minha mãe", conta-me outra filhinha do papai. "Eu sempre tinha a impressão de que ela não estava obtendo tanta atenção de meu pai quanto eu obtinha. Durante o café da manhã, era sempre *comigo* que ele discutia os editoriais do jornal. Minha mãe estava sempre lavando a louça ou tirando biscoitos recém-preparados do forno."

Nesses triângulos, por vezes as mães disputam abertamente com as filhas a atenção de seu marido. Em geral, o que comunicam é uma esperança lentamente deteriorante em relação a seu próprio futuro, mesclada com inveja. Sentem-se ansiosas e ignoram a razão disso. Ficam desapontadas com o movimento de avanço (das filhas) para o mundo maior; no íntimo experimentam esse movimento como uma rejeição.

Não é apenas a passividade da mãe que fere a filha. De modo similar funciona a enorme inquietação materna pelo "bem-estar" da filha – o que se constitui num instrumento de redução de seus esforços pela independência. A mãe tenta restringir as atividades da filha, a fim de que esta não "passe das medidas". Pede, pois, ao pai mais severidade na observação do horário de a menina chegar em casa. Empurra a moça para o namorado "certo" (o filho da vizinha), para a faculdade "certa". Em suma, diz a dra. Moulton, a mãe "muitas vezes fica claramente enciumada do impulso para a liberdade e individuação exibido pela filha; teme revelar-se inadequada e ser sobrepujada pela filha; e necessita defender o próprio estilo de vida limitado, ainda que ele não lhe tenha sido satisfatório ou gratificante[25]".

---

* Golpe de misericórdia. Em francês no original. (N. da T.)

O resultado

Uma vez tido todo esse treinamento em dependência, como se encontram as mulheres adultas atualmente? Não muito bem, como você pode imaginar.

Na última década, psiquiatras, psicanalistas e cientistas sociais devotaram grande energia ao estudo da mulher: a fase de bebê, a infância, a adolescência, a fase de jovem adulta, a transição para a meia-idade. Emerge daí um quadro psicossocial totalmente novo no tocante ao significado de ser mulher. Certos estudos mostraram, por exemplo, que as mulheres não são propensas a reconhecer outras como líderes. Pelo contrário. Veja: pesquisadores da Universidade de Delaware apresentaram a um grupo misto de pessoas um slide no qual aparecem homens e mulheres sentados a uma mesa de conferências, com um homem à cabeceira. Seguia-se um slide com a mesma composição, salvo o fato de ser uma mulher a ocupar a cabeceira da mesa. Nessa segunda exposição, tanto as pessoas do sexo masculino quanto as do feminino apontaram um homem como líder do grupo. (Apenas num slide com um grupo composto unicamente de mulheres é que uma mulher foi apontada como líder[26].)

Competição é um tema que tende a apresentar mais dificuldades às mulheres que aos homens. Basta pôr-nos numa situação competitiva, e nossa confiança cai. Reforços positivos aumentam a confiança das mulheres, mas, ao se retirar o apoio verbal, somos zero à esquerda[27]. Inclusive em tarefas ditas "femininas", como criar filhos, vê-se que as mulheres sentem-se inadequadas, a menos que saibam exatamente o que fazer. Pelo medo de se comportarem incorretamente, tornam-se rígidas demais para se sentir à vontade em circunstâncias não totalmente dominadas e improvisar uma solução.

Executou-se um estudo com o propósito de averiguar como homens e mulheres reagem numa situação de emergência (no caso, quando achavam que alguém sofrera um ataque epiléptico). As mulheres mostraram muito mais incerteza sobre o que fazer do que os homens. Elas se preocupavam em estar ou não fazendo "a coisa certa". Mesmo *durante* a situação, essas mulheres ficavam obcecadas com a ideia de não conseguir responder à altura[28].

Uma amiga minha ilustrou esse mesmo fenômeno com uma vívida anedota relativa à morte do marido. "Desde o momento em que ele morreu até o final do enterro", contou, "tudo em que eu pensava era se estaria agindo certo – avisando as pessoas 'certas', escolhendo os salmos 'certos'". Preocupava-se morbidamente em saber se as pessoas iriam ou não *gostar* do velório, como se existisse um juízo de certo ou errado com relação à decisão de como velar e enterrar o homem a quem amou e com quem viveu durante vinte e cinco anos.

No que tange às mulheres, mesmo o êxito concreto nem sempre fomenta êxitos posteriores. As pesquisas revelam que tendemos a não tirar proveito dos benefícios psicológicos de nossas realizações porque uma peculiar ruptura interna nos impede de *assimilar* o sucesso. Quando, por exemplo, uma mulher soluciona um problema de matemática, ela tem a opção de atribuir seu sucesso à sua capacidade, ou à sorte, ou ao fato de ter "se esforçado", ou à "facilidade" do problema. Segundo a "teoria da atribuição" – que analisa os efeitos sobre a vida das pessoas daquilo que elas veem como causa das coisas –, as mulheres tendem a atribuir o êxito a fontes externas que nada têm a ver com elas. A "sorte" é uma de suas favoritas.

Se é certo que evitamos assumir o sucesso, não é menos verdadeiro, dada a oportunidade, que nos sentimos responsáveis pelo fracasso. Os homens tendem a externar as razões para o fracasso, jogando-o sobre algo ou alguém. As mulheres, porém, absorvem a culpa, como se tivessem nascido para ser os capachos da sociedade. (Algumas mulheres gostam de anunciar sua disposição para assumir culpas como se se tratasse de alguma forma de altruísmo. Não é. As mulheres assumem as culpas porque receiam enfrentar aqueles que, na realidade, são os verdadeiros culpados.)

Dada nossa socialização para a dependência, não é de admirar que nos arrisquemos tão pouco. Desgosta-nos estar na posição em que o risco se apresenta, ainda que seja como mera possibilidade. Detestamos testes precisamente porque constituem uma situação de risco. Evitamos novas situações, mudanças de emprego, mudanças para outras partes do país. As mulheres temem que, se cometerem algum engano, ou fizerem "a coisa errada", serão punidas[29].

Comparativamente aos homens, as mulheres têm menos confiança em sua capacidade de julgamento; em seus relacionamentos, comumente outorgam a tarefa de tomada de decisões aos parceiros – situação que, com o passar do tempo, apenas faz com que se tornem *menos* confiantes em seu poder de julgamento.

O que mais impressiona é verificar que as mulheres são menos capazes do que os homens de realizar seu potencial intelectual. Num importante estudo sobre diferenças sexuais no tocante ao funcionamento intelectual, a dra. Eleanor Maccoby, de Stanford, concluiu: "Na idade adulta... os homens realizam substancialmente mais do que as mulheres em quase todos os aspectos da atividade intelectual em que é possível a comparação: livros e artigos publicados, produções artísticas e feitos científicos". De fato, à medida que envelhecem (a partir da adolescência), as mulheres obtêm resultados gradativamente decrescentes quanto ao item "inteligência total", por sua tendência a utilizar a inteligência cada vez menos, desde o momento em que se formam.

Outros estudos revelam que *a capacidade intelectual pode mesmo chegar a se debilitar por traços de personalidade dependente.* O tipo de personalidade dependente ou conformista apoia-se fortemente nas "dicas externas" — ou dicas dos outros —, e isso pode enfraquecer o processo interno de análise sequencial[30].

Inveja e competitividade: o círculo vicioso

Um estudo conduzido há vários anos revelou algo muito interessante sobre o que acontece às mulheres quando trabalham em colaboração com outrem. A soma de autoconfiança das mulheres acha-se em proporção inversa ao nível de desempenho de seus cooperadores. Incrível, mas, *quanto maior o desempenho do colaborador, menor a atribuição feita pela mulher à própria competência*[31].

A confiança e a autoestima são pontos em primeiro plano no panorama das dificuldades femininas quanto à realização. A falta de confiança submerge-nos nas águas turvas da inveja. Cremos que os homens funcionam sem problemas e, como garotinhas invejosas da liberdade incondicional dos irmãos mais velhos, achamos mais fácil enfocar a "sorte" masculina e o "azar" feminino. Isoladas numa situação injusta, nada temos de *fazer* para promover a competência e a autoestima que tanto admiramos nos outros.

Ao mesmo tempo, sentimo-nos competitivas. Há trinta anos, a psiquiatra Clara Thompson já assinalava que as mulheres realmente se encontram desprivilegiadas vivendo numa cultura competitiva cuja atmosfera favorece em nós o surgimento do sentimento da menos-valia. Em tal circunstância, atitudes competitivas para com os homens são inevitáveis. Entretanto, como advertia a dra. Thompson, a inveja deve ser reconhecida, *vista* e completamente compreendida; ela pode ser facilmente usada como um meio de acobertar algo muito mais fatal à independência feminina: nossos sentimentos mais íntimos de incompetência. Estes devem ser trabalhados, de forma direta, se quisermos algum dia conseguir confiança e força[32]. Quando a conheci, Vivian Knowlton, uma jovem advogada, estava aprisionada num círculo vicioso de inveja que a mantinha ignorante dos conflitos que a "amarravam".

"Fico atônita diante de tudo o que está acontecendo em minha vida agora", disse-me Vivian. (Como fiz com outras mulheres citadas neste livro, o nome e certos detalhes identificadores foram trocados.) Estávamos sentadas na sala de estar de sua bela casa em Berkeley, Califórnia. "Ganho um bom salário e aprecio o trabalho jurídico. O problema é que não me sinto bem. Saio para o trabalho todos os dias com uma espécie de nuvem de ansiedade pairando sobre minha cabeça."

"Há três anos, quando comecei a trabalhar", recorda, "acordava todas as manhãs cheia de vida. Saía toda feliz, praticamente saltitando até o ponto de ônibus".

"As coisas começaram a perder a graça após cerca de um ano. Achava que estava indo bem no serviço, mas, vejo agora, isso era principalmente porque eu era muito boa em aceitar incumbências e fazer o que me mandavam fazer. Não passava de uma ingênua prestativa. Sempre que alguém precisava que algum trabalho chato fosse feito, esse trabalho acabava em minhas mãos."

Vivian raramente se mostrava assertiva diante dos donos do escritório de advocacia em que trabalhava, dizendo a si mesma estar apenas iniciando e que aquela era uma experiência de aprendizagem. (Quem era *ela* para desafiar pessoas que praticavam a advocacia havia vinte anos ou mais?) Durante o segundo ano, ela passou a admitir não estar trabalhando segundo o nível de sua capacidade. "Nas reuniões eu me fechava como um caramujo, tímida demais para expressar minhas ideias. Se, porém, alguma *outra* pessoa precisasse de apoio, minha oratória se tornava espantosa."

As coisas se arrastaram por três anos. Vivian nunca chegou a ser reprovada, mas jamais recebeu um elogio. "Eu me tornara uma pessoa nota 5, mas estava acostumada a ser nota 10. Aquilo me entristecia. Onde estava a mulher inteligente e integrada que fora uma das primeiras da turma na faculdade?"

Havia outra mulher no escritório, empregada lá havia mais tempo. "Natalie era extremamente segura de si. E que tentação a de enquadrar--me em seu estilo! Surpreendia-me até imitando sua voz rouca. Era uma loucura. Tinha a sensação de haver perdido todo o senso de quem eu era e ficava me agarrando a pequenos trejeitos e maneirismos de outra pessoa só para seguir em frente."

"Por que tudo é tão mais fácil para os homens?"

Vivian era ambivalente em relação aos dois jovens advogados empregados mais ou menos à mesma época em que fora contratada. "Paul e Hurf começaram a abrir caminho por si próprios desde o início. Paul pôs-se a pesquisar coisas com que nossa firma jamais se envolvera. Isso não o atrapalhava. Simplesmente aprendeu-as e então convenceu Hodgkins e Pearl, os chefes, de que tínhamos de expandir a área de nossa atuação."

A disposição de Paul em tomar iniciativas incomodava Vivian. "Ele parece visualizar o escritório como uma base de operações para suas arremetidas individuais no mundo dos negócios", disse amargamente. "Tem-se a impressão, pela forma como age, de que ele não dá a mínima ao escritório, ou mesmo à *advocacia*."

Para Vivian, Hodgkins e Pearl tornaram-se o equivalente do adulto. Sente-se revoltada em relação a seus empregadores e, ao mesmo tempo, inveja Paul, que não *precisa* se rebelar, que é suficientemente independente para conseguir enfrentar cara a cara "o escritório". Não intimidado pelos "patrões", Paul é bem mais inovador e objetivo que Vivian e, por conseguinte, muito mais valioso à firma.

Hurf não é tão impetuosamente agressivo quanto Paul, mas também assume o tipo de riscos pessoais que encheriam Vivian de pânico.

"O negócio de Hurf são julgamentos em tribunais", prossegue ela em sua narrativa. "Em geral eles não deixam uma pessoa tão inexperiente representar a firma num tribunal, mas Hurf pressionou. Tanto pediu para ser mandado que, após algum tempo, senti-me envergonhada por ele."

Não é incomum às mulheres sentir que os homens com quem trabalham são "insensíveis" e "pressionadores". No entanto, Vivian notava que todo mundo parecia apreciar a agressividade profissional de seus colegas. "Toda vez que Hurf se aproximava dos chefes, ele dispunha de uma razão melhor para receber o encargo que desejava. Finalmente ele abriu o jogo numa reunião."

Hurf fez o que muitas mulheres, no início de uma carreira, consideram uma enorme temeridade. Arriscando-se a enfrentar discordâncias ou, Deus nos livre, rejeições, Hurf levantou-se perante todos na reunião bissemanal de Hodgkins e Pearl e "vendeu seu peixe". "Tenho condições ótimas para lidar com o caso Wilkinson", anunciou. Continuou contando como seu cunhado era maníaco-depressivo e como ele mesmo estava familiarizado com os fatores bioquímicos da doença, bem como com os precedentes, em termos de direitos civis, em casos relativos a surtos psicóticos. Após revelar sua experiência pessoal, expressou a certeza de que Hodgkins e Pearl economizariam dinheiro se lhe permitissem representar Wilkinson no tribunal.

"Não posso tirar o mérito de Hurf", disse-me Vivian. "Ele sozinho é o responsável por ter obtido um emprego e por seu êxito no tribunal. Ele foi perfeitamente franco sobre o que estava fazendo. Ainda assim, quando coisas desse tipo acontecem, pergunto-me por que não estou progredindo. Continuo com a sensação de que, de algum modo, sou negligenciada."

"Não é justo!"

Uma vez que a justiça – ou melhor, a injustiça – vem sendo um problema tão central para as mulheres, a questão de "o que é justo" pode facilmente ser usada como mecanismo de defesa – e ocultação – de sentimentos de inadequação. Tal qual o caçula obcecado com o tratamento negativo recebido da família, as mulheres usam a injustiça com que vêm sendo tratadas historicamente para se aquartelar contra tratamentos negativos posteriores. Isoladas por seus sentimentos de "vítimas", permanecem enclausuradas. Similarmente às esposas desativadas, nelas atua um sistema de reforçamento negativo. É um ciclo doloroso. Num sentido clínico, objetivo, as mulheres *são* menos autoconfiantes que os homens. Fomos criadas de um modo que nos impede de executar a separação psicológica conducente à autoconfiança. Culturalmente isso pode ser uma realidade, mas parar aí é autoderrotar-nos. E, contudo, é nesse ponto que muitas mulheres desistem.

"Não é *justo* eu ter me colocado entre os cinco melhores no exame de qualificação e agora me limitar a tirar o pó dos relatórios *deles* e fazer pesquisas para os casos *deles*", diz Vivian Knowlton. "Não é justo ter vivido praticamente sem vida social durante os três anos em que fiz especialização, precisando me matar para tirar aquelas notas 10, e *agora* passar horas a fio sob uma lâmpada fluorescente examinando velhos códigos jurídicos."

As coisas não estavam correndo segundo nenhuma das normas que tinham governado a vida de Vivian até então. Sua vida profissional estava exigindo um grau de independência de que ela nunca necessitara para tirar seus 10 na faculdade. De forma muito concreta, as normas haviam mudado. "Isso me faz sentir trapaceada, como se eu tivesse sido destinada a algo grandioso e excitante – todo o mundo da lei estava lá à minha disposição para ser devorado – e, agora, essa horrível decepção."

Vivian realmente acredita que tudo o que seus colegas do sexo masculino fazem de algum modo prescinde de "esforços". Ela se sente competindo com os homens e invejosa deles; porém, sente-se assim também com Natalie, a outra advogada do escritório. Aparentemente "eles" possuem alguma coisa que ela não possui, algo que utilizam para vencer. *Esta é a isca mais traiçoeira na psicologia feminina contemporânea.* Vivian se vale da posição de desvantagem cultural para mascarar muitas de suas emoções mais dolorosas – emoções essas que a impedem de construir a verdadeira autoconfiança e a autoestima, sem as quais não tem chances de se libertar.

As mulheres mantêm suas necessidades de dependência muito além do ponto do desenvolvimento em que tais necessidades são normais e sadias. Escondemos dos outros – e, pior que isso, escondemos de nós próprias – o fato de carregarmos a dependência dentro de nós como alguma doença autoimune. Carregamo-la conosco desde o maternal até a faculdade ou pós-graduação e depois em nossa carreira e no conveniente "arranjo" de nossos casamentos. Tal como um punhal cravado no coração, a dependência se enterra profundamente no centro de nossos relacionamentos com nossos maridos, nossos amigos e até nossos filhos. Em grande parte do tempo – para várias de nós, *todo* o tempo –, nossa má vontade em erguer-nos sobre os próprios pés passa despercebida porque é *esperada*. As mulheres são seres "relacionais". Elas se dedicam a cuidar e necessitam de cuidados. Isso, aprendemos por tantos e tantos anos, é a *natureza feminina*.

E, embora ela nos mutile, não a questionamos.

CAPÍTULO 5

DEDICAÇÃO CEGA

Cinco anos de casamento. Desde o princípio, meu objetivo fora o de levar meu marido a conduzir-se num nível que permitisse sentir-me segura no mundo. Sua competência era a minha competência; seus fracassos, porém, eram unicamente seus. Sem dúvida um arranjo cômodo, ainda que injusto. Nunca questionei essa atitude – nunca a identifiquei, aliás.

No verão de 1967, minha ambição pelo sucesso de meu marido re-jubilou-se quando ele recebeu a primeira oportunidade de fazer sua tão cobiçada reportagem de revista. *The Atlantic Monthly* estava interessada em que ele traçasse a conexão entre o aumento dos custos alimentícios e a quantia de dinheiro gasta com propaganda – conta naturalmente paga pelo consumidor, sem o saber. A aprovação de *The Atlantic Monthly* ao projeto de Ed deu a ele o ímpeto para a sua execução, muito embora não houvesse garantias de que o artigo fosse um dia publicado.

Naquele verão, ele passou praticamente todas as horas em que não se encontrava no escritório pesquisando e escrevendo o artigo. Essa mudança no estado de coisas me animou sobremaneira (devo ter previsto algum futuro grandioso e cheio de glórias originando-se dali). Vi-me polarizada por meu novo papel de assistente e revisora. Fazia um calor horrível em Nova York naquele verão, mas o suor que se derramava em nosso pequeno apartamento era como uma purgação saudável. Adeus às toxinas do fracasso e da frustração! Assim que Ed chegava em casa, eu servia o jantar. Em se-guida levava as crianças ao parquinho, e lá ficávamos até escurecer. Às oito e meia ou nove horas, após banhá-las e pô-las na cama, eu ia para a sala de jantar para revisar o que Ed escrevera até aquela hora. Essa era uma atividade aprendida na revista *Mademoiselle*: examinar as sentenças e os parágrafos de outras pessoas, a fim de melhorar-lhes a estrutura e a clareza. Eu começara a produzir meus artiguinhos sobre ser mãe e dona de casa; todavia, sentia-me constrangida diante das importantes ideias que Ed estava tentando alinhavar – ideias associadas ao governo, à indústria e ao recém-surgido movimento dos consumidores. Quando as ideias de Ed estavam redigidas de maneira obscura, eu conseguia reconhecer e assinalar a necessidade de uma clarificação, porém conhecia pouco sobre o assunto e acreditava que precisava contar com algo extra – Uma pós-graduação? Um cérebro maior? Ter nascido homem? –, a fim de manipular material tão complexo.

Parte de meu problema, obviamente, era o fato de eu estar com vinte e nove anos e ainda não ter desenvolvido o hábito de ler jornais. Qualquer peão de obra da cidade, assistindo ao noticiário da televisão às cinco da tarde, durante a cervejinha do fim de expediente, sabia mais de economia e política do que eu. De algum modo, essas coisas não pareciam relevantes para a minha vida pessoal. Quem governa o país, e como, e por quê; quanto dinheiro corria e como isso funcionava – essas não eram coisas de importância visceral para uma mulher com três filhos pequenos e que, para o bem-estar próprio e o deles, dependia dos esforços de outro indivíduo. O movimento feminista estava apenas começando na época, mas não enfatizava a noção de que às mulheres cabia assumir mais responsabilidade por si mesmas. Pelo contrário: parecia sugerir que elas precisavam que se lhes *dessem* determinadas coisas – tradicionalmente, coisas que lhes haviam sido sempre negadas: profissões, salários igualitários, direito de opinar a respeito de sua vida atual e de seus sonhos futuros. A ironia é que, ao passo que começamos almejando mais, continuamos dependendo de outrem (de homens, em particular) para consegui-lo. Aparentemente as mulheres tinham entrado na adolescência; queríamos liberdade, mas ainda não desejávamos a responsabilidade que ela exige. Presentes, sim, mas nem tanto.

É claro que não percebíamos isso. O fato de Ed e eu nunca termos dinheiro suficiente era um problema cuja solução, pensava, eu estava providenciando. E o que estava fazendo? Ajudando-o. Abrindo caminho e fortalecendo sua autoimagem, de modo que *ele* conseguisse fazer mais. Uma possível nova carreira como redatora freelancer parecia uma saída em comparação com o emprego sem futuro representado pelos escassos 7.500 dólares anuais pagos por revistas a seus colaboradores constantes.

De qualquer maneira ganharia muito pouco para uma família de cinco pessoas que morava em Manhattan; mas parecia não haver saída – a menos, é claro, que Ed se encarregasse disso.

É verdade que as mulheres se achavam aprisionadas pelo ditame social de se responsabilizar integralmente pela criação dos filhos. Estávamos enjauladas em nossos lares – presas do assustador conhecimento de que ninguém mais, além de nós, cuidaria dos pequeninos. Não existiam creches quando comecei a promover minha campanha para que Ed passasse a funcionar num nível mais alto e mais bem remunerado. Certamente teria sido difícil arrumar uma babá e, no fim do mês, contar com um dólar que fosse. Olhando retrospectivamente, porém, agora sei que poderia ter feito *alguma coisa*. Eu poderia ter montado um plano, começado de baixo, e gradualmente ir melhorando (o que acabei tendo de fazer de algum modo). A causa de minha inércia não era a falta de creches. Eu não desejava realmente assumir a responsabilidade por mim mesma e por isso nada fiz para iniciar o processo. Fugira à independência aos vinte e quatro anos e não tinha motivos para querer abraçá-la agora. No fundo ainda ansiava por ser cuidada e estava disposta a trabalhar muito, muito duro, e a aguentar horrores em troca. Estava, de fato, disposta a ser uma escrava.

Naturalmente não gostávamos de encarar a situação dessa maneira – nem ele nem eu. Preferíamos imaginar-nos como pessoas atualizadas e avançadas. Eu não era mulher de "frescuras", vomitando durante a gravidez e desmaiando quando algo me assustava. Meus sintomas fóbicos haviam desaparecido. O casamento me dera poder e força. Eu tinha energia bastante para cuidar de três crianças com menos de quatro anos de idade, e da casa, da comida, das roupas, *e* ainda para telefonar para secretários de senadores para marcar hora para Ed falar com eles. Eu tinha energia bastante para me tornar seu *alter ego*, apoiando-o com minha falsa força.

Na fachada, Ed necessitava de minha ajuda naquele verão porque só podia dedicar as noites ao projeto de *The Atlantic Monthly*. A verdade era que ele estava com medo – com medo de começar (bem poderia fracassar), com medo de pedir entrevistas a senadores e deputados (eles bem poderiam dizer não), com medo de começar a trabalhar num nível novo e mais desafiante, no qual sua capacidade seria testada, pondo em risco a sobrevivência de suas fantasias onipotentes. Eu não sabia disso na época, pois jamais enfrentara meus "demônios internos". Achava os temores de Ed "irracionais". Ao mesmo tempo gostava de pensar que *acreditava* em Ed, que sabia que ele poderia "vencer". Contando muitas bravatas, numa tarde ao telefone consegui que metade dos congressistas de Washington agendasse um horário para Ed.

"Meu marido está preparando um artigo sobre os custos dos gêneros alimentícios", eu dizia aos secretários e assistentes. Sentia-me eficiente e calma. Não me abalava estar me associando ao poder da imprensa (as portas dos senadores se abriam de imediato) porque, na verdade, não se tratava de *meu* poder por associação, mas do de meu marido. Sentia-me forte e eficiente precisamente porque estava agindo em nome de meu marido; minha imagem continuava protegida, e meus talentos pessoais, não testados. Eu poderia ter sido uma excelente secretária executiva, agente eficaz da burocracia, montando planejamentos, cuidando de todos os detalhes e garantindo que o outro – meu chefe, meu protetor – sempre conseguisse o que desejava.

Colocar a vida à disposição do amo pode acabar sendo imensamente decepcionante. Como esquema de evitação da ansiedade que acompanha a autonomia, nem sempre funciona. Havia dias – muitos dias – em que Ed dava vazão à própria frustração entregando-se à bebida. Esses episódios me punham desesperada, pois traziam consigo o reconhecimento de meu desamparo – quão vulnerável eu era, quão falha minha capacidade de *fazer* qualquer coisa, quão completa e futilmente dependente!

Na sombria manhã seguinte, eu sentia um misto de depressão e uma obscura sensação de alívio. O fundo do poço fora alcançado, e, com isso, o reconhecimento da mentira vivida e da energia desperdiçada. O roupão amarrotado, a barba por fazer, o odor enjoativo de álcool ofereciam um feio vislumbre da verdade: o casamento não estava dando certo. Nós dois estávamos usando o arranjo para evitar os temas centrais em nossa vida individual.

Naturalmente eu tratava de fugir a esse vislumbre como que em pânico, como que correndo de uma visão fantasmagórica. Queria o terreno familiar do conhecido, tão seguro; assim, no fim da tarde do dia após a bebedeira, nós dois mergulhávamos na culpa, nas desculpas, nos votos de mudar e, por fim, no perdão.

Durante nove anos, vivi a vida de uma criança casada que brincava de ser adulta. Batizei e vacinei meus filhos. Paguei as contas e, quando a situação apertava, implorava – diversas vezes – por empréstimos aos bancos.

Lavava, passava e tentava fazer tudo certo – e acreditava nisso. Qualquer pessoa menos ingênua teria rido se conhecesse de perto a situação real. Pois não lhe teria escapado que meus esforços eram regressivos. Eram unicamente dedicados à manutenção das paredes de minha prisão.

A válvula de escape do casamento

A visão que as mulheres têm do casamento parece não haver realmente se modificado com os anos. Num estudo que culminou em seu recente livro *Husbands and Wives* (Maridos e esposas), os drs. Anthony Pietropinto e Jacqueline Simanuer descobriram que muitas mulheres ainda concebem o casamento como uma fortaleza. Ao escolher marido, estão procurando o príncipe, alguém que venha resgatá-las da responsabilidade. Boa vida sexual, companheirismo estimulante – isso é secundário. Dê-lhes um pedestal bem acima dos perigos do viver autêntico, e elas serão felizes por simplesmente se sentarem lá.

O nível educacional das mulheres que figuram no estudo mantém pouquíssima relação com suas atitudes no que se refere a amor e casamento. Uma dona de casa que tinha feito um curso de pós-graduação disse aos autores que escolhera seu homem porque "Eu era o centro de sua vida. Ele fazia tudo para me ver feliz. Senti que ele poderia ser um bom provedor e dar-me segurança financeira". (Segurança financeira era um dos itens no topo da lista do que as mulheres, nesse estudo, desejavam de um marido.)

Disse outra mulher com grau superior de educação sobre o homem que conseguira conquistar: "Ele realmente é meu melhor amigo; sempre foi e sempre será. Eu dei em cima até que ele se apaixonou por mim e decidiu desposar-me!".

Uma sulista contou-me que, ao casar-se, perseguia "um relacionamento amoroso intenso, romântico, sexy e estimulante". Numa compreensão tardia, porém, percebeu a falácia romântica de suas expectativas. "Eu queria poder ficar em casa em segurança, com as crianças, e fazer com que *ele* trouxesse para dentro estimulação, amor e aventura."

Desconcertante nas respostas dessas mulheres é a quantidade mínima de autoenvolvimento por elas expressa. As esposas parecem obcecadas por ter provas de quanto são amadas. Sobretudo elas julgam ter direito de *exigir* dos maridos o provimento da segurança.

Entre aquelas que assim se comportam, sobressai a mulher que procura como marido um médico. Acima de quaisquer outros fatores, as esposas de médicos afirmam colocar a "segurança" como elemento decisivo no que esperam do casamento. No fim das contas, porém, o conflito e a hostilidade que exibem em relação aos homens que lhes proveem toda essa segurança são de admirar. A revista *Medical/Mrs.* publicou os resultados de uma pesquisa efetuada com a finalidade de averiguar as experiências da vida real de mulheres que haviam desposado médicos. Às suas centenas de milhares de assinantes, a revista perguntava: "A vida de esposa de médico está correspondendo a todas as suas expectativas anteriores?" e "Ela corresponde realmente ao que você imaginava e ao prometido pela sociedade?".

"De jeito nenhum", respondiam as mulheres que faziam parte dessa existência sofrida. "A esposa de um médico sofre muito mais pressões do que as demais esposas e conta com menos apoio emocional ou reforço positivo do que elas", queixou-se uma mulher. "Não podemos contar com nossos maridos para nada, nem mesmo para pregar um prego na parede."

A frustração experimentada por uma esposa de médico de Maryland estampava-se claramente na utilização do tipo itálico:

"A *impossibilidade* de fazê-lo compreender que horas extras não aumentam seu salário nem seu status, mas apenas o subtraem à família, impede-me de ter tempo para uma vida só minha, pois *cabe unicamente a mim dirigir a casa e manter três crianças em paz!*".

"O triste é", escreveu outra mulher, uma veterana (vinte e nove anos) no casamento com um médico, "que fui forçada a criar uma vida própria, separada e isolada da dele". (Diversas mulheres mais velhas, e não poucas das mais jovens, acreditam que ser "forçada" a levar uma vida só sua é, na verdade, um sinal de patologia no relacionamento. A mulher cujo marido não lhe preenche "adequadamente" a vida, ofertando-lhe tanto uma razão de ser quanto um meio de escape a seus problemas de desenvolvimento, é um fracasso.)

Para seu grande desapontamento, as esposas de médicos descobrem haver uma razão inversa entre a quantidade de segurança financeira que recebem do marido e o que almejam ainda mais: a segurança *emocional*. "Reforços", "apoio", "amigos e vida familiar" – esses itens são áreas nas quais o médico-provedor não retribui na medida em que recebe, segundo a pesquisa. Nessa linha, não são poucas as esposas de médicos que consideram o marido um indivíduo entediante e limitado. Diferentemente delas, eles não têm "interesses não profissionais" que iluminem sua existência. Eles realmente não *fazem* nada. (Por não possuir uma existência própria, a esposa acha difícil, se não impossível, compreender que o marido *aprecia* essa parte da vida não associada à dela.) Para completar o quadro, o marido médico age como um tirano demagogo dentro de casa.

Um tanto levianamente, a revista inquiriu suas leitoras: "Você sofre em razão do status 'divino' atribuído a seu marido?", ao que 48% delas gritaram: "Sim!". Uma esposa, obviamente exasperada e desnorteada, comentou: "O maior problema é a incapacidade de meu marido de perceber que, embora possa ser um deus no hospital, onde sua palavra é lei, espera-se coisa diferente num relacionamento familiar sadio. Ele costuma dar ordens a mim e a nossos filhos, o que desgosta a todos nós... Ele é um neurocirurgião, e eu realmente entendo as pressões com que se defronta na sala de cirurgia, mas já estou com trinta e seis anos, meus filhos com onze e doze, e estou me cansando dessa rotina toda. De agora em diante, até conseguir achar uma saída melhor, pretendo ignorá-lo bastante".

Como essas mulheres parecem ludibriadas! Elas desejam segurança, sim; para elas, contudo, segurança significa muito mais do que ter alguém que lhes pague as contas. Significa carinhos, afagos. Alguém que se sente a seu lado durante os jogos do time juvenil do Júnior e os recitais de piano de Alice. Alguém que colabore na preparação da horta caseira e lhes faça parceria em ocasionais jogos de golfe. Em lugar disso, lucraram tão somente um sobrenome para apresentar ao mundo. Uma casa, móveis – enfim, objetos que, por direito, são *dele*.

"Ele é uma pessoa muito controladora – da comida a ser servida, da casa e sua conservação, do dinheiro, é claro, e do meu tempo", prosseguiu a amada do neurocirurgião[2]. O médico sem dúvida sente-se justificado em sua dominação da cena doméstica, pois, lá no íntimo, tem consciência de estar pagando pela segurança da esposa com a própria *vida*. Quanto mais ela reclama de suas ausências, mais tempo ele passa "no hospital", evitando-a. Ele se mostra orgulhoso, convencido mesmo, da maneira como vive. Tende a isolar-se de seus sentimentos mais ameaçadores, como a raiva que o toma em relação à mulher exigente e infantil com quem mora. Ele prefere dar vazão à sua raiva, intencionalmente frustrando as tentativas dela para domá-lo e domesticá-lo. Afinal de contas, ele está em posição de grande vantagem, pois a esposa não pode fazer nada, ir a lugar algum, sem ele. Tudo o que tem a fazer para circunscrever as atividades dela é cancelar seus cartões de crédito. A simples ameaça da privação econômica é suficiente para manter a maioria das esposas que não trabalham em seu lugar. E assim, sentindo ser injusto ter de suportar tanto, a esposa do médico, com um profundo suspiro de tristeza e depressão (pois, afinal de contas, ela não merece mais do que isso?), acaba resignando-se e, por fim, começa a "trilhar a própria vida".

Na década de 1950, a concepção vigente de um casamento ideal era dada por um relacionamento íntimo e aconchegante, no qual as esposas e os maridos compartilhavam tudo: ideias, opiniões, sonhos, planos. Nos anos 1960, essa concepção teoricamente caiu por terra, entendida que foi como uma interdependência doentia, já que não permitia nem ao marido nem à esposa o crescimento, a mudança ou o desenvolvimento. (As revistas femininas, em particular, foram alvo de forte repúdio, por terem historicamente defendido a posição de que as mulheres deveriam querer e promover aquele "compartilhar" sufocante.)

Ou porque a humanidade deu um passo atrás desde então, ou porque, no fundo, as mulheres nunca desejaram romper a estrutura do "compartilhar", o fato é que, aparentemente, o casamento ainda oferece a muitas de nós uma válvula de escape – um refúgio da autonomia, selado com a aprovação da sociedade. Externamente podemos dar a impressão de ser mais libertadas, mas o profundo medo experimentado pelas mulheres empurra-as para uma existência simbiótica, não fundamentalmente diversa do panorama dos anos 1950, no qual o devotado casal seguia de mãos dadas em direção ao róseo horizonte de seu futuro.

O tema de que tratamos aqui é o que os psicólogos chamam de "separação-individuação" e tem a ver com a possibilidade de *qualquer* pessoa – homem ou mulher – tolerar a experiência de ser básica e fundamentalmente sozinha: um ser que caminha com os próprios pés, desenvolve os próprios valores e possui uma concepção da vida única e pessoal. É a *falta* de separação-individuação que destrói grande parte dos casamentos[3].

Há segurança na fusão

"Fusão" é o termo empregado na literatura da psicologia de casais para descrever um relacionamento no qual um ou os dois parceiros, temerosos da realidade do ser só, renunciam à identidade individual em favor de uma "identidade amalgamada". Afirmações como: "Posso ler a mente dele", "Pensamos tudo igualmente" e "Chegamos a *sentir* os sentimentos um do outro" não refletem intimidade; refletem medo – o medo do crescimento e do viver por si só.

O desejo de se fundir simbioticamente com o outro tem suas origens na infância e no profundo desejo de se "reincorporar" à mãe[4]. Psicologicamente falando, a primeira fase da separação é uma época crucial no desenvolvimento da criança pequena que, ainda incerta de sua identidade e ansiosa com respeito à separação, vê-se tentada a regredir a um período na primeira infância no qual ela não tinha nenhuma consciência de existência separada; ao contrário, estava fundida com a mãe, absorvente e excessivamente protetora. Joan Wexler e John Steidl, professores de serviço social psiquiátrico em Yale, creem que os adultos que tentam fundir-se com seus companheiros estão acionando um impulso regressivo similar ao da criança pequena. "Ambivalentes quanto à autonomia, assustadas diante da separação e sentindo-se carentes e sós", dizem Wexler e Steidl, tais pessoas "almejam e tentam recapturar com os companheiros o intercâmbio primitivo e empático do pequeno ser pré-verbal com sua mãe. Essa tentativa de amalgamação (...). é uma tentativa de permanecer fundido, de nunca estar só e de negar a separação ou diferenciação[5]".

Em casamentos nos quais a fusão persiste ano após ano, marido e mulher estão firmemente fixados num nível de desenvolvimento psicologicamente infantil. Wexler e Steidl descrevem o fenômeno de maneira deprimente, como sendo "duas figuras cinzentas trancadas numa dança mortal repetitiva"

Como os casais promovem isso?

Muito calculadamente. Eles têm formas de se proteger, "dando passos medidos e tomando escrupuloso cuidado" para não enxergar a perturbadora realidade: as coisas mudaram de modo radical, e o casamento transformou-se em algo amargamente decepcionante.

Naturalmente os homens são em parte responsáveis pela manutenção desse vínculo, mas as mulheres sentem-se em maior perigo e chegam a ser brilhantes na perpetuação dessa situação. Quanto mais dependentes são, mais vigorosos os esforços que despendem para (por exemplo) estruturar uma vida familiar "apropriada" – refeições em conjunto, horários fixos para acordar e deitar, e em geral uma insistência um tanto destituída de humor no sentido de que a família faça "o que é certo" (que pode ser traduzido por: "Faça do meu jeito"). A esposa espera que Hubby seja confiável e previsível. Quando ele sai da cidade a negócios, responde à estrutura familiar telefonando para casa todas as noites. Em graus variáveis de exagero, as esposas dependentes tentam fazer da "vida familiar" uma complexa rede social, uma trama de filhos e parentes, de amigos meticulosamente selecionados, na qual o marido é enleado, uma mosca de asas duras e brilhantes.

Algumas mulheres exercem o controle por meio de uma insistência crítica em manter todos os membros da família "na linha". Outras o fazem por meio da dedicação cega. As cegamente dedicadas se fazem indispensáveis ao marido que, creem elas genuinamente, não poderia viver sem elas. Há muitas maneiras de garantir a continuidade do equilíbrio de um casamento amalgamado. A solicitude e a excessiva preocupação pelo bem-estar do companheiro constituem uma delas.

Dedicação cega

A história mais pungente que já ouvi em relação ao tema da dedicação cega refere-se a uma mulher a quem chamarei Madeleine Boroff. Pela natureza da história, precisei modificar grande número de detalhes a fim de proteger a privacidade daqueles nela envolvidos. Mas o que você lerá aqui é verdadeiro em seus aspectos mais importantes: os sonhos, as ilusões, o autologro.

Madeleine é uma mulher cujo poder específico de atratividade reside em sua aparente competência, sua capacidade de permanecer calma em situações de crise. Foi para ela uma sorte possuir essa qualidade, dada a reviravolta em sua vida quase desde o dia em que se casou. Brilhante e cheia de energia, Madeleine deixara de ser uma menina para se casar e tornar-se uma mulher quando tinha dezoito anos. Um ano e meio mais tarde, ela deu à luz o primeiro filho; foi quando começou a delinear-se todo o cenário de sua vida adulta – uma luta quase picaresca contra a adversidade.

"Toda aquela confusão com a Previdência em que Manny e eu nos metemos há alguns anos de repente voltou", ela disse ao telefone a uma amiga, numa chuvosa manhã de inverno. Isso ocorreu logo após seu quadragésimo aniversário. "Você acredita que recebi uma intimação judicial? Meu advogado disse que eu posso até acabar indo para a cadeia."

Para todos que a conheciam, a ideia de Madeleine Boroff ser presa parecia absurda. Com quatro filhos e um marido longe de ser estável emocionalmente, ela sempre fora o esteio da família. Durante anos de conflitos, ela fora *a* competente, uma mulher não impulsiva com a responsabilidade de manter a família bem e em paz. Espalhara-se o boato de que os Boroff estavam vivendo do auxílio-desemprego (Manny perdera o emprego de novo), e meses mais tarde todos comentavam se eles não estariam vivendo dos favores previdenciários muito mais do que sua inteligência e formação acadêmica podiam justificar... Mas a cadeia! A prisão era uma instituição para aqueles cuja atividade era criminosa, não para batalhadores, não para membros da classe média, tão esforçados, tão emocionalmente subjugados. E não para *mães*.

Entre as mulheres suas conhecidas, a reação imediata foi de raiva. Madeleine dera duro para manter as coisas funcionando e garantir a educação das crianças. Agora, depois de vinte e dois anos, ela estava só, tentando reconstruir a vida trabalhando como recepcionista e estudando à noite para terminar o curso abandonado havia tanto tempo, quando fugir para Roma com Manny parecera uma aventura tão emocionante.

Os detalhes associados ao que acontecera durante o período no qual os Boroff viveram do auxílio-desemprego nunca tinham sido totalmente esclarecidos; uma coisa, porém, era óbvia: se alguém devia ser mandado para a prisão, não era Madeleine. Madeleine Boroff era uma boa mulher. Atravessando agruras que teriam derrubado a maioria das esposas, ela conseguira fazer dos quatro filhos adolescentes relativamente tranquilos. Aos quarenta anos ela ainda era atraente, esguia e cheia de esperanças. Dera demais de si aos outros. Será que agora ela não deveria ter a chance de viver feliz?

Diversas semanas após o alarme inicial, Madeleine constatou com tristeza ter previsto corretamente o futuro. "Você não vai acreditar", disse à amiga, "mas fui sentenciada. Vinte e um dias na penitenciária de Hartford. Manny já cumpriu. Ele pegou só duas semanas". Deu uma risada engasgada. "Acho que o juiz pensou que eu tenho mais tempo livre que o Manny."

Naturalmente descobriu-se que o juiz não havia se preocupado em saber quem tinha mais tempo livre. O juiz apenas se ocupara com a noção de fraude e concluíra que a Madeleine cabia a maior culpa. Sim, ela era mais culpada que o marido. Fora ela, afinal de contas, quem assinara o formulário do auxílio-desemprego em Massachusetts, quando eles já constavam da lista de segurados em Connecticut. Inicialmente, não foi fácil às amigas de Madeleine compreender o pronunciamento. A ideia de uma mulher que se conhece ser forçada a deixar os filhos e ir para a prisão era tão pavorosa que escapava a qualquer princípio de justiça reconhecido. A velha ideia da santidade da maternidade mais uma vez viera nublar o quadro circunstancial e implicava um padrão duplo de ética. Aborrecidas com o fato de Madeleine ter de "suportar" mais uma injustiça, suas amigas negligenciaram completamente as questões relevantes. *No que de fato consistira a vida de Madeleine até então? Durante todos aqueles anos, será que ela realmente se devotara aos filhos, ao marido e a si mesma? Ou simplesmente fora movida pelo desespero, obcecada pela insegurança?*[6]

Cenas de um casamento

Vários anos antes de ser despedido do último emprego, Manny Boroff se mudara com a família do apartamento em Springfield, Massachusetts, para uma grande e velha casa em Thompsonville, uma cidadezinha à margem do Rio Connecticut. Havia um ano Manny era o contador-chefe de um dos bancos mais respeitados de Massachusetts e recebia um salário tão alto que resolvera tirar a família de Springfield e alojá-la numa casa incrível – um pouco dilapidada, mas encantadora.

Combinando com seu estilo de viver até então, não demorou muito para Manny ver-se novamente sem emprego. Os empregadores inicialmente se impressionavam com a esperteza e a boa aparência de Manny, mas logo se desapontavam com sua incapacidade de corresponder à altura de suas responsabilidades. Ele era o tipo de pessoa que, no princípio, se excedia no esmero do cumprimento do serviço. Então, tendo marcado condignamente sua presença, punha tudo a perder, arrogantemente faltando a compromissos, atrasando-se para o trabalho e, finalmente, quando repreendido, mentindo para acobertar suas falhas. Era o ser pego numa mentira – ou numa série de mentiras – que o encrencava. Porém, ao relatar o caso a Madeleine, ele sempre jogava a culpa sobre "eles", desenvolvendo formas cada vez mais sutis de alinhá-la a seu lado contra seus empregadores insensíveis e retardados.

Dessa vez, todavia, as coisas pareceram diferentes a Madeleine. Com o passar dos meses na casa de Thompsonville, uma rotina com gosto de segurança se estabeleceu. Manny se fechava no escritório do terceiro andar da casa trabalhando, dizia, num romance. Madeleine se encheu de esperanças. Para suplementar os pagamentos, ela vendia pão feito em casa e trabalhava como pajem. Era uma vida nova e, em alguns aspectos, revigorante. Com Manny em casa, era divertido planejar, esquematizar e preparar a horta havia muito sonhada. Todas as manhãs Manny acordava cedo, assobiando, e ocupava-se em consertar coisas na casa. As tardes, ele as passava lá em cima, escrevendo o romance.

Por um ano tudo se cobriu de uma aparência peculiarmente idílica. Quem não gostaria de uma vida de jardinagem e ficção no exuberante vale do Rio Connecticut? Contudo, após cinquenta e seis semanas, o Fundo de Garantia dele se esvaiu por completo, e o orçamento dos Boroff repentinamente quebrou. Resolutamente, Manny procurou a Previdência de Connecticut. Procurar um emprego, isso ele *não* fez. Apenas escrevia (ou ao menos tentava), e Madeleine o encorajava. Trabalhar em contabilidade sempre frustrara Manny e o fizera beber demais. Toda a vida ele desejara ser escritor, queria-o desesperadamente. Madeleine punha fé na mudança que o marido estava aparentemente tentando levar a cabo. Ela esperava que essa mudança traria uma existência mais estável a todos. Ela bajulava, ela analisava, ela "apoiava" o marido – no mínimo, tão interessada na própria segurança quanto na dele.

À medida que os meses passavam tornava-se cada vez mais difícil viver dos míseros, embora constantes, cheques da Previdência. A hipoteca da casa dos Boroff custava 350 dólares por mês, e todos tinham de comer. Além disso, havia os quatro ou cinco galões de vinho que de algum modo eles conseguiam consumir a cada semana (apesar de Madeleine admitir ser principalmente Manny quem os consumia). Então um dia, umas duas semanas antes da data de execução da hipoteca pelo banco e sem perspectivas de entrada de dinheiro, Madeleine, sem saber mais o que fazer e acreditando que em um mês ou dois Manny terminaria o esboço e o capítulo-amostra do livro para submetê-lo a seu agente, tomou o ônibus para Springfield e inscreveu-se para o seguro da Previdência de Massachusetts. Como prova de residência ela apresentou o recibo de aluguel do velho apartamento de Springfield. Que sorte terem-no mantido, sublocando-o!

Foi espantosamente fácil. Bem, se não exatamente fácil, nem tão difícil quanto se poderia imaginar. Os cheques seriam enviados a seu endereço em Springfield. Para acelerar o processo, ela declarou ter sido abandonada pelo marido. O sistema sempre se compadece mais de mulheres abandonadas com filhos. Além do mais, Manny a convencera de que *ele* já estava cheio de ter de se apresentar quase mensalmente naquelas audiências da Previdência de Connecticut para garantir a prorrogação do auxílio. Seria o cúmulo se ele tivesse de fazer a mesma coisa em Springfield. Madeleine então concordara que era *sua* vez de passar pela "chateação da Previdência".

Era um passo perigoso a dar, mas não tão assustador quanto enfrentar os temores e a baixa autoestima que a vinham corroendo um bocadinho mais a cada ano. Cegamente dedicada a Manny, Madeleine estava também cega quanto à própria dependência – sua necessidade de permanecer amalgamada com o marido, numa relação de tanta proximidade quanto a da mãe canguru com seu filhote. O interior da bolsa podia até ser abafado, não fazia diferença. Mais do que tudo, Madeleine tinha terror de ficar só. Para evitar isso, ela faria qualquer coisa – até roubar do governo se necessário (embora, na época, nenhum dos dois visualizasse aquele ato como um "roubo"). É irônica a eficiência empresarial com que Madeleine montou o esquema do duplo auxílio. Providenciou para que seus sublocadores enviassem os pagamentos de Massachusetts para seu endereço em Connecticut. Então eles simplesmente descontavam os cheques em algum lugar – qualquer lugar, exceto seu banco em Thompsonville, onde vinham depositando os cheques da Previdência de Connecticut.

Ver-se face a face com a realidade suscita uma sensação estranha, do tipo "como é que isso foi acontecer comigo?", naqueles que, intimamente, não se sentem de fato adultos. Para Madeleine, ser pega foi duplamente irônico. Quando as duas seções da Previdência descobriram a fraude dos Boroff, Madeleine havia finalmente reunido coragem para se libertar. *Apesar* das crianças. Apesar de seu medo de que Manny desmoronasse sem ela. Madeleine estava desejando fazer algo por si mesma, ainda que isso significasse abandoná-lo.

Aqui vemos um dos truques da personalidade dependente: acreditar ser responsável por "cuidar" de outra pessoa. Madeleine sempre se sentira mais responsável pela sobrevivência de Manny do que pela própria. Enquanto se concentrava em Manny – na passividade, na indecisão, no alcoolismo *dele* –, ela focalizava todas as suas energias imaginando soluções para ele, ou para "eles", sem nunca olhar para dentro de si mesma. Por isso Madeleine levara vinte e dois anos para compreender que, se as coisas continuassem como sempre tinham sido, *ela* acabaria perdendo. Perdendo *por jamais ter vivido uma vida* realmente.

Afinal ela reconheceu isso e deu o passo definitivo para romper – não somente com Manny, mas com todo o seu estilo de vida dependente. Pôs a velha casa, que tanto amava, à venda, pagou as dívidas (o juiz permitira que cumprisse sua pena nos fins de semana) e mudou-se com os filhos para Seattle. Lá ela arranjou um emprego numa companhia de seguros, matriculou-se num curso noturno e passou a despender toda a sua energia na reconstrução – ou, melhor dizendo, na *construção* – de uma vida autônoma. Desde seus dezoito anos até os quarenta – período no qual as pessoas teoricamente devem traçar o próprio caminho, crescer e experimentar o mundo –, Madeleine Boroff estivera marcando passo, fingindo a si mesma que a vida não era o que era, que logo o marido daria uma arremetida certeira para o futuro e que um dia ela se libertaria para fruir sua vida interior pacífica e criativamente.

Durante vinte e dois anos, ela fora incapaz de defrontar-se com o significado implícito da mentira de sua existência e, assim, sem intenção maldosa, mas amedrontada demais para viver autenticamente, dera as costas à verdade.

A história de Madeleine pode parecer trágica nos detalhes superficiais, mas, na dinâmica fundamental, não é tão incomum. A aceitação incondicional que exibia, a aparente incapacidade de se desprender, ou mesmo de *pensar* em se desprender de um relacionamento todo marcado pelo exaurir energias de outrem – esses sinais de desamparo são característicos de mulheres psicologicamente dependentes. Para elas, o casamento funciona como um agente reforçador. Em vez de fortalecer a personalidade da mulher, debilita-a. Em vez de propiciar autoconfiança, conduz à dúvida quanto ao próprio valor. Em vez de promover experiências pelas quais as mulheres possam crescer e desenvolver recursos individuais, muito comumente o casamento acaba fomentando o efeito contrário: reforça suas dependências e remove o que nelas há de autônomo, restando-lhes apenas um vestígio da alegria e da força que ao menos aparentavam possuir antes de "mergulharem" no matrimônio.

* * *

Jessie Bernard, uma socióloga da Universidade do Estado da Pensilvânia, informa em seu livro *The Future of Marriage* (O futuro do casamento): "Mulheres que, anteriormente ao casamento, cuidavam bastante bem de si mesmas, tornam-se indefesas depois de uns quinze ou vinte anos". Ela narra a história de uma mulher que gerenciara uma agência de turismo antes de casar-se, mas que, ao enviuvar aos cinquenta e cinco anos, viu-se na penosa realidade de não mais saber como tirar um passaporte e ter de perguntar aos amigos como fazê-lo!

"Criam-se as meninas para que aceitem sua condição de seres naturalmente dependentes, com direito a encostar-se nos homens, seres mais fortes do que elas; casam-se, pois, totalmente confiantes que essas expectativas serão preenchidas", observa a dra. Bernard.

O correlativo dessa fantasia, obviamente, é que os homens farão as vezes de pai: fortes, inabaláveis, dispostos e capazes de proteger e prestar socorro. Segundo o mito familiar, às mulheres cabe o papel de criar e educar; no entanto, esse mito não leva em conta o outro lado do quadro concreto: as mulheres buscam nos homens o mesmo tipo de proteção, apoio e encorajamento que os filhos esperam dos pais. Após o matrimônio, a decepção visita as mulheres; seu marido, descobrem elas, está longe de ser o super-homem imaginado durante o namoro. Os homens são tão vulneráveis como qualquer pessoa e, na tentativa de alcançar a realização pessoal, têm de se debater com as próprias inseguranças. Na data dessa descoberta, diz Bernard, algumas mulheres agem como crianças "que vêm a perceber que os pais não são realmente oniscientes". Ficam desapontadas e enraivecidas.

Depois de algum tempo de casada, Madeleine Boroff deu-se conta de que seu jovem e charmoso marido não era nada do que ela imaginara que fosse. Em vez de constituir-se numa fortaleza, ele buscava forças nela – e na família inteira. Eles eram a armadura com que ele esperava disfarçar sua pouca autoconfiança. Aquelas maneiras francas e teimosas que ele apresentava ao falar, aquele ostensivo desdém às convenções nada representavam além de tímidas tentativas de ganhar estima diante de seus repetidos fracassos. Qualquer pessoa que olhasse para Manny Boroff veria essas coisas, exceto Madeleine. Ela era cúmplice do marido na fantasia de que ele detinha o poder no lar.

"Algumas mulheres exercem controle sendo dependentes", diz a terapeuta Marcia Perlstein, "alimentando no homem a impressão de ser ele quem dita as ordens". Isso é frequente em relacionamentos em que o homem tem problemas de autoestima. "A maneira de ele se sentir importante no mundo é tornar-se importante para alguém", prossegue Perlstein. "Ocupando a posição de 'pequenez' esperada e controlando cuidadosamente a situação para que esta permaneça equilibrada, a mulher consegue manter o casal simbioticamente unido e 'feliz'."

A identidade de Madeleine estava tão misturada à do marido que ela não conseguia ver – tinha medo de ver – o quanto ele era dominado pelas exigências da vida adulta e pelo caos emocional criado por seus conflitos internos. Quando Manny foi tomado por delírios de comportamento beatnik e insistiu que partissem e fossem morar em Roma antes que o primeiro filho nascesse, Madeleine também foi assaltada por visões da Via Veneto, e seguiu-o como um cãozinho afeiçoado. Ela não tinha muita certeza de como ou com que dinheiro viveriam; no entanto, de qualquer modo aquilo não era de sua alçada. Anos depois, quando Manny sentiu chegada a hora de saírem do "cortiço de Springfield" e comprarem uma casa no campo, Madeleine também desejava comprar uma casa no campo, embora ela jamais tivesse pensado naquela possibilidade e não fizesse ideia de como conseguiriam pagar as prestações da hipoteca. Quando Manny sentiu que tinha de conquistar sua chance de ser um escritor acima de qualquer coisa, Madeleine organizou a família toda no sentido de ajudá-lo a realizar seu sonho.

Até que, um dia, a equação não funcionou mais. Ela afinal percebeu que as crianças estavam crescendo e logo sairiam de casa, deixando-a para viver até o último de seus dias com o Grande Escritor de Esboços Americano e sua jarra de vinho barato. Tal como ocorre com tantas outras mulheres, a perspectiva da partida dos filhos serviu como um tapa no rosto, despertando-a rudemente para a verdade de sua embotada servidão. *O que faria agora? Quem seria? Pois via que não era um indivíduo separado e identificável; era somente uma parte d'"eles".*

Síndrome da "Boa Mulher"

A mulher que devota toda a vida a manter o marido de pé e os filhos "protegidos" não é uma santa, mas uma covarde. Em lugar de experimentar os terrores de ser só, de ter de encontrar e assegurar as próprias amarras, ela permanece encostada no outro à custa de adversidades inacreditáveis. Se ela é realmente boa nisso, nem chega a aparentar que sofre muito. Essa é a mulher que parece estar sempre "numa boa". Que parece forte e vigorosa em situações em que a maioria das pessoas se reduziria a um farrapo. Que, apesar de tudo, é "maravilhosa com os filhos".

A Boa Mulher dá tudo de si para agradar aos outros. Quanto às tarefas relacionadas com o seu desenvolvimento, contudo, deixa muito a desejar. Ela coloca o casamento "a serviço da regressão", para usar a terminologia psicológica indicativa de que inconscientemente ela espera retornar, mediante o relacionamento com o marido, para um período mais remoto e seguro. De acordo com os psicólogos do ego, Rubin e Gertrude Blanck, para a Boa Mulher o casamento se torna "um meio de garantir ser cuidada e sustentada... um meio de *ganhar* um lar, em vez de construir o seu... uma oportunidade de aliviar conflitos, em vez de resolvê-los[7]".

Acobertamento usado para mascarar impulsos neuróticos, uma relação dessas precisa ser contínua e delicadamente manipulada. "Algumas das mulheres que me procuram para tratamento possuem um sentido muito aguçado do que vai funcionar em seu casamento", diz Marcia Perlstein[8]. "É claro que elas estão enganadas nessa pressuposição do que funciona, do contrário não estariam se sujeitando à terapia. Externamente o mecanismo que utilizam pode parecer que dá certo; no fundo, contudo, elas não são felizes. Sentem um enorme vazio pela falta de significado na vida delas. Seu único referencial de competência associa-se à capacidade de controlar – de conseguir o que desejam por meio da dependência."

Em relacionamentos dependentes existem diferentes maneiras de manter o equilíbrio desejado. Às vezes a esposa finge que o marido lhe é superior. Promover isso pode requerer verdadeiros atos de contorcionismo. Algumas mulheres *fazem* tão pouco – *limitam* tão severamente sua vida – que chegam a se *fazer* menos competentes. À vontade apenas quando se sentem inferiores ao marido, elas sujeitam-se, apaziguam e efetivamente dão as costas a si mesmas – às próprias necessidades, talentos e interesses.

(Leon Saltzman, psiquiatra, compara esse comportamento à atitude "do prisioneiro, escravo ou membro de um grupo minoritário que acaba aceitando a condição aviltante de seu próprio *'status' a fim de obter o máximo possível de segurança e vantagens*[9]". Em outras palavras: há *vantagens* em se permanecer num estado de cativeiro – vantagens tão grandes que várias mulheres preferem persistir na escravidão a ser privadas da segurança proporcionada pela servidão.)

Outro truque é fazer exatamente o oposto: diminuir os homens apontando quanto eles se assemelham às crianças. "Os homens são todos iguais", é o que se ouve nos parques, cozinhas e salas de estar dos Estados Unidos. "Estive num jantar no qual todas as mulheres presentes eram donas de casa, e todos os maridos eram astrofísicos renomados do Caltech*", contou-me a socióloga Barrie Thorne. "Todos os maridos sentavam-se em um dos cantos da sala discutindo buracos negros, e todas as esposas sentavam-se no canto oposto falando quão infantis eram seus maridos".[10]

Essa conduta feminina constitui sinal seguro de sofrimento. Trocando umas com as outras o confortante clichê "todos os homens são bebês", externam parte da dor pelo ruir de seus sonhos de meninas, sem arriscar a promoção de mudanças. Elas nada *fazem* pela própria vida. Simplesmente queixam-se. (Ou, se são Boas Mulheres, não se queixam.)

A esposa dependente em geral oscila entre a idealização e a derrubada do marido. Madeleine Boroff, por exemplo, multiplicava a magnitude do talento do marido – pois isso lhe oferecia uma racionalização para tolerar a destrutividade dele – permanecendo sua escrava. "Meu marido gênio" é

---

* Abreviação popular de California Institute of Technology, em inglês, ou Instituto de Tecnologia da Califórnia. (N. da T.)

um jogo sedutor. Permite-nos continuar encostando-nos nesses "gênios", mesmo quando eles são indubitavelmente fracos de espírito.

Madeleine também diminuía Manny, preferindo pensar nele como alguém frágil e necessitado de sua proteção. O desempenho do papel de protetora ajudava-a a resgatar um pouco da autoestima. Dando uma de Grande Enfermeira, a mulher cuja autoestima é frágil pode ganhar uma potência ilusória. "Está vendo como eu me saio bem?" é a mensagem expressa em cada um de seus atos. "*Confie* em mim. *Conte* comigo". (E por dentro: "Não me abandone jamais".)

Sob o disfarce de ajudante do marido, muitas mulheres fazem um investimento emocional para manter a fraqueza de seu marido. Se fracos, os homens sempre precisarão da esposa. Se fracos, jamais partirão. (Este, na verdade, é o paradigma da esposa do alcoólatra: exteriormente competente e com boas habilidades de organização – mas internamente receosa de, se abandonada, dissolver-se como um cubo de gelo à temperatura ambiente.)

Obviamente a Boa Mulher possui a mesma estrutura de caráter da Boa Menina, aprendiz de passividade no colo da mãe. As desvantagens de crescer obediente, dócil e "boazinha" começam a ser evidenciadas em todas as áreas da vida da mulher. Um dos mais recentes estudos verificou existir uma correlação entre a "síndrome da boa menina" e a dificuldade na obtenção do orgasmo.[11] Dagmar O'Connor, uma psicóloga nova-iorquina que já tratou mais de seiscentas mulheres num programa de terapia sexual no Hospital Roosevelt, comparou pacientes não orgásticas com mulheres orgásticas. No grupo não orgástico, 88% afirmavam ter sido "boas meninas" quando crianças e adolescentes. Eram obedientes, bem-sucedidas na escola e nunca tiveram conflitos com os pais. É interessante notar que apenas 30% das mulheres orgásticas se enquadravam nessa categoria. O estudo indica haver ao menos uma probabilidade significativa da existência de correlação entre independência psicológica e a capacidade de experimentar o orgasmo. Mulheres psicologicamente dependentes podem achar aterrorizante o momento de fusão com o outro, quando os limites de personalidade e identidade se dissipam. Essencialmente incertas quanto à própria identidade, dependentes, vulneráveis e indefesas, acham o momento de abandono apaixonado insuportável e recusam-se a se entregar por completo.

A segunda rodada: perseguindo o mito da segurança

Não obstante sua disposição de a tudo renunciarem pela segurança, frequentemente as mulheres descobrem que o casamento não lhes traz o tão almejado objetivo. "É como naquela canção que diz: 'Você não consegue nem dirigir sua própria vida, quanto mais a minha'", observou-me uma mulher a quem denominarei Jessica. "Não tarda muito, e você se surpreende perguntando-se: 'Como é que uma pessoa tão cheia de defeitos pode cuidar de mim?'"

Antes de seu segundo casamento, Jessica vivera sozinha com os filhos durante cinco anos, período no qual retomara os estudos para tornar-se assistente dentária. Logo após obter seu primeiro emprego na pequena comunidade rural de Massachusetts onde mora, Jessica deixou sua recém-adquirida independência por um belo segundo marido. Ocorre que Ben logo começou a expressar o desejo de ter um filho. Jessica, com trinta e quatro anos já tinha três filhos do primeiro casamento. Se era para satisfazê-lo, pensou, melhor agora do que quando estivesse velha demais. Ben nunca tivera um filho. Como ela poderia privá-lo de um bebê, se era isso que ele queria?

Mas o bebê não foi tudo o que Jessica deu a Ben. Os 13 mil dólares economizados da venda de sua antiga casa foram liquidados no pagamento de algumas dívidas contraídas pelo novo marido. Atualmente, com o bebê com um ano e meio de idade e outro a caminho, ela não se sente tão feliz por ter cedido tanto. "Eu quis acabar com as dívidas de Ben para que ele e eu pudéssemos começar tudo direito. Mas agora, quando penso que não tenho mais a casa, nem os 13 mil dólares no banco, nem sequer uma profissão, eu fico desnorteada. Fico dizendo a mim mesma: 'Se algo der errado, se por algum motivo eu quiser cair fora desta relação, será realmente muito duro'."

A atitude de Jessica ilustra de maneira clara o novo conflito feminino. Emocionalmente ela deseja o luxo de ter quem dela cuide, mas é esperta o bastante para saber estar pagando um preço alto pelo que Jessie Bernard chama "as ciladas de segurança em demasia". Jessica discute sua "situação" com uma espécie de passividade, como se não houvesse tido comprometimento pessoal nas circunstâncias detonadoras de tal "situação". "De repente não sou mais financeiramente independente; não sou mais profissionalmente independente. Qualquer dia minha frustração vai chegar a um ponto tal que vou explodir. E a razão disso é que não tenho mais o controle de minha vida. Eu o perdi."

Deve-se aos sociólogos a descoberta de que, em comparação com os homens, as mulheres modificam-se muito mais com o propósito de tentar salvar seu casamento. Ao se casar, a maioria dos homens não tem intenção de mudar a rotina de sua vida. Eles creem que basicamente continuarão fazendo as mesmas coisas, *pensando* da mesma maneira – em resumo, sendo a mesma pessoa –, com a única diferença de agora estarem casados, não solteiros[12].

Algo diverso se dá com as mulheres. Nós nos *tornamos* esposas do mesmo modo como nos *tornamos* mães. Temos a expectativa de mudar, reduzir e obscurecer qualquer linha divisória existente entre "mim" e "ele". Em suma, esperamos fundir-nos. E conquanto isso possa não ser algo a que conscientemente assentimos, se a resultante da fusão é mais modelada pelas ideias e atitudes *dele* do que pelas nossas, raramente questionamos a estrutura criada. "Ajustar-se ao papel de esposa", diz Jessie Bernard, "se dentro do enquadramento tradicional, envolve uma redefinição da identidade – uma ativa remodelação da personalidade, a fim de adequar-se aos desejos ou necessidades ou exigências do marido[13]".

O "ajustar-se ao papel de esposa" igualmente envolve a renúncia às habilidades individuais. A chave dos grilhões de várias mulheres casadas hoje reside no fato de que não teriam meios de sustento próprio, já que quaisquer habilidades que possam ter desenvolvido antes de se casarem há muito se atrofiaram. Mulheres que já passaram por isso asseveram a realidade da patética falácia envolvida na crença de que podem "retirar-se" por seis ou sete anos, enquanto as crianças são pequenas, e depois retornar à antiga carreira como se nada houvesse acontecido. É possível que se precise de novo treinamento, de um período de reavaliação. Não se é mais a mesma pessoa que se era à época do casamento. "É uma coisa tão sutil, essa que acontece", comentou a mulher que desistiu da carreira *e* de seu ninho de 13 mil dólares. "Quando estava vivendo sozinha, divorciada, sentia-me como se fosse capaz de fazer praticamente qualquer coisa. Eu tinha *responsabilidades*. Mal entro novamente num casamento e eis-me esperando que a outra pessoa faça toda a sorte de coisas por mim. Se ele não as faz, penso: 'Não é justo!'"

Por sua própria natureza, a dependência cria a autoincerteza, e a autoincerteza pode conduzir com rapidez devastadora ao auto-ódio. Estudos comparativos da variável gênero sexual mostram que as esposas se julgam com características muito mais negativas do que aquelas com que o marido se julga. As esposas se preocupam obsessivamente com coisas como sua aparência, quão "atraentes" são. Se têm alguma dificuldade na adaptação a algum aspecto do casamento, as esposas prontamente se culpam, propensas a atribuir o problema às próprias falhas. Mesmo quando é o marido quem está criando as arestas no relacionamento, as mulheres sentem terem *elas* cometido um erro.

Entre todas as mulheres com quem conversei enquanto levantava dados para a elaboração deste livro, aquelas que estavam na casa dos trinta e se tinham divorciado e casado novamente, mas *não tinham conquistado a autossuficiência entre o Marido n. 1 e o Marido n. 2*, eram as mais dolorosamente resignadas. "Quando saiu nosso divórcio, senti-me como num limbo até surgir meu segundo marido", diz uma mulher de Little Rock. "Eu estivera apenas aguardando o próximo marido."

"Não tenho nenhuma experiência", diz uma mulher com pós-graduação e que jamais recebera um salário. "Nunca tive de pensar em termos de me sustentar, ou à minha família, e é muito duro, difícil, começar a pensar nesses termos."

"Chega o dia", confessa outra, "em que a gente começa a dizer a si mesma: 'Ei, há realmente alguma coisa de que não gosto nessa pessoa, alguma coisa de que eu não me apercebi quando me comprometi com ela, algo que, agora que cresci e mudei, não consigo aceitar!' Aí surge: 'Muito bem, o que vou fazer com isso?' Passa-se a considerar a separação, contempla-se o divórcio, mas já não é tão fácil na segunda rodada".

Jessica, a mulher que gastara suas economias para saldar as dívidas do marido, finaliza: "Você chega a um ponto em que percebe haver certas coisas que gostaria de mudar, mas provavelmente não o fará — não se pode mudar a 'natureza animal'. Às vezes isso me deprime, então penso: 'Bem, deve haver algum proveito nisso tudo'. Antigamente eu pensava o tempo todo em como gostaria de mudar as coisas, mas agora acho que o melhor mesmo é a aceitação".

Mulheres que não se queixam, mulheres estoicas e "fortes" perante casamentos que não as nutrem adequadamente, em geral, apresentam algum grau doentio de dependência. Como esposas, são incapazes de enfrentar os maridos porque, para fazê-lo efetivamente, teriam de provar seus próprios sentimentos de raiva ou hostilidade, e isso seria por demais perigoso. Essas são as mulheres que amam não por uma escolha nascida de uma força íntima – uma ternura e generosidade facilmente ofertadas porque se sentem inteiras e dignas de estima. São as mulheres que "amam" porque têm medo de viver sozinhas.

E então?

A dependência é autoativadora. No fim a mulher dependente se encontra numa posição de real escravização. Humilhada, só conta com seu "opressor", o homem de quem depende. A essa altura ela acha difícil, se não impossível, olhar para dentro de si. "*Ele* é o responsável por eu não ter uma vida própria", consola-se consigo mesma.

Marcia Goldstein, uma psicoterapeuta de Berkeley, Califórnia, especializou-se em terapia de casais, com a qual os ajuda a elaborar seus relacionamentos amalgamados, simbióticos. Às vezes seus clientes acabam permanecendo juntos, capacitados a construir vidas mais gratificantes como indivíduos e a permutar mais amor e menos ódio entre si. Às vezes terminam por se separar. Entretanto, como denota a seguinte "história", a dissolução de um relacionamento que oferece pouco mais que uma dependência de total fusão entre ambos os parceiros não necessariamente será devastadora para eles. Ela pode com certeza constituir um caminho para a liberdade.

O homem dessa história (vamos chamá-lo de Al) tinha um histórico de entrada em relacionamentos antes de estar de fato pronto para tal. "Um tipo agressivo-passivo, ele parecia capitular a tudo e mais tarde ressentir-se disso", segundo a terapeuta.

A mulher, a quem denominaremos Lyn, era uma pessoa ativa, extrovertida, professora e administradora escolar. Durante os quase quatro anos em que esteve envolvida com Al, sua eficiência e autoconfiança esgotaram-se, fazendo-a parecer uma pessoa diferente da que fora "antes de Al", como notavam seus amigos. Quanto mais ela se aproximava de Al, mais ele se fechava. Ele reclamava de Lyn estar se intrometendo em sua vida; ela recuava novamente, ferida em sua autoestima.

Artista frustrado, Al ansiava por uma chance de verificar se realmente conseguiria vencer em arte comercial. Lyn encorajava-o a trabalhar em seu estúdio à noite e ficava por perto esperando-o, "no caso de ele querer um lanche ou qualquer outra coisa". Al, *sentindo* a presença dela aguardando-o, sentia-se asfixiado.

Al e Lyn tinham verdadeiramente se tornado "duas figuras cinzentas presas numa repetitiva dança mortal". A tensão emocional produzida pela tentativa de conterem a raiva e a mágoa extenuava a ambos. Por um lado, Al estava sempre brigando para obter algum "espaço" para si mesmo, onde teria a espécie de quietude que lhe permitiria trabalhar de modo livre e espontâneo. A verdade, porém, era que intimamente ele temia libertar-se, pois não desejava experimentar o estar só; assim, externava isso recriminando Lyn pelo problema.

Lyn, por outro lado, assustava-se com o distanciamento de Al. A existência dele como um ser separado – um indivíduo diferente dela – era por ela sentida como a aniquilação de sua união. "Em casais adultos fundidos", observam Wexler e Steidl, "o parceiro é visto como sendo o mundo todo e inteiramente responsável pelo bem-estar ou a infelicidade do outro. Se por acaso as necessidades de ambos os parceiros se harmonizam, o mundo vai bem. Se, contudo, um dos parceiros não corresponde ao esperado, o relacionamento vai mal".

A manutenção de um relacionamento simbiótico requer que ambos os parceiros fiquem precisamente onde estão. Não há lugar para crescimento ou mudança numa transação tão rígida. Por fim, um ou outro pode detonar a bomba exigindo mais, expressando seu desapontamento ou sentindo-se ameaçado. De acordo com o relato da terapeuta, isso é o que estava ocorrendo com Lyn e Al. Embora conscientemente Lyn sentisse estar sendo razoável e madura, na realidade ela estava terrivelmente perturbada pelo fato de Al passar as noites sozinho em seu estúdio. "Quando a outra pessoa não está presente", Wexler e Steidl explicam, "a relação é sentida como perdida, e isso é experimentado como a perda do próprio eu. A verdadeira dependência é interpretada como união".

Como sair de tal prisão?

"Lyn e Al experimentaram uma separação por três meses", contou-me Marcia Goldstein. "Trata-se de uma coisa que eu já tinha feito com outros casais – uma oportunidade de romper a estrutura, dar-lhes um espaço para respirar e, possivelmente, uma nova perspectiva de si mesmos. No primeiro mês eles vivem separados, mas monogamicamente, concentrando-se no desenvolvimento da vida de cada um. No segundo mês eles podem ser não monogâmicos; se desejarem, podem utilizar esse período para experimentar a possibilidade de um outro tipo de relacionamento. No terceiro mês, de novo a monogamia – um período para reavaliar e determinar o que têm e o que não têm em seu relacionamento."

Ao término dos três meses, a terapeuta pediu a Lyn e a Al que decidissem independentemente o que desejavam fazer – se queriam separar-se ou permanecer juntos.

Na primeira sessão de Lyn após a separação experimental, ela apresentou o que sua terapeuta descreve como "a clássica reação dependente". "Ela iniciou dizendo saber que vai demorar, mas realmente ama Al e sabe que ele a ama de verdade e que, apesar de ter estado distante dela, se ele estiver disposto a tentar, então ela está disposta a tentar – blá-blá-blá. Tudo soa muito razoável e sensato, mas mascara sua crença de não conseguir ir adiante sem Al." De fato, nessa altura Lyn não tomara nenhuma decisão; estava desesperadamente agarrando-se ao "relacionamento".

Enquanto isso, a terapeuta já vira Al e sabia que ele tinha resolvido separar-se de Lyn. Como Lyn, com toda a sua dependência do amante, receberia isso?

"Na verdade, sob sua superficial preocupação com Al, muita coisa acontecera na vida de Lyn", prossegue o relato de Marcia Goldstein. "Ela arranjara um emprego melhor. Também, e isso era muito importante, tivera um contato bem melhor com amigos durante a separação de Al – amigas e até alguns antigos namorados. Haviam passeado, feito piqueniques, tido boas conversas. Como tantas mulheres dependentes, Lyn havia previamente se trancado dentro da relação com o amante. Ela chegara ao ponto de nem mesmo conseguir se *relacionar* com outras pessoas."

Lyn ainda achava estar profundamente dependente de Al, mas essa era uma convicção baseada em velhas ideias sobre si mesma, mais que na realidade de sua nova vida. "Sabendo que Lyn começara a desenvolver um sólido sistema de autossustentação, perguntei-lhe se estava disposta a retomar o relacionamento com Al incondicionalmente. Ela pensou um pouco e disse: 'Não. Se ele continuasse a me culpar, se continuasse a me acusar de ser a única razão de ele não conseguir fazer sua arte, se fosse para ele sentir estar me fazendo um favor ficando comigo, então não, nesse ponto eu *não* o aceitaria'."

Quando Lyn veio para a próxima sessão junto com Al, ela estava num estado emocional descrito por Marcia Goldstein como "corajosamente vulnerável". Em essência, ela disse a Al: "Não vou mentir para você, já passamos por muita coisa juntos para eu fingir agora". Prosseguiu depois: "Este relacionamento significa muito para mim, em parte como história de vida, em parte pelo hábito, mas principalmente porque eu gosto de você. E, se eu pudesse tê-lo *querendo* manter a relação, se eu pudesse realmente ter você, ter você inteiro, e com o compromisso de que ainda tentaríamos viver cada um a própria vida – se você estivesse disposto a fazer tudo isso, então eu desejaria o relacionamento. Mas se você hesitar um pouco que seja e não quiser, muito embora seja doloroso, estou realmente pronta a separar-me".

Marcia contou: "Al disse a Lyn que não poderia fazê-lo, não poderia dar--lhe o que ela desejava, e os dois se separaram ali mesmo, em meu consultório. Achei isso lindíssimo. Foi o atestado de quebra da dependência de Lyn".

Desde a separação, Lyn tem sido "mais terna, mais vulnerável e mais amorosa com os amigos", conta a terapeuta. E está se preparando para uma viagem à Europa. "Isso é algo importante; quando as pessoas realmente quebram a dependência, fazem-no de modo positivo. Elas experimentam o lado da *liberdade* da independência, em vez do lado representativo do isolamento. Se ainda se *sentem* dependentes, não importa o que estejam fazendo, então experimentam o isolamento, a autopiedade: 'Estou completamente só no mundo, destinado a nunca mais ter alguém, nunca mais ser feliz'. Ao contrário de Lyn, quando diz a si mesma: 'Não preciso me preocupar se ele me ama ou não. Posso ir para a Europa por três meses; aí, quando voltar, posso arrumar minha casa, ou mudar-me, e avançar em meu emprego'. Esse é o verdadeiro barômetro indicativo de estar ou não se libertando da dependência: se você não tem essa espécie de energia, essa espécie de *confiança*, então você ainda não se libertou."

CAPÍTULO 6

PÂNICO DO GÊNERO FEMININO

Se nunca se ousou mudar nada na vida, como é que se começa a ousar? O que é que nos dá o empurrãozinho, o impulso para ultrapassarmos a fronteira do conhecido e aventurarmo-nos adiante?

Para muitas mulheres é o sentimento de desespero.

Não foi na escola nem em *Mademoiselle* que finalmente comecei a escrever, mas sim num pequeno apartamento de cinco cômodos ao lado da estação ferroviária, ao norte de Greenwich Village. Isso se deu quando meu segundo bebê tinha um mês de idade. Recordo claramente aquela noite, pois de modo algum previra o que ia acontecer. O ímpeto viera do nada (essa foi minha impressão na época). Apenas um impulso súbito e premente para escrever, pôr palavras no papel. Aquelas palavras eram um início, porque provinham direto de minha cabeça para o papel, sem a intervenção de ninguém. Era uma corrente maravilhosamente fluida, a primeira experiência inteiramente independente que tivera desde o casamento. O apartamento estava calmo, em silêncio. Meu marido dormia no sofá da sala de estar. Eu dava a meu filho a mamada da meia-noite. Lembro-me de que o acariciava com a mão esquerda enquanto tinha-o ao peito e, com a mão direita, começava a rabiscar palavras. O bebê sugava, e minha mente se enchia impetuosamente com os contornos de algo que eu queria comunicar aos outros. Eu escrevia incessantemente, como que febril, mal pausando para pôr o bebê no berço. Fiquei lá, só, apenas consciente das chaminés sobre os telhados vizinhos, até a luz da manhã começar a surgir.

O que me impeliu a começar a escrever foi que eu não queria mais ficar sozinha. Era uma solidão antiga, muito anterior à solidão de que meu casamento se revestia. Seus traços de origem estavam na pequena escola paroquial em Valley Stream, Long Island, com suas freiras estranhas e rígidas e com meu corpo frágil; estavam nos espaços entre meus dentes; em minha perene autopercepção de ser nova demais, magra demais, nunca em sintonia com o mundo a meu redor: meus pais, meus colegas de escola, meus amigos. Por anos eu fora uma dissidente e uma líder, marginal e membro de um grupo de relações. Minha existência sempre se colocara ligeiramente à direita de minha autoimagem, produzindo um modo de vida solitário e autoalienado. Assim, quando afinal iniciei o processo de ruptura, minha motivação era a de dizer: "Olhem para mim. Tenho algo em comum com vocês. Tenho sentimentos que certamente vocês deverão reconhecer". Creio que na época, como agora, eu escrevia especificamente com a finalidade de criar um sentido de comunhão com outras mulheres.

No princípio, os sentimentos sobre os quais eu escrevia pertenciam a um domínio bastante seguro – eram as frustrações aninhadas no ser uma jovem esposa e mãe tentando funcionar adequadamente numa grande cidade suja e barulhenta. Em minha solidão, eu imaginava que as mulheres que lessem meus artigos realmente conseguiriam *ver-me* fazendo aquele vestido com o molde da revista *Vogue,* sentada numa sala cheia de brinquedos quebrados e tendo por vista somente uma escada de emergência defronte à janela. Eu imaginava que elas *saberiam* que tudo que às vezes eu desejava era ser capaz de aplicar o delineador nos olhos com um risco preciso e sem borrões, e sair e esquecer que ainda não tinha trinta anos e já me sentia inutilizada, uma menina que de algum modo envelhecera e se cansara sem jamais ter tido a oportunidade de desabrochar.

À medida que o tempo passava as frustrações aumentavam, e os riscos decorrentes do escrever sobre elas também. Sete anos após meu primeiro artigo ter sido publicado, eu estava pronta para começar a falar. Também estava pronta para romper meu casamento. As duas coisas, parecia-me, coincidiam: a necessidade de jogar fora a falsa segurança de minha relação com meu marido e a necessidade de usar meus escritos como um ato de autodefinição. Eu começara a pensar por mim mesma. As opiniões de meu marido (às quais, a princípio, eu me agarrara, vítima de uma espécie de fascínio infantil e, posteriormente, porque me alienara por completo de minha própria mente) não mais tinham peso para mim. Eu visualizava a maioria das coisas de modo diverso do dele, e muito do que ele considerava importante já não me importava em absoluto.

Falando francamente, eu também via que aquele homem não podia me proteger do mundo. Eu atingira um ponto em que parecia menos perigoso viver sozinha do que persistir num casamento que submergia os dois no domínio da ilusão. Estranhamente só me conscientizei disso ao fim de um ano em que Ed não bebera uma gota sequer de álcool. Éramos gente comum, trabalhadora, sem motivos para nos rotular de especiais ou diferentes. Na ausência da crise, nossa vida em comum passou a revelar-se espiritual e emocionalmente árida.

Por meus artigos, com meus artigos, eu começara a entrar em contato comigo mesma. Escrever exige o uso solitário da mente e das emoções do escritor. Não há ninguém para nos animar enquanto criamos parágrafo após parágrafo, ninguém para nos dizer: "É isso aí, você está no caminho certo". Você decide sozinho, e as decisões são infindáveis. Existem várias maneiras pelas quais se pode chegar a conhecer – e aceitar – a si mesmo. Existem várias maneiras de uma pessoa começar a engajar-se na vida sem subterfúgios. No meu caso, o que impulsionou esse processo foi escrever.

Qual a razão de escolhermos permanecer sendo criaturas indiferenciadas na fusão, evitando o processo da autodefinição? *Quantas* de nós figuram na indeterminada estatística do enorme reservatório de talentos adormecidos e enterrados sob a superfície da condição de mulher da classe média?

"Todos sempre me dizem que eu sou criativa"; assim começa a carta que me foi enviada por uma mulher residente em um abastado subúrbio de Bedford Village, no condado de Westchester, em Nova York. "Com uma paciência inacreditável, algumas de minhas amigas ainda confiam em que de repente farei minha aparição no cenário artístico profissional como um cometa bem-vindo. Isso, enquanto datilografam e arquivam papéis das nove às cinco horas, todos os dias. Entretanto eu continuo sentada, perplexa, tentando resolver o que *fazer* quando amadurecer. Ajude-me. Estou a ponto de retornar ao piano, ou voltar ao jardim para arrancar o mato entre os canteiros." (A remetente dessa carta tem trinta e sete anos.)

Uma possível resposta ao fato de as mulheres serem tão inibidas no exercício de seu talento veio de Ann Arbor, Michigan, no fim da década de 1960. Atônita diante do estranho pânico que a invadira durante seu longo rastejar até o doutorado em Psicologia, Matina Horner começou a suspeitar que o sucesso – a *ideia* do sucesso – tem um significado bem diferente para as mulheres do que o tem para os homens. As mulheres não parecem *perseguir* o sucesso, como fazem os homens. Delimitam para si objetivos mais restritos. Quando as coisas vão bem, elas se sentem tão ansiosas quanto diante da iminência de uma rejeição ou de um fracasso. Sair-se bem –, tornar-se realmente experiente em algo, *vencer* –, esses são itens que aparentemente ameaçam um imenso número de mulheres que possuem as características exigidas para a produção de algo substancial no curso de sua vida.

Horner concluiu ser esse um fenômeno digno de uma investigação científica. Conduzindo estudos que acabaram por colocá-la à frente de um novo campo (a psicologia feminina), ela começou por testar noventa mulheres e oitenta e oito homens na Universidade de Michigan. Ao final identificou um dado totalmente novo, mesmo em termos de conceituação: a tendência feminina de apavorar-se de tal forma com a mera possibilidade de obter êxito causa o estrangulamento do próprio *desejo* de obtê-lo. A esse fenômeno ela deu o nome de Medo do Sucesso[1].

Os dados de sua pesquisa evidenciaram de forma inequívoca a alta porcentagem de mulheres vítimas desse medo; aliás, o número delas era tão superior ao de homens com a mesma problemática que, em alguns aspectos, poder-se-ia enquadrar essa característica no âmbito da psique feminina. Não era simplesmente uma questão de insegurança quanto a ter ou não as habilidades necessárias para vencer. *Quanto mais tinham a oferecer, maior sua ansiedade.* "Exatamente as mulheres que mais ambicionam e são mais capacitadas para realizar coisas", afirma a dra. Horner, "são aquelas que mais sofrem do Medo do Sucesso[2]".

Isso pode ter causado controvérsia no meio acadêmico, mas indubitavelmente muitas de nós, lendo sobre o Medo do Sucesso, sentiram um instantâneo aperto no coração – pelo reconhecimento de sua veracidade. Mas será mesmo possível que as mulheres promovam para si próprias o insucesso? Será que aquela preocupação com os homens, com o amor e a segurança emocional, associadas sob o termo "feminilidade", constituem um fator significativo, se não primário, no que nos prende?

A crise relativa ao sucesso

A técnica utilizada pela dra. Horner para desvelar esse estranho e previamente não identificado medo é denominada "completar histórias" e pertence à categoria das chamadas técnicas projetivas. Usando esse instrumento ela pôde verificar as atitudes inconscientes dos sujeitos da pesquisa (estudantes). Ela intencionava descobrir o que eles sentiam realmente, mais do que o que julgavam sentir ou prefeririam sentir. Os estudantes (de ambos os sexos) eram solicitados a compor histórias com base numa sentença proposta de modo a delimitar o campo que se desejava estudar. Às mulheres ofereceu-se esta sentença: "Após os exames do primeiro semestre, Anne descobre ser a primeira aluna de sua turma de Medicina". (Para os homens a sentença era idêntica, salvo ser "John" quem encabeçava a lista dos melhores alunos.)

As redações dos estudantes foram então analisadas pela equipe de pesquisadores que, graças aos testes projetivos, acreditam poder perceber as reais atitudes e expectativas dos sujeitos na temática da história.

A dra. Horner considerava sinal de que o Medo do Sucesso estava operando quando os estudantes construíam histórias indicativas de que esperavam que *consequências negativas* seguissem qualquer grande êxito acadêmico. As consequências negativas incluíam o medo de ser socialmente rejeitados, perder a perspectiva de arranjar namorados(as) ou se casar, e o medo de ficar isolados, solitários ou infelizes como resultado do sucesso.

A notícia daquilo em que Horner estava trabalhando propagou-se de uma universidade a outra imediatamente. Ela verificou haver tremendas diferenças entre as formas como homens e mulheres respondem à perspectiva de sucesso. Os estudantes do sexo masculino mostravam-se exultantes pela possibilidade de desenvolver uma carreira brilhante; tal perspectiva enchia de ansiedade as estudantes do sexo feminino; 90% dos homens não somente achavam que se sentiriam à vontade sendo bem-sucedidos no trabalho profissional, como também acreditavam que isso os ajudaria no tocante à popularidade entre as mulheres; 65% das mulheres testadas por Horner e seus assistentes conceituavam o sucesso como qualquer coisa entre incômodo e totalmente aterrorizador. De acordo com a dra. Horner, a principal razão para isso era: *As mulheres acreditavam que a obtenção de êxito profissional deterioraria suas relações com os homens.* Simplesmente isso.

As mulheres que tinham namorado achavam que o perderiam. Aquelas que não tinham namorado pensavam que jamais conseguiriam um.

As mulheres aparentemente preferem renunciar a muita coisa – abandonar, dar as costas a suas ambições, fugir ansiosamente para o interior do anonimato dos 80% a se arriscar a levar uma vida sem amor. Não querem saber de reinar, solitárias e sem amor, sobre o trono frio da superioridade profissional. *Mais que tudo, as mulheres querem se sentir em relação com outro ser.* Isso é fundamental e suplanta qualquer outra coisa.

As catástrofes reservadas a "Anne"

Vejamos como as mulheres da Universidade de Michigan lidaram com a perturbadora situação em que Anne se encontrou na Faculdade de Medicina.

Uma vasta maioria de mulheres escreveu histórias expressando a ideia de que Anne bem podia ter sido uma leprosa, a julgar por todo o isolamento que seguramente lhe sobreviria como consequência de seu anômalo brilhantismo na Faculdade de Medicina. Esse brilhantismo ia causar tantos problemas a Anne que não valia a pena exibi-lo. Uma das moças sugeriu que Anne prontamente providenciasse para perder a posição de primeira da turma. Pondo de lado seus estudos e ajudando seu amigo Carl, Anne poderia em breve casar-se, largar a faculdade e "concentrar-se na educação dos filhos (de Carl)".

A temática geral nas histórias das estudantes era que Anne podia desistir de contar com a afeição de um amante se persistisse em ostentar tantos méritos. As mulheres expressavam uma espécie de irritação ansiosa em relação a Anne. "Ela não era feliz", diziam. Ou descreviam-na como sendo repulsivamente agressiva. "Essa Anne", sugeriam, não tinha escrúpulos em passar por cima dos outros – família, marido, amigos – em sua abjeta trajetória para a realização de suas ambições.

O que aparentemente constituía a principal fonte de preocupação era a rejeição social. "Anne é uma pobre coitada que esconde a acne por trás dos livros", escreveu uma delas. "Ela corre para o quadro onde estão afixadas as notas e vê que está à frente. 'Como sempre', esnoba, fingindo estar surpresa. A resposta do resto da classe é um coro de resmungos aborrecidos."

Uma outra estudante, questionando se uma mulher com tanta ambição e inteligência não seria um pouco anormal, concluiu que Anne deveria recuar logo. Ela escreveu: "Infelizmente Anne não tem mais certeza de querer ser médica. Ela está preocupada consigo mesma e pergunta-se se é normal... Anne resolve não continuar na Medicina e, em vez disso, decide matricular-se em cursos que tenham mais significado pessoal para ela".

Algumas das histórias produzidas eram bizarras. Uma mulher achou a ideia de Anne alegrar-se com o sucesso tão revoltante que a puniu com espantosa brutalidade. "Anne começa a proclamar sua alegria e surpresa", escreveu a estudante, de forma tal que os colegas ficam tão "enojados" com seu comportamento que "pulam por cima dela e batem-lhe tanto que ela fica permanentemente mutilada".

Conquanto às vezes extremados, os temores dessas mulheres de que o sucesso arrasará sua vida social não são inteiramente destituídos de realidade. Ideias tradicionais sobre o que é desejável em mulheres continuam a ser surpreendentemente prevalentes entre a nata da população solteira do sexo masculino, os jovens e requintados produtos da Ivy League. Um recente estudo efetuado entre alunos de ambos os sexos de seis faculdades e universidades do nordeste dos Estados Unidos revelou um fato inusitado: *a grande maioria dos estudantes do sexo masculino espera desposar mulheres que fiquem em casa e não trabalhem.* Eles se veem como os provedores da casa, enquanto a esposa fica em casa com as crianças[3]. Se elas devem trabalhar? "Talvez depois que as crianças entrarem na escola", dizem eles. *Talvez.*

Em seu livro *The Future of Marriage* (O Futuro do Casamento), Jessie Bernard afirma que a agressividade, o desejo e o impulso para o sucesso, qualidades necessárias para a obtenção de empregos com bons salários em nossa sociedade, "são precisamente aquelas *não desejadas* pela maioria dos homens para sua esposa". Nossos bem-sucedidos profissionais de hoje – ou pelo menos os de amanhã, os alunos das escolas da Ivy League – ainda procuram mães para seus descendentes. Eles *não* estão procurando mulheres profissionais que possam atuar no mundo com tanta sofisticação – e independência – quanto eles.

Começa a evidenciar-se que esse conflito relativo ao trabalho associa-se fortemente à classe social. Nas pesquisas de Matina Horner, as mulheres mais perturbadas com a possibilidade de um futuro sucesso provinham em geral da classe média e média alta, com pais bem-sucedidos – pais esses não diferentes dos atuais jovens da Ivy League, que querem por esposa uma moça não empreendedora. Nesses lares a mãe não trabalhava ou trabalhava de modo bem aquém de um sério compromisso profissional.

As mulheres a quem o sucesso não incomodava tanto vinham da classe baixa e tinham mães em geral com melhor educação acadêmica que o marido e que sempre tinham trabalhado. As filhas dessas mulheres não experimentavam conflitos entre realizações e feminilidade, porque haviam crescido vendo ambas harmoniosamente integradas em sua mãe.

A correlação entre classe social e os conflitos femininos nessa área tornou-se ainda mais óbvia quando, em estudos posteriores, Horner deparou com um fascinante paralelo entre mulheres brancas e homens negros[4]. Ela observou que ambos são notavelmente mais ansiosos quanto ao sucesso se comparados a homens brancos e mulheres negras. Somente 10% dos homens brancos e 29% das mulheres negras apresentavam problemas associados ao Medo do Sucesso.

Os resultados obtidos por Matina Horner em seus estudos sobre o Medo do Sucesso eram tão estimulantes que ela decidiu ir um passo adiante e averiguar em que grau as atitudes expressas pelas mulheres nos testes de completar histórias correspondiam ao modo de agir na vida real. O Medo do Sucesso reduz a probabilidade de vencer? *As mulheres que se mostravam ansiosas com relação ao sucesso tinham de fato menos probabilidade de ser bem-sucedidas?*

Os mesmos estudantes universitários do estudo inicial receberam testes envolvendo tarefas competitivas e não competitivas. Horner assevera que os resultados "deixaram bem claro" que, quando as mulheres esperam o pior do sucesso, elas fazem o impossível para evitá-lo.

O *processo* constitui uma espécie de profecia que se autoconcretiza:

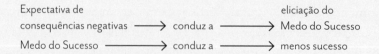

Uma vez que o Medo do Sucesso se instala nas mulheres, seus níveis de aspiração caem vertiginosamente, como a coluna de mercúrio quando atingida por uma onda de frio. Não é que as mulheres cortejem o fracasso; elas evitam o sucesso. Por exemplo: apesar de suas médias acadêmicas se enquadrarem no percentual superior, as mulheres com alto grau de MDS

(Medo do Sucesso) optavam pelas ocupações menos desafiantes, as chamadas "femininas" – dona de casa, mãe, enfermeira, professora. Era como se, na evitação das carreiras mais "duras", elas conseguissem provar a si mesmas merecer ainda ser mulheres. Tomando-se uma mulher individualmente, a evitação do sucesso pode não ser tão rudemente autodestrutiva quanto a facilitação do fracasso, mas o efeito desse fenômeno sobre as mulheres em geral não pode ser subestimado. *Essa nossa tendência a nos diminuir, a desviar o desenvolvimento de nossas habilidades inatas pelo receio da perda de amor é uma consequência daquilo a que me referi e que chamei de Pânico do Gênero Feminino – a nova confusão sobre nossa identidade feminina. Em lugar de experimentarmos a ansiedade do fazer (e talvez de nos sentirmos não femininas como resultado disso), nós nada fazemos.*

As mulheres estão armando um triste jogo de autonegação. Universitárias com alto grau de MDS progressivamente reduzem seu nível de aspirações à medida que avançam do primeiro ao último ano de faculdade, segundo os dados obtidos pela dra. Horner. Se Júlia entra na faculdade decidida a tornar-se médica, ela é bem capaz de, ao chegar ao último ano, resolver que nada lhe agradaria mais do que ser biomédica. A segundanista do curso de História, agora aspirando a fazer Direito ao terminar o curso, mais ou menos na metade do último ano passa a achar que seria ótimo ser professora de segunda série do primário, e quem sabe seria melhor simplesmente fazer alguns créditos em matérias de Pedagogia para ter um diploma de professora. Mamãe diz que ela está tomando uma decisão sensata; papai, idem.

Idem para o namorado Jim. "Ensinar é uma coisa que você sempre pode fazer mais tarde", assegura ele, "depois que as crianças tiverem crescido".

E quanto às mulheres cujo MDS era baixo? Seus futuros pareciam muitíssimo mais promissores. É espantoso que, embora tivessem *menos talento natural* do que as possuidoras de alto MDS, essas mulheres estavam se preparando para fazer pós-graduação e seguir carreira em disciplinas científicas "difíceis" (Matemática, Física, Química). Nesse ponto, as mulheres com baixo grau de MDS assemelham-se aos homens. É comum o caso de homens com aspirações que excedem suas reais capacidades. Isso serve para impulsioná-los na vida mais do que qualquer outra coisa. *Os homens são combativos. Eles podem gerar a própria fonte específica de ansiedade ao darem passos maiores que os permitidos por suas capacidades inatas, mas ao menos chegam ao meio do caminho.*

As mulheres se retraem. Reduzem as suas possibilidades, almejando bem menos do que lhes permite seu nível (inato) de desempenho.

O resultado é que muitas jamais passam da beira da estrada.

À época em que Matina Horner publicou seus resultados iniciais, em 1968, pensou-se que certamente as mulheres já deviam ter abandonado aqueles temores patéticos – se é que na verdade algum dia os tinham experimentado. Afinal de contas, para que servira o movimento feminista senão para alargar e dissolver as rígidas fronteiras culturais da feminilidade? Horner conduzira suas primeiras pesquisas no passado sombrio de 1964. As universitárias de 1968 eram outra coisa, só querendo saber de explorar todas as suas potencialidades e vencer... *ou não?*

Horner prosseguiu com seus estudos, dessa vez com as jovens "libertadas" do fim da década de 1960 e início da de 1970. O que descobriu contradisse todas as impressões construídas pelos meios de comunicação sobre a Nova Mulher. Incompreensivelmente, uma proporção ainda *maior* de mulheres apresentava o Medo do Sucesso.

E fracassava em situações competitivas.

E baixava seus níveis de aspiração quanto à carreira, voltando seu interesse para empregos que ofereciam menos desafios, mais "femininos".

Em 1970, Horner relatou que *"As Atitudes Negativas expressas por indivíduos brancos do sexo feminino aumentaram dos 65% verificados no estudo de 1964 para, atualmente, 88,2%[5]".*

O alto preço de silenciar as ambições

Recorde quanto reforço as meninas pequenas recebem para *evitar* qualquer coisa que lhes provoque ansiedade e você começará a entender como essas ambiciosas e academicamente bem-dotadas mulheres podem de pronto capitular à própria realização. Elas desejam escapar ao Pânico do Gênero Feminino. A eventualidade de perder seu valor feminino, caso façam aquilo de que são capazes, provoca-lhes tanta apreensão que passam a buscar opções menos ameaçadoras. Tentam fazer-se Mulheres com M maiúsculo. E o tiro sai pela culatra. Mulheres ansiosas quanto ao sucesso podem ser bem-sucedidas em se manter mais ou menos *medíocres,* mais ou menos dentro dos moldes da imagem aceitável da Boa Mulher; logo, porém, percebem-se presas de uma série de outros problemas. "Agressão, amargura e confusão", diz Horner, constituem o que cabe às mulheres que silenciam seu potencial.

Uma jovem de Washington, que deixara seu emprego de assistente de um congressista logo após casar-se, começou a sentir-se entediada e insatisfeita. Mas, em vez de identificar e resolver o problema – *seu* problema –, ela achou mais fácil zangar-se com o marido. "Eu sentia uma espécie de frustração me corroendo cada vez que meu marido viajava a negócios", disse. "Por que *ele* podia ir a lugares novos, conhecer diferentes pessoas, mas eu não? Ele voltava dessas viagens todo feliz e animado, e eu me esforçava por parecer interessada, mas por dentro estava furiosa e ressentida."

"Sempre invejei a vida de minhas amigas que não tinham filhos", disse outra, uma atriz que, praticamente desde o minuto em que se casou, sentira que algo lhe fora roubado – apesar de que, na verdade, fora ela quem desistira de tudo. "Eu sentia saudade do teatro e tinha a sensação de que o destino me aprisionara cedo demais." (Não reconhecendo que são elas mesmas que fogem daquilo que tanto querem, as mulheres frequentemente julgam estar sendo trapaceadas – transformadas em vítimas. *Como é que isto pode estar acontecendo comigo?*)

Durante alguns anos, até finalmente sentir-se saturada o bastante para resolver fazer algo a respeito de sua vida, essa atriz contentou-se com invejar as amigas que, em sua opinião, tinham mais liberdade que ela. "Uma vez tentei escrever uma peça com uma amiga solteira, mas ela contava com muito mais espaço e tempo livre, podia dedicar-se bem mais que eu a pesquisas e entrevistas; eu me sentia tensa e burra a seu lado."

A comparação propagou-se por outras áreas de sua amizade. "Eu invejava seu corpo esbelto e o tipo de roupa que ela comprava, pois ela ganhava um salário fixo, enquanto eu tinha de esperar até sobrar algum dinheirinho em nosso orçamento doméstico para comprar um par de sapatos. O relacionamento entre nós foi piorando. Perto daquela mulher eu me sentia gorda e desajeitada, estragada pelos serviços da casa e por ter de constantemente atender àquelas pestes dos meus filhos, sempre me requisitando quando sentávamos para trabalhar em nossa peça. Por fim comecei a evitar completamente minha amiga. Ela entrava em meu apartamento – sempre em desordem, com brinquedos pelo chão e fraldas por lavar – toda arrumada e entusiasmada, com a mente a mil por hora e falando excitadamente; e tudo o que eu conseguia pensar era que logo teria de preparar o almoço das crianças. Fico triste ao refletir sobre isso agora, mas acabei desistindo do projeto. Cheguei a um ponto em que não tolerava sequer ver aquela coisinha livre e feliz."

As mulheres pagam um alto preço por sua ansiedade relativa ao sucesso. Matina Horner e seus auxiliares concluíram que mulheres jovens e capazes comumente inibem-se até mesmo de *procurar* o sucesso. Em situações competitivas em que estejam presentes pessoas de ambos os sexos, elas apresentam um desempenho mais pobre do que poderiam apresentar; além do mais, muitas que, apesar de tudo, acabam vencendo, tentam mais tarde diminuir a qualidade de seu desempenho. Essas mulheres não põem à prova o próprio poder e seus méritos. Confusas e ansiosas, elas preferem baixar suas aspirações profissionais a sentir esse desconforto.

Algumas delas, desviando-se de qualquer coisa que cheire a competitividade, sabotam totalmente seu futuro. E o pior é que nem imaginam que sua vida está sendo governada pelo Pânico do Gênero Feminino.

A "vida boa" da esposa que trabalha fora

Considere, por exemplo, a história de uma mulher a quem chamarei Adrian Holzer. Do tipo vivaz e muito ativo, que quase sempre tivera um emprego, Adrian havia muito se esquecera de suas ambições de adolescente, relegando-as ao "compartimento de inutilidades" (os sonhos infantis). Por alguma razão, aqueles sonhos estavam de volta, alfinetando-lhe a mente como cartas não respondidas. Era uma sensação incômoda que a levava a sentir-se deslocada em sua vida, como se, em algum ponto, ela houvesse tomado um atalho errôneo. Precisamente quando começava a achar que as coisas estavam correndo bem e de maneira agradável, algo inesperado brotou dentro dela para mudar sua vida interior.

Numa tarde de inverno em que conversávamos e bebíamos vinho, Adrian exteriorizou seus velhos sonhos – e começou a perceber que tinha adquirido novos temores.

"Não demorou muito para eu voltar a trabalhar depois de ter tido meus filhos – uns três ou quatro anos. Mas então a vida já tinha um sabor diferente do que eu experimentara quando solteira. Eu já não tinha nenhum sentido de 'futuro', de um futuro só para mim. Sabe como é, aquele viver dia após dia que toda mãe conhece. Carreguei para o serviço essa mentalidade do dia a dia. Passaram-se dois anos, e eu nem pensara em dizer: 'Ei, e a minha promoção?' E então sobreveio a raiva por ter de pedi-la".

Aos trinta e quatro anos, Adrian voltara a trabalhar como relações-públicas na Fundação Ford, "um emprego de prestígio com uma imagem de prestígio", segundo a descrição dela. "Eu estava recebendo um bom salário, considerando que não precisava dele para me sustentar. Mas tenho me sentido de algum modo distanciada de tudo. A verdade é que não me importo nem um pouco com os interesses da fundação. Sempre me contentei, como esposa e mãe, com ter um 'bom' emprego e roupas legais. Se bastava para ir almoçar fora com minhas amigas, comprar uma bolsa de vez em quando... bem, isso já era liberdade suficiente para mim."

"Já se passaram quatro anos!", exclamou subitamente, enchendo novamente seu copo. "Quatro daqueles anos que nem se *percebem*, mas que de qualquer modo nos levam aos trinta e oito anos de idade."

Esse balanço de vida feito por Adrian é típico da mulher que rebaixa seu nível de aspirações aos vinte anos e não se dá conta do que está ocorrendo até quase chegar aos quarenta. Agora os almoços eram entediantes, o emprego era entediante. "Quando paro para pensar nisso, acho tudo uma loucura. Todos na faculdade sempre tiveram como certo que eu iria direto para o mestrado. Eu tinha notas muito boas mesmo. Houve época em que pensei em entrar para a diplomacia."

E o que fez em vez disso? Tal como tantas mulheres, efetuou uma troca crucial. "Tornei-me uma esposa. Depois tornei-me uma esposa que trabalha fora. Se Gerry morresse amanhã, eu nem sei o que faria. Quando penso nisso – como seria se eu ficasse sozinha – fico apavorada. Viúva e ainda fazendo relações-públicas para um grande Papai simpático e não lucrativo?!" Ela levanta os olhos, assombrada. "Acho que nem conseguiria *manter* esse emprego se não fosse casada!"

Tal percepção paralisou-a. Em que espécie de situação se metera se não seria capaz de sobreviver com seu salário como mulher descasada? O quadro começou a se delinear mais claramente. "Meu marido me sustenta, e meus filhos me dão adeus de manhã, à hora da escola; só assim eu posso vestir meus vestidos refinados e sair para escrever minhas notas à imprensa", disse.

O autoconhecimento começava a atingir Adrian Holzer, trazendo consigo a questão que por quase duas décadas ela evitara: "Por que estou fazendo o que estou fazendo"? No encalço dessa questão vinha um pensamento ainda mais perturbador: "E, se não for isto, o que será?".

Essas eram perguntas que ela jamais tivera de se fazer. As mulheres *são*, elas não fazem. Mesmo quando escolhem trabalhar fora, trata-se de algo em segundo plano, comparativamente ao ser esposa e mãe. Assim, pelo menos, é como Adrian e suas amigas sempre haviam experimentado o ser mulher.

Porém a iminência do quadragésimo aniversário estava modificando as coisas para Adrian Holzer. Havia nela uma sensação de algo que era negligenciado, passado por cima. Tarde da noite (aliás, nas horas mais inesperadas) passeava-lhe pela mente a menina-mulher de vinte anos, aquela criatura entusiástica e esperançosa. Esbelta, com longos cabelos louros e cheia de ideais, a moça daqueles dias se perdera para Adrian havia muitos anos. Agora, repentinamente, ela estava ali, recusando-se a partir. Com sua aparência, todos aqueles almoços e jantares, as compras de roupas para os filhos na Saks... tudo se reduzia apenas a rituais vazios. Pelo amor de Deus! Um amigo de seu marido, com apenas quarenta e três anos, tivera um *enfarte*! A vida já não era atemporal e livre.

As coisas também haviam mudado em casa, com os filhos crescendo e Gerry passando tanto tempo em Washington. As pessoas não pareciam mais precisar muito dela. Foi se sentindo cada vez mais separada, mais só. E agora as novas questões avolumavam-se: "O que estarei fazendo daqui a cinco anos?

Dez anos?"

Dez! Dez parecia impossível. Quarenta e nove anos de idade e ainda reunindo o pessoal em casa para fumar maconha e assistir ao "Show de Sábado à Noite" no grande altar da tecnologia? Quarenta e nove anos e ainda indo à sauna religiosamente três vezes por semana, a fim de tentar livrar-se da celulite, torcendo desesperadamente para, no próximo ano, não precisar ir lá quatro vezes em vez de três? Estava cansada de passar os Natais nas Bermudas, cansada de visitar seus parentes em Vineyard durante duas semanas de agosto de cada ano, cansada da enorme rotina de tudo. Acima de tudo, entretanto, ela estava cansada daquele negócio bidimensional esponjoso que habitava os espaços ocos de seu cérebro. Pensamentos obsessivos. Queixas longínquas e desapontadas. Adrian *não* gostava de mulheres insatisfeitas – era o que dizia a si mesma.

De repente, agora, ela era uma delas.

Havia, é claro, um pano de fundo conducente a isso. Se Adrian tivesse se matriculado na Universidade de Michigan, em vez de na Smith, ela bem poderia ter sido um dos primeiros sujeitos de pesquisa de Matina Horner. Suas aspirações tinham sido postas de lado muitos anos antes. Em 1964, todavia, no ponto crítico de sua vida, uns seis meses antes de formar-se, ela estava bastante inconsciente do que estava acontecendo.

Adrian dissera ao namorado que estava planejando ir para a Faculdade de Relações Exteriores da Universidade Georgetown. "Relações Exteriores!", ele repetira horrorizado. "Esses cursos nunca terminam!" Aflito, ele tentara fazer piada: "Fique comigo, garota, e você nunca terá de ser espiã!"

O que Adrian ouvira foi: "Não posso esperar pelo fim de toda essa história de pós-graduação". Acabou não insistindo. O fato era que não se sentira *segura* de si mesma para insistir. Ela e o namorado nunca realmente conversaram a respeito depois disso. Deslumbrado com a perspectiva de glória, ele partiu para uma escola de cinema, e ela seguiu-o até Nova York. Após cerca de um ano trabalhando na agência J. Walter Thompson, ela parou de vê-lo. Nessa época, Gerry já entrara em sua vida. O querido Gerry, que dissera: "Pode fazer qualquer coisa que deseje. Ganho o suficiente para nós dois". Assim Adrian cessara de se preocupar com o que deveria *fazer* de sua vida. O casamento, as crianças, Gerry – gradualmente tudo isso passou a ter precedência sobre os temas desenvolvimentistas. Ela não era um ser humano em crescimento, aprendizagem, mudança; ela era – muito apropriadamente – uma esposa.

Impressionante a facilidade com que as mulheres abandonam os estímulos e desafios. Depois de algum tempo, nem mesmo sentimos a perda. Escolhemos o conforto e a segurança, em vez da estimulação e da ansiedade que esta frequentemente engendra. Parte do problema de Adrian é que sua vida tem sido fácil demais – fácil o bastante para amoitá-la contra o terror existencial que pertence a todos nós. Mesmo agora sua ansiedade permanece no domínio da vaga apreensão. Ela ainda não recebeu aquele aterrorizante aviso interno que diz: *Cuidado, ou logo você cairá.* A forma como Adrian experimenta as coisas depende das ações e atitudes de Gerry. Se ele morresse (ou se, Deus me livre, se ele começasse a passar *mais* tempo em Washington), então uma crise de enormes proporções abater-se-ia sobre ela. Na ausência de tal crise, Adrian provavelmente continuará como está, sem jamais se dar conta de quão insegura realmente se sente, até algum outro evento externo forçá-la a conscientizar-se disso.

É uma pena que, à beira do autoconhecimento, as mulheres tão frequentemente pareçam necessitar de algo catastrófico que as arremesse para o confronto inescapável com a verdade. Após aquela tarde na qual Adrian se revelou tanto – mas, infelizmente, não o suficiente –, não pude deixar de pensar que, nessa altura de sua vida, far-lhe-ia bem conhecer alguém como Sulka Bliss.

O caso de Sulka

Conheci Sulka (cujo nome também foi mudado) no Centro de Esposas Desativadas em Oakland, Califórnia. Esse lugar lembra as duras privações de um campo de trabalhos forçados. *Centro de Esposas Desativadas.* Bem poderia ser o escritório de algum pequeno partido político que jamais conseguirá votos substanciais. Umas mesas baratas, cadeiras um tanto desconjuntadas, latas de café solúvel, inúmeras xícaras de plástico e cestos de papel feitos de metal verde decoram o lugar. As mulheres que trabalham ali são voluntárias, elas mesmas esposas desativadas torcendo para que "o Partido" consiga integrá-las de novo. Muitas delas, quando casadas, levavam vida confortável até em demasia. Quando o casamento delas se desfez, o mundo à sua volta também desmoronou. Ali, pelo menos, há ordem – uma mesa, um telefone, vozes com que preencher os espaços vazios. Ali há trabalho para fazer em favor de outras que são até menos afortunadas do que elas: mulheres que acabaram de levar o fora e desconhecem o que lhes aconteceu. Mulheres com olhos vermelhos e inchados de tanto chorar e unhas roídas. Mulheres que levantam da cama já com um cigarro aceso e adormecem à base de Valium misturado com vodca.

Sulka Bliss ainda não se entregara à rotina das pílulas com álcool, porém, quando nos conhecemos, ela certamente estava muito deprimida. "Não sei fazer mais nada, exceto tomar conta de filhos", disse-me. "Duvido até que consiga bater trinta palavras por minuto."

Sem prática (e claramente sem autoestima), Sulka tinha uma coisa a seu favor, da qual a maioria dos empregadores talvez nunca tivesse ouvido falar, no mínimo porque poucos deles demonstram algum interesse por *potencial*: no curso colegial, verificara-se que Sulka Bliss tinha um QI de 135.

"Naquela época, quando recebemos os resultados dos testes, fiquei surpresa", contou. "Eu disse a mim mesma: 'Acho que vou ser cientista'. Eu sempre fui ótima em matemática, mas naquele tempo as meninas não eram criadas para ser cientistas, e meu irmão ficava me gozando por causa disso. Mesmo minha mãe achava que eu estava esnobando quando dizia que queria tornar-me cientista."

Depois do colegial, Sulka fez um curso de dois anos numa faculdade e em seguida casou-se.

O tempo dera cabo das ambições de Sulka. Havia muito tempo, tanto que ela mal conseguia se recordar com precisão, ela fora uma jovem magra, ativa e enérgica. Mas a cada gravidez engordava mais. Atualmente veste-se com largas túnicas e caftãs de algodão tingidos com batique. Envergonhada de sua gordura, Sulka cuida bastante dos demais itens de sua aparência; o resto, contudo, não mais lhe importa. Os gerânios em seu jardim morreram. O jardim morreu. Os sulcos entre os tijolos que cobrem as paredes externas de sua casa pedem mais argamassa. A tinta sob o beiral do telhado começou a desbotar e descascar. *Incrível*, pensa Sulka, *como uma casa pôde começar a cair aos pedaços em menos de um ano.*

Fazia quase um ano que Dick partira. Ele não fora embora por ela ter engordado (como às vezes ela gostava de crer). Não. Esse homem estivera com um pé fora de casa desde que obtivera seu doutorado em biologia molecular – um título que, de certo modo, Sulka lhe *dera*, trabalhando para sustentá-lo enquanto ele avançava triunfalmente na carreira acadêmica. Além de trabalhar em período integral como secretária, à parte fazia serviços de datilografia nos fins de semana e evitara filhos até que Dick se estabilizasse financeiramente. "Pode parar agora", ele lhe dissera quando, num mesmo mês, recebeu o grau de doutor e uma oferta de emprego no Instituto de Tecnologia da Califórnia. Logo Dick estava instalado numa sala do Caltech com janelas altas, escrivaninha de carvalho, lousa, alunos e um laboratório sustentado por doações governamentais.

Sulka deixara o emprego com um grande suspiro de alívio e contentamento. Agora poderia plantar seus gerânios. Agora, sem dúvida, poderia engravidar.

Sulka limpou, lavou e cantou durante um ano, aprendeu a fazer pão em casa e, na primavera de 1965, deu à luz o primeiro bebê, uma menina. Ela e Elsie viviam juntas na casa ensolarada e eram tão próximas que quase constituíam uma só. Havia coisas novas surgindo na vida de Dick, e então toda a existência dele começara a distanciar-se da dela, tanto quanto a vida *dela* ia se tornando cada vez mais apartada da dele. Recebiam amigos várias vezes ao ano, de quando em quando compareciam a festas de departamento; essas coisas, todavia, não atraíam muito o interesse de Sulka. Seu coração estava em casa, no ninho.

Ela teve mais filhos, ganhando mais peso em cada gravidez − e nunca conseguindo perder esse extra. Por volta de 1970, ela estava muito redonda e feliz, com três criancinhas alegres, que se agarravam a ela como à vida. Quanto a isso, tudo bem com Sulka. Ela fazia as próprias roupas (nada nas lojas lhe cabia) e penteava e trançava o cabelo, longo e reluzente. Aonde quer que fosse − ao supermercado, à biblioteca, ao cinema à noite −, lá estavam os filhos. Dick, em geral, não estava presente. Sulka nunca deu mostras de se importar. Os cientistas são preocupados e obsessivos. Dick não era diferente deles. Sulka possuía o que desejava. Dick não a incomodava.

Então, no início dos anos 1970, tudo se precipitou com repentina intensidade na vida de Dick. Ele e seu grupo de pesquisadores estavam envolvidos no processo de elaboração de algum grande avanço tecnológico e frequentemente passavam a noite no laboratório, dormindo apenas algumas horas antes de se levantar e retornar ao trabalho. Quando Sulka o via, o que era muito ocasional, o rosto dele estava pálido e os olhos obscurecidos, como para impedir que o mundo externo o atingisse e interferisse em seus processos de pensamento. Sulka por vezes imaginava o cérebro do marido funcionando como uma máquina cheia de botões e programações complicados, difíceis de manejar e, em última análise, cômicos. Dick era uma pessoa ativa. Ele fazia muito − mas aonde, Sulka às vezes se perguntava, toda essa atividade iria conduzi-lo?

Conduziu-o (bastante subitamente, foi a impressão dela mais tarde) a um novo e misterioso negócio, no qual todos os tipos de grandes corporações estavam despejando fundos, algo chamado DNA recombinante – era a engenharia genética. "Isso vai ser a salvação da crise de energia", Dick anunciara uma noite, um pouco alto com várias doses de vinho, os olhos cintilando de entusiasmo. "De fato, será a salvação do futuro!"

Sulka recordava a palavra "salvação" porque, à luz de uma visão retrospectiva, tivera a impressão de ele ter ido embora na manhã seguinte à noite em que fizera aquela afirmação. Será que Dick de alguma forma se identificava com seu trabalho a ponto de ter começado a *se* visualizar como o salvador?

Como geralmente fazem as mulheres prestes a ser abandonadas pelos maridos, Sulka começou a analisar Dick freneticamente, tentando discriminar as motivações dele e vê-lo de modo frio, "objetivo". Ela estava passando por um processo de tentativa de obtenção de controle. Era, é claro, tarde demais para qualquer coisa. O esfriamento emocional – ou, melhor dizendo, a indiferença – implantara-se havia muito. Dick não tardou em partir para a conquista de novos mundos: um novo emprego, um novo salário e, inevitavelmente, uma nova mulher.

"Imagine só", disse Sulka chorando, naquela primeira vez em que se forçara a procurar o Centro – desaprovava o rótulo de "esposa desativada", porém sentia-se no fim da linha e carente da ajuda de *alguém*. "No momento mesmo em que alcança o sucesso ele já me abandona com três crianças para cuidar e quase sem dinheiro para pagar as prestações da casa[6]."

Somente depois de receber um pouco de aconselhamento psicológico é que Sulka pôde começar a parar de ver sua vida como inteiramente determinada pelo marido e, em vez disso, enxergar o papel que desempenhara no que ocorrera. Lentamente deu-se conta de que renunciara a si mesma muito tempo atrás, antes mesmo de ter terminado o curso colegial. Tivera, é claro, muito reforço nesse sentido por parte dos pais e amigos – inclusive do orientador da escola, que sugerira que seu QI de 135 deveria ser direcionado para alguma "carreira" de cunho secretarial. *Enfim, Sulka compactuara com todo o programa.* Concordava com tudo. Havia razões para ela sentir-se tão fraca e inutilizada; agora começava a ver que pelo menos *algumas* dessas razões tinham a ver com ela!

Casar-se e propiciar ao marido os cursos de mestrado e doutorado fora uma linha de conduta segura e reforçadora de ego para Sulka, em seus vinte e um anos de idade. "Ela não é maravilhosa?", todos diziam na época, quando Sulka entrava em casa com o cheque semanal de seu salário. "Ele possui muita sorte em tê-la." Realmente, o desafio de sustentar a *ambos* fora estimulante para ela, embora o trabalho fosse chato. O que Sulka não reconhecia então, no entanto, é que *o desafio era superficial*. Ela nunca julgara nenhum tipo de trabalho em termos de desenvolvimento do próprio potencial. E cada dia, dirigindo-se para o serviço, *sempre a acompanhava a crença subjacente: Isso logo terminará.*

E logo terminou *mesmo.* Com a perda do emprego e o retorno ao ninho, todos os traços de independência de Sulka morreram. O desafio que estimulara o crescimento desapareceu; consequentemente, seu crescimento cessou. Agora, dez anos mais tarde, ela estava pagando o preço disso com a perda de autoestima e, pior que isso, com a perda da coragem. Demoraria muito menos para Sulka recuperar sua antiga perícia como datilógrafa do que para reconquistar a confiança e a força[7].

Se Sulka Bliss tivesse conhecido Adrian Holzer, ainda confortavelmente refugiada na proteção do lar, no outro lado do país, ela possivelmente teria se distanciado do próprio sofrimento o bastante para dizer a Adrian: "Aposse-se de sua própria vida, não espere nem mais um minuto. Seguir o caminho da menor combatividade não dá segurança nenhuma. Isso é mera ilusão!".

Presa entre dois mundos

A ambivalência intensa e não resolvida a respeito de papéis e sucesso vem sendo correlacionada com sérios sintomas psicossomáticos em mulheres. Antigamente eram as donas de casa, entediadas, destinadas apenas a tirar o pó da casa e arrumá-la, que formavam o maior contingente entre as alcoólatras. Agora esse problema se alastrou também entre as fileiras das mulheres "ativas", aquelas que todas as manhãs despedem-se de Johnny e voam porta afora para pegar o trem das oito horas que vai para a cidade. "Comparando-se as mulheres casadas que trabalham fora, as solteiras que trabalham fora e as donas de casa, as mais elevadas taxas de alcoolismo estão entre as primeiras", diz Paula Johnson, da Universidade da Califórnia em Los Angeles. O fato de os homens casados que trabalham não serem afligidos em proporção igualmente alta por problemas de alcoolismo levanta, afirma ela, "a questão da possibilidade de esse tipo de papel não tradicional para as mulheres gerar o aumento da taxa de alcoolismo".

Penso não ser o *papel* – a combinação de trabalho e casamento – o fator determinante do ato de se entregar à bebida (nas mulheres), mas sim o conflito que as assalta quanto à *escolha* do papel. A distinção é importante. *Escolher significa agir livremente e com total percepção da situação, reconhecendo que haverá consequências e comprometendo-se a aceitá-las, sejam quais forem.* Isso não é fácil para ninguém, mas é especialmente difícil para as mulheres, desacostumadas que são a fazer coisas que as deixem abertas ao risco e à ansiedade.

Desconhecedoras de qual será o desfecho provocado por suas novas opções, as mulheres se atemorizam. Não avançamos de corpo inteiro; ao contrário, recuamos, paralisamo-nos, tentando vencer num mundo competitivo sem desistir de nossas maneiras antiquadas, "femininas" – sempre com nossos perfumes e pós compactos por muletas. Nós "permitimos" que o homem abra a porta do carro ou nos acenda o cigarro, dizendo a nós mesmas: "Que mal isso pode fazer?". Não é o ato que gera problemas, mas o sentimento que em nós se insinua – o sentimento de "Como é bom ser cuidada por um homem".

Em pequenos detalhes, as mulheres mostram que desejam continuar a ser mimadas e servidas, especialmente pelos homens. Elas dizem que isso as faz se sentir delicadas e femininas. Apreciam esses pequenos gestos de proteção. Por dentro, recitam o credo da revista *Cosmopolitan*: "Posso ser sexy e bem-sucedida simultaneamente". Mas elas se enganam. Querer ser protegida e, ao mesmo tempo, querer ser independente é como tentar dirigir um carro com o freio de mão levantado. Para conseguir as coisas, tem-se de ser agressivo, se isso for exigido pela ocasião. Tem-se de ser capaz de defender as próprias crenças, brigar por elas, se necessário for.

Também tem-se de ser capaz de tolerar atritos. As mulheres são demasiadamente propensas a evitar afirmações que possam de algum modo ser interpretadas como hostis. Isso traz a ameaça da solidão. Temendo o isolamento, deixam de cultivar em si mesmas as técnicas e os talentos necessários ao progresso profissional. Como observa Lois Hoffman, da Universidade de Michigan: "*Defender um ponto de vista, ganhar uma discussão, vencer outros em situações competitivas e levar a cabo a tarefa que se tem sem se deixar obstaculizar por questões de relacionamento são comportamentos extremamente penosos para as mulheres, independentemente do grau de inteligência que possam apresentar*[8]".

Com efeito, as mulheres estão, a um só tempo, tentando avançar e manter-se na retaguarda. Nossa incapacidade de nos visualizarmos positivamente como *trabalhadoras femininas* corrói nossas mais prezadas ambições. De fato, toda nossa relação com o trabalho é *reativa*. As mulheres trabalham quando os homens lhes "permitem" trabalhar (o que, naturalmente, significa: quando os homens precisam que elas trabalhem). Em razão do atual estado da economia, os homens hoje precisam que trabalhem; assim, a esposa que trabalha fora é sancionada socialmente. As mulheres sentem que a nova liberdade para trabalhar – e ser esposa – vem não de dentro delas, mas de fora. Apenas receberam licença para isso. "Meu marido se alegra por ainda podermos jantar fora uma vez por semana, graças ao *meu salário*", queixou-se uma professora de nível colegial, ciente do interesse egocêntrico do marido. "Antes porém de sermos atingidos por essa monstruosa inflação, ele sempre dava indiretas com relação à bagunça da casa, insinuando que meu trabalho afetava nossos filhos. Não tenho dúvida de que sua atitude será modificada novamente, assim que a economia se estabilizar."

Sem dúvida. A atitude de todo o país "modificou-se novamente" após a Segunda Guerra Mundial, quando as mulheres, não mais necessárias nas fábricas, foram mandadas de volta ao lar. E obedecemos. E, aparentemente, nada aprendemos da experiência.

As mulheres são reagentes. Nossa posição não se apoia em si mesma nem é autogeradora. Ainda tomamos nossas decisões básicas de acordo com o que "ele" quer, o que "ele" permite. Porque, lá no fundo, ainda "o" vemos como O Protetor[9].

É muito esclarecedor observar o que acontece com uma mulher quando seu casamento se desfaz. Repentinamente ela começa a se expandir. "Ora vejam só!", pensa consigo mesma. "Então é *isso* que significa ser adulto." Agora que ela é forçada a assumir a responsabilidade financeira da casa, agora que cabe a *ela* pagar as prestações ou o aluguel e comprar os sapatos dos filhos, a ambivalência some. Que alívio não mais ter de lutar com os temas do Pânico do Gênero Feminino, não ter de se preocupar se é "correto" o que se está fazendo, nem recear que os outros possam vir a apontá-la como uma pessoa dura e invulnerável – *não feminina*[10]. Seu salário sobe; incrementam-se suas atribuições. Há uma relação nova e sadia entre trabalho e dinheiro, um profissionalismo agora *sancionado*. Finalmente autônoma!

Mas ela não está reagindo? Não está simplesmente seguindo outro ditado, tão velho quanto o próprio reino animal? Ela é a leoa cuidando de sua prole; quem pode acusá-la por isso?

Mas se essa mulher se casa novamente ou se junta a outro homem você verá o filme rodar retroativamente – e de modo *rápido*. Agora ela está de novo "em casa". Rebrota nela a sensação de segurança, mais uma vez acompanhada pela atitude de deferência. "Comecei com pequenas gentilezas", contou uma mulher que, aos trinta e dois anos, estava casada pela segunda vez havia três anos. "Sempre que ia à cozinha tomar café, trazia também uma xícara para *ele*. Quando me dei conta do fato de o estar servindo, pensei: 'Bem, isso é legal, eu o amo, que mal há nisso?'; 'Quer um sanduíche, querido?'; 'Uma cervejinha?'. É óbvio que não demorou para a situação se cristalizar, eu sempre indo buscar as coisas, e ele lá, sentado, aguardando ser servido. E eu já tinha passado por tudo isso antes e *sabia* que esses detalhes são significativos. Não são 'nada'. Apontam para a existência de um *contrato*: '*Você cuida de mim no mundo, e eu cuidarei de você em casa*'. De repente, *ele* age de acordo com o contrato, *você* idem e, antes que você se aperceba, está exatamente no ponto de onde partiu."

Uma mulher que vivera sozinha por muitos anos, após o fim de seu casamento, descobriu que suas atitudes para com o novo amante começaram a mudar logo após ela passar a viver com ele. "Meu trabalho começou a se afigurar um pouquinho *menos* importante, e o dele um pouquinho *mais* importante. Nem tinham se passado seis meses, e eu já estava pensando no futuro *dele* como sendo o *nosso* futuro. O meu futuro de algum modo saíra da jogada."

Enquanto viveram em dois apartamentos, eles haviam sido duas pessoas com duas carreiras diferentes, sendo que ambas as carreiras guardavam grau similar de relevância. "Quando fomos viver juntos em um apartamento, senti estar me transformando novamente numa esposa." Fundida nele. Indiferenciada. Metade de um todo e, aliás, uma metade com menos importância do que a outra.

Tal como ocorria quando estávamos na escola, as prioridades se alteram, e mal chegamos a perceber o que está acontecendo. O "ser com" toma precedência em relação à independência. Começamos a compartilhar tudo – nossos projetos, nossas ideias, nossas inseguranças básicas –, de maneira a não termos de estar tão sós com isso tudo. Subitamente torna-se fácil começarmos a voltar-nos para *ele* a fim de receber apoio e aprovação para tudo o que fazemos e pensamos. Isso se revela abertamente na seguinte declaração de uma jovem paciente da dra. Moulton: "Preciso de um homem que empreste importância ao que sinto ser importante".

Uma vez tendo um homem por perto, a mulher tende a cessar de crer nas próprias crenças. Após algum tempo, apenas as tem como "sensações". Vagarosamente ela passa a abdicar de si mesma, dando as costas à sua autenticidade. Algo peculiar vai se delineando – a velha reprise primordial. Sem consciência disso, ela vai reestruturando as coisas de modo a parecerem – e a oferecerem as sensações – como eram entre mamãe e papai, tendo papai como foco central da vida familiar e mamãe como uma subordinada feliz. "Casei-me com um homem tão diferente de meu pai quanto eu era diferente de minha mãe", conta Celia Gilbert, uma escritora que mora em Cambridge. "No entanto, que coisa incompreensível! Nosso casamento acabou se estruturando de modo muito semelhante ao de meus pais."

Por que isso acontece? *Dizemos* detestar tudo isso. Dizemos não querer viver com um homem da forma como nossas mães viveram com nossos pais: dócil, complacentemente, jamais de posse do que na verdade se requer para se estar numa posição de independência, ou seja, uma fonte própria e suficiente de recursos financeiros. Mas essa é uma declaração superficial. Emocional, se não intelectualmente, a decisão de viver *contrariamente* à mãe (pois é assim que isso é comumente experimentado) é aterradora. Mamãe pode não ter tido uma vida tão boa, mas ao menos sabemos *como* foi sua vida.

A menininha absorve sua definição de feminilidade observando as mulheres a seu redor. Daí em diante ela "sabe" o que dela é esperado. Se decidir ir contra isso, assinala o psiquiatra Robert Seidenberg, ela estará tomando uma decisão tão fundamentalmente perturbadora que se constituirá para ela numa *crise moral.* "A menina pequena que vê a mãe, tias e avós completamente engajadas em assuntos domésticos e desdenhosas das mulheres ativas no mundo", ensina o dr. Seidenberg, "pode acabar sentindo que quaisquer outros papéis para as mulheres são 'não naturais e imorais[11]'".

O que será da mulher que se desviar do modelo suprido por sua mãe? Internamente a mulher sente-se como a criança na expectativa de que algo ruim vai acontecer se der aquele passo em direção à independência – se se apartar da mãe e seguir o próprio caminho. Além disso, pergunta-se, onde vai achar gratificação na vida, se rejeitar o caminho tomado pela mãe? *A mulher sem um modelo de papel adequado vê-se diante de um profundo dilema psicológico. Ela não quer ser "como a mãe". Nem deseja ser "como o pai". Como, então, será?* Essa confusão de identidade de gênero é a essência do Pânico do Gênero Feminino.

A frenética esposa-mãe-trabalhadora

Renunciar às próprias ambições – tal qual as mulheres nos estudos de Horner – constitui uma "solução" ao problema do Pânico do Gênero Feminino. Outra é tentar manter o velho papel doméstico e, simultaneamente, engajar-se numa nova carreira, com todas as suas novas exigências. Os efeitos negativos dessa "solução de papéis múltiplos" – a fadiga, a ansiedade, o ressentimento por ter de fazer demais – são largamente discutidos entre as mulheres hoje. Há livros e artigos de revistas que tratam do assunto. Mas ninguém fala da *causa*. Por que as mulheres estão se sobrecarregando freneticamente com o trabalho? A resposta a isso se associa ao nosso conflito inconsciente, que permanece oculto.

> "O trabalho tornou-se um lugar onde se deve permanecer o dia todo e do qual se sai toda noite a fim de que se possa ir para casa, para o emprego número 2: cozinheira, empregada, governanta e babá."

> "Estou o tempo todo tão cansada que cada vez mais sonho em estar trabalhando apenas algumas horas por semana, embora certamente não queira deixar de ganhar o que ganho agora, trabalhando quarenta horas semanais."

"Ah, se eu pudesse dispor de uma horinha que fosse no meio do dia para apenas sentar-me em casa inteiramente só, sem ter de atender a meu filho, meu marido, meu cachorro, meu gato, meu chefe – tempo para apenas sentar-me, totalmente sozinha."

Essas mulheres respondiam com essas declarações a uma pesquisa conduzida pela Comissão Nacional para o Estudo de Mulheres Trabalhadoras[12]. Nela ressaltava-se como a maior queixa aquilo que frequentemente é citado como a "carga dupla" feminina: o ganha-pão e as lides domésticas.

A exaustão é um sintoma prevalente entre as mulheres de nossos dias. Natalie Gittelson disse que a frase "Estou tão cansada" corria como um fio interminável entre milhares de cartas enviadas por leitoras da revista *McCall's* em resposta a uma recente pesquisa sua. "Naturalmente várias mulheres que trabalham fora valorizam seus cheques de pagamento", Gittelson escreve, "e muitas mais relatam que seu marido valoriza ainda mais do que elas. Mas há enorme fadiga expressa diante das exigências às vezes sobre-humanas da vida dupla – lar e trabalho – que tantas mulheres têm de enfrentar[13]".

Antes ansiosas por saírem de casa rumo ao "mundo adulto", as mulheres agora estão começando a clamar por auxílio. *O problema é que realmente adentraram o mundo adulto, mas sem sair de casa por inteiro.*

"Minhas energias estão tão divididas!", lê-se em uma das cartas enviadas à *McCall's*. "Passo dez horas por dia em meu emprego e, à noite, ainda tenho de limpar e cozinhar. Nos fins de semana meu tempo é consumido em faxina e demais serviços não feitos durante a semana. Enche!"

"Sexo é um grande problema para nós", escreve outra mulher, falando de si e do marido. "Trabalho o dia inteiro para depois chegar a uma casa suja, com roupas para serem lavadas e o jantar por fazer. Estou sempre cansada".

Uma terceira esposa escreve: "Eu sou *conveniente* para ele. Sou fonte do muito necessitado segundo salário no orçamento, cuido de seus filhos, da casa e constituo uma bela peça de propriedade. Mas sinto-me tão pressionada pelas contas e por ter de trabalhar... No início eu o queria, mas agora tenho sempre a sensação de estar em falta com as crianças".

No fim da década de 1950 e princípio da de 1960, comentava-se aqui que as mulheres russas eram bestas de carga. Toda aquela proclamada igualdade, suspeitávamos, apenas ocultava vidas absurdamente desumanas. A conceituação de bem-aventurança da esposa russa era trabalhar o dia inteiro como gari e, em casa, à noite, cozinhar e lavar. Lembro-me de ter visto mulheres americanas rindo disso. Naquela época, éramos mais antirrussas do que pró-mulheres e tínhamos a impressão de que as russas estavam sendo enganadas covardemente.

Agora, vinte anos mais tarde, cá estamos nós, fazendo exatamente a mesma coisa. As mulheres americanas são as novas bestas de carga – trabalhando acima de suas forças, fatigadas e emocionalmente subnutridas. A maior parte das mulheres casadas que têm um emprego fora do lar, nos Estados Unidos, despende de oitenta a cem horas por semana trabalhando, incluindo as tarefas domésticas. Nossa economia, sob o peso da inflação, não mais permite aos maridos receber o suficiente para sustentar suas famílias; por conseguinte, eles estimulam as esposas a, também elas, procurar o "pão nosso de cada dia". Entretanto, para a maioria dos homens, o lar continua a ser o refúgio onde podem descansar e ser servidos. "Poucos maridos se dispõem a assumir parte do trabalho doméstico", relata o semanário The Wall Street Journal, concluindo uma série de artigos sobre os feitos e as atribulações da "nova mulher trabalhadora[14]".

No outono de 1980, três grandes agências de publicidade anunciaram os resultados de estudos que haviam efetuado para verificar como "a nova mulher" estava afetando "o marido americano". A agência Batten, Barton, Durstine e Osborne afirmou cruamente: "O homem de hoje deseja que sua mulher trabalhe em dois empregos: um, fora, outro, dentro do lar... A maioria (deles) não se mostra disposta a retirar do encargo da esposa as responsabilidades pelo tradicional papel doméstico".

Dentre os homens entrevistados pela agência BBDO, mais de 75% disseram que sua esposa era responsável pela cozinha; 78% consideravam caber à esposa a limpeza dos banheiros. Barbara Michael, vice-presidente da Doyle Dane Bernbach, conclui no relatório daquela agência: "Aos olhos do marido típico, a maior desvantagem em ter uma esposa que trabalha fora é o efeito não sobre os filhos, mas sobre ele mesmo; o marido dessa mulher precisa dedicar mais tempo às tarefas domésticas de que não gosta. E, exceacuando-se cortar a grama e consertar pequenas coisas, ele em geral não gosta nem um pouco dessas tarefas".

Com base em entrevistas realizadas com mil homens, a firma de Cunningham & Walsh conclui: "O fato de agora as mulheres ocuparem posições profissionais não causou grande impacto sobre o papel tradicional dos maridos dentro do lar[15]".

Esse tipo de pesquisa pode ser útil para publicitários, porém certamente não diz nada às mulheres que elas já não conheçam. Nunca encontrei uma mulher cujo marido ou companheiro divida uma parte igual do trabalho doméstico com ela. *Independentemente de ela trabalhar em regime integral, ou de ter filhos, ou de ganhar mais que o marido, no tocante ao cuidado da casa e dos filhos, a mulher sempre faz mais.* E queixa-se continuamente de não conseguir "convencê--lo" a fazer isso ou aquilo.

Por que as mulheres são tão incrivelmente ineficazes? Assim que começamos a examinar essa questão ressalta o fato de que o problema tem tantas raízes nas necessidades femininas quanto nas masculinas.

Uma pesquisa conduzida em todo o país há apenas dois anos perguntou a mulheres com emprego fora do lar o que consideravam mais gratificante em termos *pessoais:* o trabalho doméstico ou o emprego. "O de casa!", foi a sonora resposta[16].

"Fico perplexo", disse o editor-chefe de uma grande editora, tentando compreender as atitudes contraditórias expressas pela esposa. "Poucos dias atrás, a mãe dela veio jantar conosco. Nós três preparamos a comida juntos. Após o jantar, pus o avental e comecei a lavar os pratos, quando as duas voaram para o meu lado como siamesas, dizendo: 'Não, não faça isso. *Nós* lavaremos a louça'. 'Tudo bem', disse eu. 'Eu posso fazer isso'".

"É estranho", prosseguiu o homem. "De algum modo minha disposição em lavar os pratos após já ter ajudado a fazer a comida encontrou por parte das mulheres uma reação como se eu estivesse indo além do que me competia. Elas ficaram muito nervosas. Não queriam que eu fizesse mais do que me cabia. Parece-me que não lhes ocorreu que, lavando a louça naquela noite, elas também iriam além do que *lhes* cabia."

Acontece que a esposa desse homem é uma mulher de negócios bem--sucedida e muito bem paga. Ela e as amigas passam bastante tempo discutindo a constante injustiça da posição da mulher no mundo. Ela professa o anseio por uma divisão justa de trabalho tanto em nível profissional quanto doméstico; aparentemente, contudo, quando as circunstâncias a convidam a abandonar os velhos papéis domésticos, ela se vê invadida pela ansiedade. Refletindo, o homem prossegue: "Era como se, lavando os pratos, eu estivesse roubando algo dela. Quer dizer, *delas*". Ele sorri ao fazer a retificação, lembrando-se do que provavelmente era o aspecto mais pertinente de todo o episódio: o fato de que a mãe da esposa estava presente na situação. (Quando a mãe entra em cena, grande parte das mulheres se vê tropeçando desajeitadamente em suas recém-surgidas liberdades.)

O fardo doméstico nada tem a ver com a quantidade de dinheiro que se ganha. "NOVELISTA PASSA ROUPA EM MEIO A UMA TORRENTE DE OFERTAS MILIONÁRIAS" podia ter sido a manchete dos jornais publicados no dia 18 de setembro de 1979. A escritora era Judith Krantz, cujo primeiro romance, *Scruples* (*Luxúria*), fora um enorme sucesso de vendagem e cujo segundo romance, *Princess Daisy* (*Princesa Daisy*), estava sendo oferecido em leilão a diversas editoras. O que Judith Krantz estava fazendo lá na Califórnia no dia em que se avolumavam as propostas dos editores de Nova York, competindo com somas fantásticas pelos direitos do livro?

"Meu marido e eu chegamos da Europa ontem", disse ela a um repórter. "Por isso desde as sete da manhã até agora estive passando roupa."

Passando roupa! Essa foi a "grande notícia" de primeira página do jornal *The New York Times*, numa reportagem que revelava que os direitos do romance de Krantz acabaram sendo vendidos por 3,2 milhões de dólares – um milhão de dólares a mais do que qualquer outro romance na história da editoração. Naturalmente a Sra. Krantz teve de rir de si mesma ao afirmar que o passar roupa era "uma terapia contra a ansiedade da espera[17]".

Nos anos 1960, a limpeza de privadas era tema de muitas conversas entre diversas mulheres. "Não importa quanto ele ajude dentro de casa, há uma coisa que ele *jamais* fará", comentavam as esposas em relação ao marido, meneando solenemente a cabeça. "É como se ele nem tomasse conhecimento da existência da privada. Limpá-las é *obrigação* da mulher." Hoje o desafio que se impõe às mulheres não é como levar o marido a fazer mais, mas como ganhar o mesmo que ele sem abandonar todos os pequenos rituais domésticos que as convencem de ainda serem "femininas".

"Ajudei-o a desenvolver uma incapacidade para as mais simples tarefas domésticas", confessa Cynthia Sears, uma formanda da Bryn Mawr que por fim separou-se do marido e atualmente vive com as duas filhas em Los Angeles. Escrevendo sobre suas experiências num livro denominado *Working in Out* (*Uma elaboração*), Cynthia descreve um estilo de vida familiar reconhecível por nós todas. "Quando eu comentava com meus amigos – com certo orgulho disfarçado por uma máscara de exasperação – que ele nunca havia trocado uma fralda, nunca se levantara à noite por uma das meninas estar doente, nunca lhes dera de comer, eu não via que minha 'tolerância' tinha na verdade sufocado nele um real senso de participação na criação de nossas filhas. A única coisa que eu conseguia enxergar era o benefício imediato de evitar qualquer críticas ou queixas." Aos trinta e um anos de idade, diz Cynthia, "comecei a fazer terapia. Nessa época o ressentimento que se alojava em mim expressava-se como uma sensação física – um aperto no peito e o sangue latejando[18]".

Além de ajudar-nos a reprimir nossa ansiedade relativa à ambição e à realização, a manutenção do papel de Rainhas do Lar ajuda-nos a ignorar igualmente outros temas. O estado exaustivo causado pelas constantes ocupações pode obscurecer muita coisa[19]. Todas nós já ouvimos falar de mulheres – algumas de nós *são* essas mulheres – que possuem meios de pagar empregadas, mas não o fazem. Por quê? Precisamente porque, contando com ajuda, ver-nos-íamos perigosamente livres.

As mulheres estão começando a descobrir que nada é mais ameaçador do que a escapada para a liberdade. É um medo nem um pouco atenuado pelo fato de tender a detonar como uma bomba-relógio, desde o momento em que as necessidades básicas de sobrevivência são satisfeitas e inexiste a pressão financeira que justifique a ambição feminina.

Disfarçando o conflito por meio da labuta doméstica

O talentoso casal Evelyn e Richard Melton tem uma renda familiar muito superior à da maioria dos americanos. Essa renda lhes é garantida por empregos que desagradam a ambos. Richard ganha aproximadamente 70 mil dólares anuais como diretor de arte de uma agência de publicidade. Evelyn ganha também mais ou menos isso como modelo. Conjuntamente, sua renda livre dos pagamentos de contas domésticas ultrapassa os 100 mil dólares anuais. Todavia, por uma série de erros financeiros nos quais foram adquirindo mais do que realmente podem manter (em parte para compensar o tédio originado do fato de trabalharem em coisas pelas quais não sentem mais entusiasmo), Richard e Evelyn dizem não lhes sobrar dinheiro para contratar serviçais. Portanto, Evelyn faz o serviço de casa, o que implica – como sempre – não somente encerar o chão e lavar os banheiros, mas ainda todo o trabalho envolvido na organização de um lar e na criação dos filhos. Três ou quatro vezes por semana ela toma o trem de subúrbio para Manhattan, onde atua como modelo; ela também limpa, cozinha, vai ao supermercado e lava roupa. É ela quem marca todos os compromissos e horas com médicos e dentistas para todos os membros da família e quem garante que eles não se esqueçam de comparecer. É ela quem leva os filhos de carro a todos os lugares aonde vão. "Isso é só por mais alguns anos", consola a si mesma. Bem, na verdade, cinco ou seis anos. Seu filho mais novo está na quarta série. (É o segundo casamento dos dois.)

O que Richard está fazendo enquanto isso? Bem, Richard está extremamente ocupado. Entre suas aulas de levantamento de peso e mergulho, para não mencionar as horas que passa à noite tirando cópias e revelando filmes em seu quarto escuro, quase não dispõe de tempo durante o dia. Deve-se dizer a seu favor que Richard não é uma pessoa frívola. Ele está lançando as bases para uma grande mudança de vida, planejando trocar a agência (no momento adequado, é claro, em termos de estabilidade financeira) por uma atividade que o apaixona: a fotografia. O conflito de Richard em relação à sua atual situação – trabalhar quarenta horas semanais em algo que detesta, em vez de fazer o que descobriu adorar – sobrepuja tudo o mais. Aos quarenta e seis anos, Richard Melton sente-se como um homem encurralado pela morte. Tantos anos desperdiçados chateando-se com o trabalho na agência, para somente agora, perto dos cinquenta, descobrir sua verdadeira vocação! Está fora de questão para ele imaginar-se perdendo um segundo sequer de seu precioso tempo fazendo o serviço de casa! Cada partícula de energia disponível que possui canaliza-se para o que ele chama seu "trabalho real": a fotografia. Entre o levantamento de peso e a concentração despendida na escolha do que fotografar, seu rosto afinou-se muito, e seus olhos estão extremamente fundos. Ele é um homem que acalenta um segredo no coração – *o fato de ter recebido uma segunda chance.*

Evelyn, com quem se encontra casado há dois anos, de esposa veneradora transformou-se numa pessoa que às vezes se sente enlouquecida pela amargura e pela raiva. Richard reserva-lhe tudo o que se relaciona com a casa e vai se tornando cada vez mais inacessível a ela. Em todos esses meses, o único sucesso que ela obteve, no sentido de conseguir que ele mexesse um dedo dentro de casa, foi ensinar-lhe a fazer saladas. De vez em quando ele entra na cozinha e arruma algumas folhas de alface num prato – principalmente quando ela não está lá para fazê-lo por ele. Quanto ao resto, Richard simplesmente não vê, parece incapaz de perceber que ela está constantemente fazendo o serviço doméstico, as compras e o planejamento; é ela quem providencia tudo, limpa a casa e cozinha para receber os amigos e a família dele; é ela quem cuida do filho dele por ocasião de suas temporadas com o pai – além de cuidar dos próprios filhos.

"Você não precisa fazer isso", Richard retruca quando ela reclama.

"Mas *alguém* tem de fazê-lo", ela replica.

Ele dá de ombros. "*Por que* alguém tem de fazê-lo?", ele se pergunta daquele jeito com que apenas as pessoas que sempre tiveram suas necessidades domésticas satisfeitas por outrem podem se perguntar. Ele conclui que isso é um problema dela, algo cuja "elaboração" cabe apenas a ela. (Intuitivamente ele está correto quanto a isso – ela tem de adotar uma posição própria em relação ao problema –; porém, por desconhecer os motivos do próprio ressentimento, ele escapa à sua parcela de responsabilidade na situação.)

Nessa altura, a atmosfera entre os dois acha-se obviamente pesada. Richard está confuso com relação à causa de a esposa mostrar-se tão tensa e distante. Evelyn acha que o porquê de suas atitudes é tão claro quanto a gelatina que serve aos filhos na sobremesa. Há, contudo, algo que escapa também a ela. Inconscientemente, Evelyn não se *permite* comunicar a Richard sua percepção do que está ocorrendo. É estranho. Ela consegue comunicar seus gostos e desgostos, seus temores e ressentimentos relativos a praticamente tudo o mais que acontece. Sai-se bastante bem no cuidar de si mesma; entretanto, aparentemente não consegue reconhecer e libertar-se da paralisante armadilha em que se meteu, desempenhando o papel da *hausfrau*.

Por quê?

Porque, em sua vida particular, Evelyn não tem nenhum equivalente para a fotografia de Richard – nenhum trabalho de que goste, nenhum envolvimento passional com qualquer coisa fora de casa. Embora ganhe quase tanto quanto o marido, ela sente que, em termos de criatividade, Richard ocupa um mundo separado, o que a leva a sentir-se distanciada e só. Na cabeça de Evelyn, o quarto escuro de Richard é uma espécie de *rendez-vous*. O que ela sente é quase um ciúme sexual. Quando Richard adentra o quarto escuro, ele a está abandonando, como se houvesse se dirigido à alcova de outra mulher.

O ciúme se instala nas ocasiões em que nos achamos menos seguras e integradas internamente. À medida que foi notando como o marido, sempre tão adorador dela, estava investindo paixão em sua arte, Evelyn começou a se defrontar com uma crise na própria vida – especificamente, o que *fazer* consigo. Há muito comprometida com um emprego que utilizava apenas uma porção mínima de seus talentos, ela aprendera a abstrair-se de si mesma, entregando-se às atividades de criada, governanta e mãe. Houve época em que se ocupar com os itens que definem a Dona de Casa Perfeita lhe propiciara a sensação de ser ao menos útil. Coisa que não mais ocorre, e é parte da razão de estar se sentindo tão perdida. Os tempos – e os padrões de expectativas em relação às mulheres – mudaram.

Há dez anos, Evelyn tinha o que muitos consideravam uma vida invejável, incluindo uma carreira fascinante e independência financeira. Todos se impressionavam com a facilidade com que combinava o trabalho com a vida doméstica. Ela era perita na cozinha. Enchera a casa com adoráveis peças de antiguidades garimpadas em leilões e lojinhas desconhecidas. A cada ano ela organizava festas de aniversário maravilhosas para os filhos, e frequentemente oferecia requintados jantares aos amigos. No Dia de Ação de Graças não era raro sentar-se à sua mesa, coberta com toalhas de linho branco adamascado e talheres de prata, acompanhada de outras vinte e nove pessoas.

Mas agora era diferente. Agora seu objetivo parecia ser o de trabalhar em alguma coisa que a desafiasse, alguma coisa gratificante. Todo o nível de envolvimento feminino no mundo fora elevado.

Parcialmente em consequência disso, a velha "solução" dos papéis múltiplos – a atividade frenética da Esposa-Mãe-Trabalhadora – não funciona mais para Evelyn. No entanto ela tende a agarrar-se aos velhos papéis por recear comprometer-se com algo novo. Durante o último ano, Evelyn considerou tudo, desde matricular-se num curso de literatura de ficção numa faculdade próxima, até prestar vestibular para Medicina; porém, na hora H, Evelyn parece não conseguir dar nem um passo. Ela vem trilhando o mesmo caminho por tanto tempo que não mais precisa *pensar* sobre as coisas. Ela vem fazendo tudo o que se deve fazer a fim de permanecer à frente no mundo das modelos desde seus dezoito anos, quando foi para a cidade grande. Evelyn era boa nisso, droga! Conhecia todos os truques. Por que deveria jogar tudo fora agora? Nem todo mundo com mais de trinta anos ainda consegue ganhar dinheiro com isso.

Entretanto, uma vozinha dentro dela discorda. Ela precisa de um novo caminho. Realmente não pode mais evitar o conflito. Ele vai crescendo com dolorosa premência em todos os sentimentos conscientes – a raiva, o ressentimento, a sensação de estar sendo ferida e explorada. Exteriorizando seus conflitos internos, Evelyn responsabiliza Richard pelo que ela mesma não se sente capaz de fazer, isto é, sair de casa. *Fazer* alguma coisa. Vender a casa de campo, contratar uma empregada ou promover quaisquer outras mudanças necessárias à facilitação de sua volta aos estudos ou ao início de uma nova profissão – algo que lhe permita desabrochar como ser total e a robusteça com uma nova energia.

As mulheres continuam exercendo o papel de donas de casa, tenham ou não uma carreira fora, porque ainda se sentem dependentes dos maridos e necessitam de alguma coisa – um serviço – com que lhes retribuir[20]. Essa é a razão pela qual elas investem mais na ideia de família do que os homens. É por isso que, não obstante as horas que despendem no emprego, as mulheres persistem na invenção de pratos elaborados com sobras, na preparação de pães e biscoitos caseiros, na confecção de colchas de retalhos que combinem com as cortinas ou o papel de parede do quarto das crianças.

A segurança do casamento – de ser amada e ter quem dela necessite – pode ser uma bênção para aquela que está sob pressão íntima de fazer alguma coisa por si só, mas tem medo. Qualquer reação negativa por parte "dele" pode ser convenientemente transformada num fator externo que venha a distraí-la de seus próprios temores internos. O trabalho, especialmente se concebido como instrumento do próprio desenvolvimento pessoal e não apenas como meio de "ajudar a pagar as contas", é uma forma de separar-se ou individualizar-se. Portanto, pode ser considerado um *afastamento do outro* – coisa realmente assustadora. Melhor marcar passo no "casamento". "Eu realmente me *importo* com minha família" é a racionalização para esse recuo vital básico.

A exaustão expressa pelas mulheres de hoje com relação à sua "dupla carga" é o resultado de um conflito – a contradição entre querer resguardar os seguros limites domésticos sempre apreciados pelas mulheres e o desejo de ser livre e realizadora. Esse conflito não resolvido e, por conseguinte, paralisante, gera o Pânico do Gênero Feminino, retém as mulheres em empregos ou atividades profissionais de nível inferior a seu potencial intelectual e as mantém prisioneiras do "lar".

A maior parte de nós ainda não tomou uma verdadeira decisão quanto à própria vida. A tentativa de manter uma situação na qual nem desistimos de nossa independência *nem* de nossa dependência esgota nossas energias. Conscientemente culpamos os homens por não mudarem, mas, inconscientemente, ansiamos que permaneçam do jeito que são.

CAPÍTULO 7

LIBERTANDO-SE

Depois do término de meu casamento, o que me fez voltar a viver por minha conta, não tardou muito para que emergissem estranhos sinais contraditórios de perturbação. Havia uma tremenda fadiga; por um lado, eu experimentava crises de choro, quando, para mim, era impossível dormir. Por outro lado, esses sintomas depressivos eram contrabalançados por momentos de indescritível alegria e energia, instantes de exultação quase maníacos, já que aparentemente destituídos de razão de ser.

Os melhores momentos eram aqueles em que eu imaginava que algum dia iria obter um real *reconhecimento*. Não tinha bem certeza do que isso significava, exceto que equivalia a alguma forma de resgate. "Eles" me descobririam, "eles" reconheceriam meu caráter, meus talentos ocultos e poderiam me remover daquele grande e vazio apartamento sem vida, transportando-me para alguma fronteira excitante, em que satisfações desconhecidas me aguardavam. Às vezes, tarde da noite e ligeiramente bêbada, eu dançava para mim mesma em frente do espelho. Nessas horas usava apenas um chapéu de abas curtas com uma longa pluma. Ainda recordo essa imagem em parte pelo seu contraste tão gritante com aquele outro aspecto da minha personalidade – a colegial tímida, jovem, insegura e sem experiência. Essa era a parte de mim que desejava permanecer em segundo plano, contentando-se com a mera sobrevivência. Essa era a mulher que se autorretraía, feliz se o aluguel estava pago e o telefone ainda não fora cortado. De que mais precisava além de um pouco de comida e um pouco de calor?

Perto do fim desse período de minha vida, o aspirador de pó enguiçou. Sintomático foi eu não haver me mexido para que fosse consertado. "A vassoura serve", eu me dizia enquanto varria o apartamento dia após dia. "Afinal de contas, as mulheres não usavam vassoura antes da invenção do aspirador?"

Como eu andava assustada na época! Que vida mais limitada e reprimida a minha! Eu me sentia agradecida quando ganhava entradas para o teatro, ou se era incumbida de escrever alguma coisa sobre um espetáculo de balé, pois então podia assisti-lo de pé nos corredores do New York State Theater. Lá meus olhos se arregalavam com um misto de espanto e admiração pela jovem bailarina sobre o palco esbanjando perícia e perfeição, movendo o corpo vigorosamente ao som da triunfante música de Stravinsky. Por alguma razão eu preferia pensar na bailarina como uma mágica. Eu não conseguia conciliar a majestade de seu desempenho com o suor escorrendo-lhe pelo corpo ou com as contorções de seu rosto quando, durante uma pausa na dança, tendo as costas para o público, eu a via ofegante, clara e odiosamente cansada. Ela então parecia esgotada, vulnerável, exausta pelo esforço de ter se entregado por inteiro. Eu não queria ver a conexão entre a magnificência de sua arte e o trabalho duro, torturante que tinha de se impor para alcançar aquele grau de desempenho. Essa visão me presenteava com uma verdade desagradável: uma mulher arquejante, descontrolada e – mesmo que por um breve lapso – horrível de ver. Seus esforços afrontavam dolorosamente meus sonhos de glória – sonhos que, sem eu saber, eram caracterizados por uma ponta quase vingativa: eu não deveria ter de *lutar pelo* reconhecimento. Ele deveria vir a mim tão fluidamente quanto um manto de seda caindo-me pelos ombros.

Fortes ondas de oposição estavam em ação aqui. Ao mesmo tempo que minha autoestima era dolorosamente baixa, minhas fantasias a meu respeito eram grandiosas. A ideia de que realmente deveria *empenhar-me* para conseguir o que almejava era humilhante; ela parecia validar aquela outra terrível opinião sobre mim mesma: que, não sendo muito inteligente e com certeza não original, só me restava mourejar. Eu era a insignificante irmã adotiva cuja única razão de ser era a de manter a lareira acesa, o borralho limpo. Tal como Cinderela, eu sonhava com uma fada madrinha, um príncipe – *qualquer* pessoa que me proporcionasse uma saída.

Se tudo o que se deseja é segurança, basta uma existência limitada e insípida. Eu não me contentava com isso. Sentada sobre minha grande cama vazia naquele triste inverno de 1973, com os canos do aquecimento tinindo e o ar quente escapando dos radiadores para turvar as janelas, minha mente era assaltada por imagens de como seria ser forte e autêntica, livre da ansiedade. Aos vinte e sete anos, enfiada em outro apartamento menor com três crianças pequenas, eu costumava ver-me em fantasia usando uma minissaia e botas, atravessando a Fifth Avenue numa Honda vermelha. Agora eu sonhava com outras coisas – com uma produção literária forte e livre: linhas de uma poesia carregada de intensa emoção assomavam-me à mente durante a insônia do meio da noite. Não as pus no papel na época, porém elas me apontavam a intensidade de minha vida interior. Sonhava também com viagens, com idas e vindas com novos amigos e amantes, segura numa gratificante nova conexão comigo mesma.

Subitamente, e pela primeira vez, reconheci ser uma pessoa que desejava. *Desejo, desejo, desejo,* gritava uma voz dentro de mim, apesar de eu ainda ter a impressão de que jamais poderia *obter* o que desejava. Era como se estivesse vivendo dentro de uma membrana rígida, mas translúcida. Enxergava através dela, porém não conseguia dela sair. As coisas que chegara a desejar não eram materiais, mas emocionais; não quantificáveis, mas torturantemente evanescentes: a liberdade de fazer e ser, simbolizada por anseios de mais luz, mais ar puro, meses de férias perto do mar, uma casa no campo.

Reprimidos, meus desejos conflitantes de ser livre e estar em segurança mantinham-me presa. Eu praguejava, eu dançava, eu chorava. O chão sob meus pés se deslocava. Disso tudo adviriam benefícios. Alguns anos mais se passariam; amigos partiriam; as pessoas diriam que eu havia mudado. Eu teria me tornado diferente – uma pessoa diferente. A ansiedade desapareceria, mas com ela igualmente sumiria o que me levava a dançar com ar sonhador na frente do espelho. Se era para curar a cisão que me atormentava, teria de renunciar a muita coisa. Adeus à comodidade da segurança; adeus às glórias que se podem fantasiar quando se está vivendo principalmente voltado para si mesmo.

Elaborando o conflito interno

Uma vez que o conflito interno entre dependência e independência tenha sido percebido, identificado, isolado da fina trama constituída pelo cotidiano do indivíduo, é possível saltar do apertado quarto do medo em direção às planícies abertas da liberdade?

Não é tão simples. Há todo um processo aí. Os terapeutas chamam-no de "elaboração". Não é necessário fazer um tratamento (em termos formais) para se aprender a elaborar um conflito. Precisa-se, sim, ser sistemático e persistente. Uma conscientização vaga e generalizada de que se está em conflito não adiantará muito. O empenho concreto, sim. Deve haver um esforço consciente e deliberado para perseguir – e separar – os fios embaraçados que compõem a meada do conflito, se se deseja descer da gangorra imóvel da estase.

O conflito entre querer ser livre e querer ser abrigado e protegido é insidioso, porque carrega consigo uma vantagem oculta. O conflito nos permite permanecer exatamente onde estamos. A condição que admitimos desejar (a independência) age como acobertamento de algo que desejamos com igual intensidade, mas não podemos admitir: a dependência – a necessidade de uma deliciosa segurança primordial. Pressionados por esses dois desejos opostos, conseguimos permanecer num limbo. O limbo tem suas vantagens. Pode não ser muito quente, mas também não é muito frio. Não é excitante, mas também não é o mesmo que estar morto.

É impossível elaborar a dependência se se é incapaz de identificá-la; isso é certo. A identificação dessa tendência, pois, é o primeiro passo para a sua resolução. Tem-se de conscientemente procurar seus sinais. Naquela época em que passava as madrugadas rebolando, com meu chapéu de pluma, eu também reclamava muito de que a razão por eu não ganhar a vida como escritora era que "eles" (os editores) eram cegos ao valor do trabalho de todos os pobres escritores. Aliando-me a todos os pseudoescritores surgidos sobre a face da Terra, fiz-me de vítima. "Recusava-me" a fazer qualquer coisa que contrariasse meus ideais, xingava o sistema e convenientemente continuava produzindo o mesmo trabalho que sempre produzira repetitivamente. A ideia de que eu podia estar com *medo* de arriscar algo novo, de que talvez eu não tivesse coragem de experimentar coisas diferentes, de entregar-me ao desconhecido – essa ideia jamais me ocorreu. Meus problemas permaneceram confortavelmente escondidos enquanto eu continuava a reclamar.

O trabalho não era a única parte de minha vida atingida pelo conflito. Minha vida amorosa era uma bagunça, dividida que (eu) estava entre a necessidade de ser amada e o desejo igualmente forte de rejeitar essa necessidade. O aparente narcisismo daqueles namoros noturnos com o espelho contrastava agudamente com a maneira como me sentia ao examinar-me as feições à luz do dia. "Você está envelhecendo", eu dizia. "Você está feia." Aquela preocupação com a decrepitude, aquela preocupação com a idade – com qualquer coisa que me levasse a sentimentos negativos em relação a mim mesma –, deveria ser interpretada como um sinal.

Naquele tempo, eu estava tendo um relacionamento limitado e insatisfatório com um homem casado. Enquanto dançava vaidosamente à noite, de dia receava não conseguir "agarrar" esse homem, que me fascinava justamente em razão de seu distanciamento. Não obtendo o amor que a outra parte de mim reivindicava, eu recriminava o homem por ser obtuso, por ser covarde demais para arremessar-se num relacionamento louco e passional comigo. Era, naturalmente, pura projeção. Era *eu* a covarde. Continuei a encontrar aquele homem várias tardes por semana durante um ano, mantendo-me, pois, segura – e infeliz.

Tanto no trabalho quanto no amor, portanto, eu me via derrubada por inibições de toda espécie. Pensei estar experimentando os inevitáveis temores de uma nova mulher que emergia da estagnação de um longo casamento opressivo. Pode ter sido isso em parte, mas era também muito mais. O impulso para permanecer arriada era forte e chocava-se com o impulso igualmente forte para abrir-me, realizar, "construir um nome". Os dois impulsos – um expansivo e o outro restritivo – pareciam anular-se mutuamente, deixando-me no meio, paralisada. A fadiga instalou-se em minha vida como fuligem sobre os telhados vizinhos. Continuava trabalhando, porém era difícil terminar qualquer coisa. Castigava-me por minha lentidão. Roía as unhas.

O vazamento de energia

As mulheres essencialmente divididas podem apresentar áreas inteiras de sua personalidade eclipsada por precisarem utilizar grandes porções de suas energias a serviço da supressão – ou negação – de um ou outro lado do conflito básico. É assim que tentamos atingir a integridade psicológica.

Eu, por exemplo, estava sempre tentando negar meu impulso para a dependência – e desgastando-me nesse processo. De acordo com a explicação de Karen Horney, a parte de nós que tentamos suprimir é "ainda suficientemente ativa para interferir, mas não pode ser posta a serviço de ações construtivas". O processo, segundo ela, "constitui uma perda de energia, a qual, de outro modo, poderia ser utilizada para a autoasserção, a cooperação ou o estabelecimento de bons relacionamentos humanos[1]".

Essa perda de energia é mais um sinal de conflito associado a uma dependência não conscientizada. O Vazamento de Energia se manifesta na indecisão e na inércia[2]. A mulher em conflito vacila eternamente. "Devo pegar este ou aquele emprego? Devo ficar em casa ou voltar a estudar? Devo amá-lo ou deixá-lo?" A indecisão gasta energia de modo similar a um aparelho de ar-condicionado ligado para aquecer uma casa quando as janelas estão abertas. As decisões podem ser triviais ou fundamentais, mas o processo é o mesmo: obscurecimento, dúvida. Protelações conduzem à autopunição e a um tipo de frustração irada e sem objetivo.

Um estado mental assim cindido nos esvazia, coartando nossa eficácia. Pode-se, por exemplo, levar horas para escrever um simples relatório, ou limpar e rearranjar o roupeiro, ou planejar um jantar. Para a mulher em conflito, até as tarefas mais simples parecem requerer um esforço extraordinário.

A ineficácia resultante da tensão interna geralmente se revela também na forma como nos relacionamos com as pessoas. Se, por exemplo, uma mulher deseja afirmar-se, mas quer igualmente subordinar-se ao outro, ela acabará agindo de modo hesitante.

Se ela precisa pedir alguma coisa, mas também sente que deve impor seu desejo sem passividade, poderá soar autoritária.

Se ela deseja ter sexo, mas também tem um desejo íntimo de frustrar o parceiro, terá dificuldade de atingir o orgasmo. Ela pode jogar a culpa de alguns ou de todos os seus problemas no trabalho excessivo, na falta de sono, na "pouca resistência" ou no que for; contudo, seu estado provavelmente tem muito mais a ver com as contracorrentes de conflito que atuam em seu interior.

Desfazendo o nó

A resolução de um conflito requer mais do que a sutura das várias fendas e rupturas que dividem uma pessoa. A resolução implica a procura dos fatores desencadeantes do conflito, de modo que a *necessidade* de cisão caia por terra.

Como fazer isso? Prestando atenção detalhada em si mesma. Não permitindo que nada aconteça sem um exame meticuloso dos motivos, atitudes e modos de conceituar as coisas. Ao surgimento de um fio – alguma pequena atitude inusitada ou algum traço comportamental percebido e aparentemente em contraposição com o resto de sua personalidade –, *siga-o*. Não diga: "Ah, isso é apenas uma pequena inconsistência em minha mente; isso não faz parte de minha identidade". Faz. E, se perseguir e analisar suas inconsistências, terá o caminho para a raiz do conflito subjacente.

Você pode vir a notar, por exemplo, que oscila entre extremos – que, digamos, vacila entre ser severa consigo mesma e ser autoindulgente. Você pode vir a reconhecer que hesita entre esnobar os outros e acreditar secretamente na superioridade deles. Ou que a sua necessidade de subestimar-se prejudica sua capacidade de competir com êxito, ao passo que, simultaneamente, sua necessidade de triunfo sobre os outros assume a intensidade de uma compulsão. Note especialmente como você oscila entre arrogar-se todos os direitos e o sentimento de que não tem direito a nada no mundo. (Em lugar de ter pena de si mesma por este último sentimento, *suspeite* de si mesma com relação ao primeiro. Arrogar-se todos os direitos equivale a precisar ter tudo a seu modo – característica evidente de uma personalidade dependente.)

O ponto em questão é o seguinte: "inconsistências" de personalidade não são necessariamente aberrações irrelevantes; de fato, elas provavelmente refletem cisões básicas em sua personalidade. Observe-as fria e objetivamente, sem censurar-se por ser menos que perfeita, e elas poderão conduzi-la à percepção de aspectos fundamentais e previamente não reconhecidos de quem você é. Enfrentando – e aceitando – essas suas partes desconhecidas, você acabará descobrindo um novo "eu" integrado e poderoso.

No meu caso, foram estranhas discrepâncias em minha atitude com relação ao dinheiro que finalmente revelaram distorções básicas em meus relacionamentos. Vou contar como segui os fios enovelados de meu problema quanto ao dinheiro, até me levarem ao gigantesco nó que havia anos se vinha embaraçando ao redor de um distúrbio de caráter central: o desejo de ter alguém que fizesse o trabalho pesado por mim; o desejo de ser salva.

Como descrevi no Capítulo 1, uns cinco anos depois de meu casamento se dissolver (e um ano após eu ter me juntado a Lowell), descobri, um tanto vexada, que não queria ter nada a ver com dinheiro. No fundo, eu seria perfeitamente feliz vivendo com uma mesada. Aliás, durante quase dois anos foi exatamente assim que vivi. Lowell pagava todas as contas; tomada de uma incômoda inquietude, eu não ganhava quase nada. Minha conta no banco local estava praticamente sempre a zero. (E ao mesmo tempo minha autoestima.)

O conflito se configurava assim: por um lado, eu achava humilhante ter de me dirigir a Lowell e pedir-lhe dinheiro toda vez que precisava mandar os sapatos para o conserto; por outro lado (foi aqui que tive de desemaranhar inúmeros fios do grande nó interno), *a situação mais me agradava do que desagradava.*

Quantas brigas foram necessárias até eu me dispor a ouvir – e aceitar – o que Lowell me dizia: que eu estava me acomodando à custa *dele*, bem como à minhas; que existiam outras coisas mais gratificantes, em termos de realização, que ele poderia estar fazendo com suas energias do que sustentar cinco pessoas. Por fim não pude mais ignorar a justiça de seus apelos.

Entretanto, não era somente a pressão de Lowell que estava me colocando em conflito. Quanto mais eu lhe permitia *carregar* a responsabilidade por meu bem-estar, pior eu me sentia em relação a mim mesma.

Depois de grande luta interna, experimentando também uma enorme raiva, finalmente arrastei-me para fora dessa "sarjeta" e comecei a realizar alguns trabalhos produtivos. O dinheiro começou a entrar – mais, aliás, do que eu ganhava antes. Todavia, o fato de eu ainda almejar ser cuidada mostrava-se na maneira como eu administrava – ou melhor, *não* administrava – meus novos ganhos. Eu sempre pensara que, se tivesse o bastante, livrar-me-ia do incômodo de ter de administrar esses fundos. Essa é uma atitude característica. *Ah, se eu tivesse bastante dinheiro,* opinava, *nunca mais teria de ficar fazendo continhas!* Nunca teria de controlar as coisas, administrá-las, tomar *consciência* delas; nunca teria de reconhecer a terrível realidade de tudo.

Descobri que meu maior truque era evitar a conferência dos cheques que emitia. Desse modo, eu nunca sabia meu saldo. Quanto mais deixava de controlar meus débitos, mais complicava minha vida. Sem saber com certeza quanto dinheiro possuía em dado momento, eu podia continuar a sentir-me indefesa. Como poderia avaliar se deveria gastar tanto em um novo par de botas ou se teria meios para pagar um seguro de vida (ou, se fosse o caso, comprar um seguro de vida?). A única imagem mental que se me impunha era a do último grande depósito que fizera (como free-lancer, meus depósitos eram grandes, se bem que irregulares). Sem levar em conta todos os cheques que pudesse ter emitido *desde* aquele depósito, eu apenas tinha na cabeça os, digamos, 5 mil dólares originais.

Mas de vez em quando um instinto de sobrevivência me advertia: "Ei, é hora da prestação de contas". Em geral, chegada a hora em que me forçava a calcular minha situação financeira, o saldo, fosse qual fosse, funcionava como um pedacinho de sabão na mão de uma criança. Recusando-me a cuidar de meu pequeno tesouro, recusando-me a protegê-lo, a colocá-lo num local seguro, a tocá-lo apenas quando necessário, eu invariavelmente acabava limitando-me a ler as irrisórias sobras e perguntar: "Para onde foi todo aquele dinheiro?".

A recusa em lidar com dinheiro funcionava tanto como um símbolo do meu ser indefeso quanto como sua *causa*. Eu nunca me dava conta de que meu saldo estava diminuindo; portanto, muitas vezes, levava um choque quando ele se esgotava. Por que essa negação crônica e cega? *Eu não queria enfrentar o fato de que ia ter de continuar realimentando meus fundos — incessantemente — pelo resto da vida.*

Passados muitos meses de dor e confusão, resolvi: "Faça uma conferência constante de seus gastos e veja como vai se *sentir*".

O que senti foi incompetência. Eu era incapaz de parar de gastar. Estava sempre perdendo, jamais ganhando. Nunca conseguiria nivelar entradas e saídas; nunca poderia criar um equilíbrio entre as duas coisas.

Depois de um tempo, comecei a ver que toda a história de conferir talões de cheque era uma metáfora. *Não* fazer a conferência era uma forma de evitação. Eu *gostava* de não saber de quanto dinheiro dispunha, pois assim podia persistir em não assumir responsabilidade nenhuma pelas consequências de meu comportamento. Quantas vezes as contas do dentista de meus filhos eram postas de lado enquanto eu balançava a cabeça, descrente, dizendo: "Mas este mês simplesmente não dá!". Contudo, outros que ganhavam menos do que eu eram capazes de pagar suas contas. Outras pessoas que eu sabia que ganhavam menos tinham assistência médica e planos de aposentadoria ou seguros – todas as providências chatas, mas realistas, adotadas pelos adultos com o fim de proteger seus filhos e dependentes idosos. Continuei evitando essas realidades, crendo, de algum modo, estar isenta de seus efeitos; acreditando que, se aguentasse o bastante – se pagasse o aluguel, as contas de telefone e saldasse meus compromissos em geral –, eventualmente seria poupada das vicissitudes dessa vida ruim, assustadora e *exigente*, e seria salva!

Manter os talões de cheque atualizados não constitui apenas uma boa política financeira: é uma boa política emocional. Significa manter um contato dia a dia, ou até momento a momento, com a realidade. Significa não deixar uma explosão de raiva irromper sobre as crianças ou sobre o homem com quem vivo. Significa não deixar as coisas rolar quando estou deprimida, mas parar, sentar-me e verificar a situação: o que está acontecendo aqui? Para onde estão indo minhas energias? De onde está vindo minha satisfação? A energia que estou despendendo corresponde ao montante de satisfação produzida, ou há um desnível? Estou gastando mais do que recebo? Se é assim, como posso obter mais?

Questões como essas são parte de um processo autorregulador. Tento ser minha própria conselheira. Aposso-me da responsabilidade por minha felicidade ou infelicidade, em vez de transferir essa responsabilidade para outrem. A conferência constante de minha "conta psíquica" reduz a possibilidade de eu reter um quadro distorcido e irrealista das coisas. Sei quais são meus "fundos", porém também conheço minhas limitações. Tendo delimitado essas realidades, consigo estabelecer objetivos e prioridades significativos e viver realisticamente no presente. A conferência constante de minhas ações e atitudes implica meu engajamento concreto na vida, a ativação de minha mudança e crescimento, em vez de uma espera de que "algo aconteça" – de que o príncipe encantado apareça. Eu posso efetivamente tornar-me esse "príncipe" realizador.

O sonho revelador

Às vezes, é somente nos sonhos que nossos sentimentos de desamparo e frustração emergem. Uma jovial e atraente mulher de cinquenta anos que vinha tentando reunir coragem para abandonar um decepcionante casamento de dezoito anos descreveu-me a nitidez e a vivacidade que coloriram o que ela denominou seu "sonho da piscina". Ele teve lugar exatamente um ano antes de sua separação e constituiu sinal tão evidente que fê-la despertar, sentindo-se inundada de energia. Eis o que ela me contou:

> Eu estava boiando como um cadáver numa imensa piscina e tentando falar, mas não conseguia me fazer compreendida. Jim (seu marido) estava de pé ao lado da piscina, tentando falar com meu cadáver. Eu "viva" estava de pé ao lado da piscina, defronte de Jim, e gritava: "Não fale com ela! Você não está vendo que essa não sou eu? Aqui! Olhe para mim! *Eu* sou esta!".

A amarga verdade revelada pelo sonho era que o marido dessa mulher nunca a enxergava objetivamente. Mais importante ainda, revelou que ela estava muito envolvida na manutenção de seu "eu real" oculto. Essa era a verdadeira mensagem do sonho; ao reconhecê-la, sentada na cama no meio da noite, começou a soluçar. Não era apenas "dele" – o marido indiferente – que ela estava se escondendo. Era de quaisquer pessoas com quem pudesse ter tido um relacionamento íntimo e gratificante. Conquanto desejasse aquele relacionamento, conquanto almejasse desesperadamente tê-lo, ele estava perdido para ela; dar vazão ao "eu real" era por demais ameaçador.

A dra. Alexandra Symonds contou-me o caso de uma paciente que a procurou por estar se sentindo deprimida. Pouco depois de começar a terapia, a mulher teve um sonho. Estava pendurada do lado externo do prédio de apartamentos onde morava, a muitos metros do chão, agarrando-se desesperadamente ao beiral da janela com a ponta dos dedos. No interior do apartamento, o marido passou pela janela. A mulher tentou gritar por socorro, mas tudo o que pôde fazer foi produzir um murmúrio abafado. O marido afastou-se sem ouvi-la.

O poderoso simbolismo de sonhos como esses representa, segundo a dra. Symonds, toda uma categoria de mulheres que, embora muito bem-sucedidas em sua vida profissional, são profundamente perturbadas pela necessidade inconsciente de serem cuidadas. Os sonhos são reveladores. Para algumas pessoas, eles podem constituir-se no primeiro indicador de que algo está errado.

Eles podem também apontar para o fato de que velhos padrões estão se quebrando e há mudanças em curso. Uma professora universitária com um histórico de dificuldades de autoasserção sonhou estar num automóvel, tentando dizer ao motorista o que fazer. Alguns meses depois, após ter se conscientizado do fato de necessitar exercer mais controle sobre a própria vida, ela sonhou estar sentada no banco de passageiros de um carro em movimento que não tinha motorista.

Um sonho desses pode ser perturbador, mas pode também, como nesse caso, significar progresso. A mulher avançou no sentido de atingir a fronteira do reconhecimento de que estava só e desprotegida no mundo, sentada no banco de passageiros, num carro sem motorista. (Uma vez que *isso* tenha sido percebido, pode-se muito bem decidir sentar-se no banco do motorista.)

Um sonho pode ainda ser um arauto de um novo mundo, provindo não da fama ou da sorte, mas derivado de alguma resolução interna. Depois de diversos anos de análise, tive o que desde então apelidei de "meu sonho do Harlem*". No sonho, o Harlem figurava como uma metáfora para a própria vida, um mundo estranho e heterogêneo que fervilhava de surpresas, alegrias e perigos potenciais. Foi assim que ele se desenrolou:

Estou subindo a pé uma das ruas principais do Harlem, provavelmente a Seventh Avenue. Estou acompanhada de duas amigas. Tenho a impressão de não ter vindo ao Harlem há muito tempo. É assustador, porém, ao mesmo tempo, sinto não ser tão assustador. *"Vou conseguir me virar"*, disse a mim mesma. *"Existem jeitos e dicas especiais para a gente se virar no Harlem. Sobreviver aqui não é só questão de sorte."*

O volume de ação e movimento nas ruas – a multidão, o barulho, os veículos – me perturba. Estou preocupada com minha segurança. De repente, paramos para olhar a entrada de um lugarzinho apertado, especializado no preparo de peixe frito. Minhas amigas entram diretamente; eu, atordoada com a enorme variedade de coisas a escolher, permaneço fora, inteiramente imobilizada. Finalmente entro

---

* O Harlem é um bairro de Nova York constituído basicamente de minorias pobres e considerado muito perigoso e violento. (N. da T.)

– forço-me a entrar no "restaurante" –, torcendo para que o ato de movimentar-me ajude a optar assim que eu esteja lá dentro.

Lá, sobre o balcão, há coisas torturantemente apetitosas – escalopes grelhados, imensas metades de abacates. Subitamente vem-me à mente o pensamento de que talvez eu não tenha dinheiro suficiente. Reviro os bolsos e, para meu alívio, acho 35 centavos. "Quero duas ostras", peço ao atendente alto do balcão. Ele está vestido de branco, com um grande chapéu de cozinheiro na cabeça. Perpassa-lhe nos olhos um brilho malvado e suspeito quando empurra as ostras em minha direção. Conto minhas moedas desajeitadamente, tremendo, e ele agarra-me pelo ombro. "Vi o que você estava fazendo!", grita. "Você estava tentando cobrir a de 5 (centavos) pra eu pensar que era de 25."

"Não, não estava", protesto, zangada. "Eu só estava confusa." Pego as ostras e saio daquele lugar.

No meio da Seventh Avenue alguns homens estão entretidos num jogo de rua, pulando uma corda em movimento suspensa a uns trinta centímetros do chão. Fito-os, chego à conclusão de que não pretendem machucar ninguém e salto sobre a corda. Contudo, fico com raiva de minhas amigas por não terem me avisado. "Ei!", grito. "Por que vocês não me avisaram disso antes de eu descer da calçada?"

Elas dão de ombros, então eu penso: *"Quem sabe eu esteja fazendo uma tempestade em copo d'água. Talvez atravessar uma rua movimentada seja algo que simplesmente implique pôr os pés no chão e seguir em frente".*

Quando alcanço o lado oposto da rua, minhas amigas estão me aguardando, e as pessoas apinhadas na calçada não parecem mais tão ameaçadoras. É sábado à tarde no Harlem. O sol brilha. Árvores frondosas enfeitam a calçada. Paramos para observar algumas menininhas brincando.

Em meus esforços por captar a mensagem dos sonhos, atento para o que sentia e pensava durante seu desenvolvimento. Esse sonho principiou com um sentimento de ansiedade e mal-estar num local estranho. Depois fui colocada diante de uma superabundância de opções convidativas e vi-me incapaz de agir em meu próprio benefício. Rememorando o sonho, acho quase insuportável a sensação de impotência nesse sentido. *Havia coisas boas à minha disposição, mas eu não conseguia mover-me em sua direção.* Alguma coisa estava me fincando, como que enraizada, na calçada. Imobilizada.

Então veio o momento crucial do sonho. "Vá assim mesmo", instigava uma voz interna. "Você não pode ficar aí parada."

Nesse instante, algo em mim decidiu mover-se.

Após entrar no restaurante, senti-me confusa e insegura. Tive de verificar e reverificar minhas moedas. Quanta dificuldade em reunir as moedas suficientes para pagar minha comida! Finalmente passei pela experiência de ser acusada injustamente – aliás, irracionalmente – pelo homem do balcão. Ele não só estava errado, como foi ruim comigo – arbitrariamente ruim.

Mas e daí? Esse tipo de loucura não podia mais me abater. A maldade dos homens, a arbitrariedade dos homens eram problemas *deles*. Agora, capaz de cuidar de mim mesma, se alguém não me tratasse decentemente eu estava livre para afastar-me. Foi o que fiz. Disse ao homem que ele estava errado e saí.

Fiquei apavorada na rua, mas ainda assim atravessei-a.

Fiquei brava com minhas amigas por não me protegerem, mas notei que estava sendo tola.

O negócio era atravessar a rua – levantar e mover meus pés, olhar se vinham carros e caminhões, abrir caminho entre tudo e todos – por minha conta.

Quando cheguei ao outro lado senti-me melhor, menos vulnerável, realmente deliciada com a beleza daquela tarde. Eu havia cruzado a rua sem me ferir. Comi minhas ostras, que estavam deliciosas, por 35 centavos. Eu me negara a ser intimidada pelo desafiante homem do restaurante. Em lugar de ansiedade, senti prazer. Tive boas sensações observando as menininhas entretidas em sua brincadeira. Minhas costas se aqueceram suavemente com o sol.

Senti-me, numa palavra, inteira.

Devo advertir que o momento em que meu "eu interior" disse "Vá" nada tinha a ver com força de vontade. É impossível "pôr-se de pé na base do tapa", do "ou vai ou racha", e passar à ação entre conflitos extremados. Se força de vontade fosse a resposta ao problema, eu nunca teria escrito este livro. Aquele impulso para a frente do "eu interior" surgiu como resultado de um longo e significativo *processo*, o processo de identificar as contradições dentro de mim e então elaborá-las[3]. A vontade não pode ser comandada a nosso bel-prazer. Quando se está inteiro e sem conflitos, a vontade, por um lado, opera automaticamente.

Por outro lado, quando se é invadido por sentimentos e atitudes mutuamente opostos, a vontade é anulada. Isso quer dizer que se torna impossível *escolher* o que fazer na vida; age-se apenas segundo uma *compulsão à ação*. Permanece-se no mesmo emprego medíocre não porque nos agrada e o escolhemos ou porque, nas palavras de algumas mulheres, "meu trabalho não é tão importante para mim como minha família". Tal qual a advogada Vivian Knowlton, permanece-se nele porque *a necessidade de subordinar-se está em relação inversa à necessidade de vencer, e fica-se paralisada entre as duas necessidades.*

No campo do amor, não se escolhe o parceiro pela alegria de compartilhar a vida com outro ser humano. Se a gente está em conflito, como Carolyn Burckhardt, casa-se pela necessidade compulsiva e indiscriminada de ser amada, desejada, aprovada, cuidada.

É essa mesma necessidade que nos cega para o fato de que nem todo mundo é bom e digno de confiança – e então desmoronamos quando alguém se nos revela mau ou hostil.

É essa necessidade que nos leva a fazer qualquer coisa para evitar brigas e desaprovação.

Enfim, é essa necessidade que nos leva a subordinar-nos, a adotar posições secundárias, a automaticamente assumir culpas. Daqui à síndrome do "pobre de mim" há somente um pequeno passo. As mulheres que são dominadas pela compulsão de adotar posições secundárias acabam realmente prejudicando suas potencialidades. *Num certo grau, tornam-se aquilo a que são levadas a se tornar: hesitantes, inseguras, excessivamente vulneráveis.*

Arrebatando-se à armadilha da dependência

Não muito após haver abandonado a vida de "filha bem-comportada" e fugido para as liberdades irrestritas de Paris, no outono de 1929, Simone de Beauvoir conheceu o homem que viria a ser o amigo, mentor e amante pelo resto de sua vida: Jean-Paul Sartre. Ambos tinham vinte e poucos anos, sendo ele um pouco mais velho que ela. Em muitos aspectos, sua ligação rápida e sólida com esse homem permitiu-lhe romper os laços familiares que tanto a tinham reprimido durante a adolescência. Foi uma fuga para um terreno extremamente exótico e intelectual. No início, os dois amantes passavam praticamente todo o tempo juntos, liam os mesmos livros, procuravam os mesmos amigos e, em geral, cultivavam suas ideias tão simbioticamente que, em sua autobiografia, Simone usa frases como "nós achamos" a "nossa ideia".

Quando comecei a ler sua descrição do relacionamento que mantinha com Sartre na época, fiquei aturdida com a enorme fusão existente naquela relação. Ela parecia tão inteiramente enredada na sensibilidade dele que era difícil imaginar que um dia se desembaraçaria o bastante para entregar-se ao excelente trabalho intelectual e criativo que veio a desenvolver individualmente mais tarde. É bem verdade que Sartre era um gênio; contudo, essa mulher brilhante e interessante constituía como que um objeto dele, sujeito. "Eu o admirava por construir seu destino com as próprias mãos, sem ajuda externa", ela escreve. "Longe de sentir-me constrangida por pensar nele como superior a mim, tal ideia me proporcionava alento[4]."

Ela contava apenas vinte e um anos e era aparentemente tão romântica como qualquer jovem de sua idade. Entretanto parecia que, se queria libertar-se do padrão destrutivo que ia tão claramente se delineando em seu relacionamento com Sartre, ela teria de fazer alguma coisa – alguma coisa radical. "Minha confiança nele era tão completa", escreve, "que me oferecia o tipo de segurança absoluta e infalível que anteriormente encontrara em meus pais ou em Deus".

Simone e Jean-Paul caminhavam juntos pelas ruas de Paris, conversavam interminavelmente, bebiam nos bares até as duas horas da manhã. Ela se surpreendia quase levitando num delírio de felicidade. "Meus anseios mais profundos estavam agora satisfeitos", prossegue sua narrativa. "Não me restava nada a almejar, a não ser que esse estado de triunfante felicidade continuasse eternamente."

A euforia durou mais de um ano, até a irrupção de algo inquietante que veio sutilmente abalar aquele gozo pleno. Ela começou a suspeitar que havia renunciado a uma parte essencial do seu "eu". Sua complacente entrega à onda de estímulos sensuais e intelectuais oferecidos por Paris estava começando a exercer um efeito fragmentador sobre ela. A ficção que escrevia era marcada pela indiferença, faltando-lhe convicção. "Por vezes eu sentia estar fazendo algo como uma tarefa de escola, ou produzindo paródias", prossegue.

Durante dezoito anos, De Beauvoir viveu num agudo estado de conflito. "Embora eu ainda perseguisse entusiasticamente todas as coisas boas deste mundo, começava a pensar que elas estavam me afastando de minha real vocação; eu trilhava o caminho da autotraição e da autodestruição." Os livros que sempre lera tão obsessivamente, percebia agora, lia-os sem concentração, sem vistas a um enriquecimento intelectual. Apenas esporadicamente escrevia em seu diário. Impelida pelo desejo de ter tudo, estava de mãos e pés atados. "Não conseguia forçar-me a renunciar a nada", confessa, "de sorte que fiquei incapaz de fazer opções".

A dúvida passou a invadir Simone. Quanto mais permanecia inativa — intelectual e emocionalmente subordinada a Sartre —, mais se convencia de sua mediocridade. "Sem sombra de dúvida eu estava abdicando de mim mesma", registrou mais tarde. O vivenciar um relacionamento de subserviência com Sartre lhe dera falsa paz de espírito, uma espécie de estado de êxtase livre de ansiedade no qual não se esperava muito dela, apenas que fosse uma companheira adequada.

Inevitavelmente até essa adequação começou a se deteriorar. "Você antes tinha tantas ideias novas, Castor", dizia Sartre, usando o apelido que lhe dera. (Então ele passou a adverti-la do perigo de transformar-se em "uma dessas mulheres introvertidas".)

Posteriormente, com uma análise de perspectiva mais madura, De Beauvoir reconheceu quão perigosamente fácil lhe fora existir, quando moça, subjugada a outrem. Alguém "mais fascinante" do que ela. Alguém a quem podia idealizar e em cuja sombra podia sentir-se pequena e segura.

Havia, é claro, um preço a pagar. Uma vozinha sutil passou a filtrar-se através da consciência da jovem. "Não sou nada", dizia. Ela deu-se conta de "haver interrompido uma existência própria; agora era apenas uma parasita".

Apesar de ser considerada pelas feministas uma das construtoras do feminismo moderno, Simone de Beauvoir não visualizava a solução para o seu problema como unicamente determinada pela cultura. Embora reconhecesse que até seu modo de encarar o problema tinha raízes no fato de ser mulher, "foi como um indivíduo", afirma, "que tentei resolvê-lo".

Abruptamente e com determinação, Simone decidiu aceitar um cargo de professora por um ano — longe de Sartre, longe de Paris — na cidade de Marselha. Tinha esperanças de que a solidão a fortaleceria "contra a tentação com que vinha duelando havia dois anos: a de capitular".

Em Marselha, Simone montou um esquema de atividades rigoroso e obsessivo, como forma de exorcizar seu impulso para a dependência. Nos dois dias da semana em que não trabalhava ela caminhava – não de modo casual, como num mero passeio, mas com a perseverança de alguém combatendo um grave defeito físico. Punha um vestido velho e sapatos confortáveis e arrumava uma cestinha com lanche. Saía então para sua aventura no desconhecido, subindo todos os picos, descendo todas as encostas, explorando "todos os vales, gargantas e desfiladeiros".

À medida que aumentavam sua força e resistência, aumentava o número de quilômetros percorridos. No princípio ela andava durante somente cinco ou seis horas, mas logo tornou-se capaz de cobrir trajetos que requeriam nove ou dez horas. Com o tempo chegou a ultrapassar a marca de quarenta quilômetros diários de caminhada. "Visitei cidades grandes e pequenas, vilarejos, abadias e castelos... Com perseverança e tenacidade redescobri minha missão de salvar as coisas do esquecimento."

Ao passo que antes, diz ela, fora "intimamente dependente de outras pessoas", contando com que lhe propiciassem regras e objetivos, agora ela tinha de abrir seu próprio caminho, sem auxílio externo, dia após dia. Ela pegava carona com motoristas de caminhão, de modo a atingir depressa as mais distantes estradinhas. Adotou uma posição ativa e agressiva em relação a seus propósitos. "Quando eu estava escalando rochas e montanhas ou descendo penhascos, procurava descobrir atalhos, de sorte que cada expedição revelava-se um trabalho de arte."

Durante aquele ano, ocorreram três coisas que a assustaram. Uma vez ela foi seguida por um cachorro em seu passeio solitário, e o cão começou a enlouquecer de sede com o passar das horas. (Por fim ele se atirou num regato que encontraram.) Outra vez o motorista de caminhão que lhe dera carona repentinamente saiu da estrada principal e dirigiu o veículo para o único ponto deserto em toda a área. Assim que percebeu o que estava acontecendo, ela mentalizou rapidamente um plano. No momento em que o caminhão diminuiu a velocidade para fazer uma curva, Simone abriu a porta e ameaçou saltar com o veículo ainda em movimento. "Envergonhado", relata ela, "o homem parou e me deixou partir".

O terceiro episódio envolveu uma cadeia de profundas gargantas que ia percorrendo numa tarde ensolarada. A trilha se estreitava gradativamente; ela calculou ser impossível retornar pelo mesmo caminho por onde viera e, portanto, seguiu em frente. "Finalmente", prossegue, "uma parede rochosa íngreme lá estava bloqueando a passagem, e tive de recuar, voltando a cruzar uma depressão após outra. Por fim cheguei a uma falha na rocha que não ousei saltar".

Aqui sem dúvida houve um rito concreto de passagem — situação na qual poucas mulheres se aventurariam deliberadamente. "Não havia ruídos, exceto o som produzido por uma cobra deslizando entre as pedras secas. Nenhuma alma viva jamais passaria por aquele desfiladeiro; e se eu quebrasse uma perna ou torcesse um tornozelo, o que seria de mim? Gritei, mas não obtive resposta. Continuei gritando por um quarto de hora. O silêncio era apavorante."

Simone criara uma situação da qual ela não poderia desistir sem pôr em risco sua vida. O que fez? A única coisa que *poderia* fazer. Muniu-se de toda a coragem e, no fim, conseguiu descer com segurança.

Os amigos de De Beauvoir preocupavam-se com ela e aconselhavam-na a desistir daquelas perigosas caminhadas solitárias. Em especial, insistiam que parasse de pedir carona. No entanto, ela estava numa missão muito mais relevante que qualquer coisa que imaginassem. Com firme propósito, ela estava recuperando sua alma.

O que significa assumir a pessoa que se é? Significa assumir a responsabilidade pela própria existência. Criar a própria vida. Planejar a própria programação. As caminhadas de Simone de Beauvoir constituíam o método e eram o símbolo de seu renascimento como indivíduo. "Sozinha andei sob a névoa que cobria o cume de Sainte-Victoire e percorri a cordilheira do Pilon de Roi, avançando contra um forte vento que atirou minha boina vale abaixo. Sozinha novamente, perdi-me numa ravina montanhosa na cadeia do Luberon. Esses momentos, com todo o seu calor, ternura e fúria, pertencem a mim e a ninguém mais."

Em 14 de julho, Dia da Bastilha, pronta para regressar a Paris, ela era, sob muitos aspectos, uma pessoa diferente. Fizera amigos e avaliara pessoas por sua conta unicamente. Descobrira o prazer de estar só. Revendo as lições que aprendera naquele ano admirável, ela escreveu: "Não li muito, e o romance que escrevi não tinha valor. Por outro lado, trabalhei na profissão que escolhera sem perder o ânimo e reconquistei um novo entusiasmo. Eu estava saindo triunfante dos testes a que me submetia; a separação e a solidão não destruíram minha paz de espírito".

E então a afirmação derradeira, a afirmação que parece tão pequena, tão óbvia, uma vez que se tenha passado pelos rigores necessários para alcançar esse estado de equilíbrio: "Eu sabia que agora podia contar comigo mesma".

Quando começamos a ver quanto contribuímos para nossa própria fraqueza e vulnerabilidade, quanto na realidade nutrimos e defendemos nossa dependência, então, lentamente, começamos a sentir-nos mais fortes. "Quanto mais enfrentamos nossos conflitos e buscamos nossas próprias soluções", escreveu Karen Horney, "mais liberdade e força ganhamos". É quando assumimos a responsabilidade por nossos problemas que o centro de gravidade começa a fazer o crucial deslocamento do Outro para o Eu. Nesse ponto, algo notável acontece. Mais energia fica à nossa disposição. A energia anteriormente perdida no Vazamento de Energia, no processo exaustivo de repressão daqueles aspectos de nossa personalidade que sentíamos ser inaceitáveis ou assustadores. Se deixamos de precisar defender-nos e proteger-nos deles, essa mesma energia se torna disponível para atividades mais positivas. Gradualmente ficamos menos inibidas, menos invadidas pelo medo e pela ansiedade, menos atormentadas pelo autodesprezo. O velho Pânico do Gênero Feminino que tanto nos acompanhou desaparece. Temos menos medo dos outros. Temos menos medo de nós mesmas.

Libertando-se

O objetivo final é a espontaneidade emocional – uma vivacidade interna que permeia tudo o que fazemos, todos os projetos de trabalho, todas as interações sociais, todos os relacionamentos amorosos. Ela provém da convicção: "Sou a força básica de minha vida". E ela conduz ao que Karen Horney denomina *sinceridade* – a capacidade de "ser sem fingimento, ser emocionalmente sincero, ser capaz de colocar-se integralmente nos próprios sentimentos, no trabalho, nas próprias crenças[5]".

Penso nas mulheres que conheci e que parecem possuir essa sinceridade. Algumas são pessoas criativas e altamente talentosas; outras levam vida mais simples, menos visivelmente dramática. Mas, quer sejam multitalentosas e sofisticadas habitantes de centros urbanos, quer sejam donas de casa do interior, a característica de "estar presente" – de ter se "libertado"

– é inegável. A maneira como experimentam a vida é qualitativamente diversa daquelas que não se libertaram; a das primeiras é mais rica, menos rotineira, menos regulada por regras e convenções institucionais. Até o modo de *manifestar* sua experiência é diferente.

Pearl Primus, a coreógrafa, contou como executou seu doutorado em Antropologia simplesmente *sendo*:

> Minha vida tem sido como subir um rio. Vez ou outra eu ouvia cânticos atrás de alguma curva do rio, e lá ia eu e me ocupava em viver. Às vezes anos se passavam, e aí eu me dava conta: "Ah, meu Deus, preciso terminar este doutorado". Assim, no processo de fazer o doutorado, tenho vivido muitos rios e muitas pessoas. A Antropologia se tornou parte de mim, em vez de algo superimposto[6].

Surge um momento – um "momento psicológico" que pode durar semanas ou até meses, mas que é frequentemente experimentado como um momento específico no tempo – no qual os determinantes de personalidade criadores do conflito parecem se desenredar, e a mulher é libertada da prisão que a mantinha imobilizada. Quando isso acontece, tudo se torna possível. Pode haver mudança de emprego, mudança de casa, novos relacionamentos, produções criativas nem sonhadas anteriormente.

As mulheres que se libertaram descobrem-se repentinamente com energia para o *engajamento*. Elas se agarram com tenacidade à vida, sendo ao mesmo tempo livres para acompanhar os altos e baixos de seus eventos. Surge a nova experiência de estar completamente viva, na qual se é mais livre que nunca para tomar decisões, para aceitar ou rejeitar coisas de acordo com os desejos do verdadeiro "eu".

Experiências emocionais poderosas aguardam aqueles que realmente abandonam os "scripts" sociais. Uma mulher de Chicago, de quarenta e poucos anos, que ainda vive com o marido e o ama, está também intensamente envolvida com um homem com quem trabalha. Ele também é casado, de modo que o tempo de que dispõem para estarem sós é limitado. Várias vezes ao ano viajam juntos a negócios. Em uma dessas viagens, após alguns dias, a mulher sentiu vontade de esquiar. O amante não gostava de esquiar e além disso não terminara o trabalho que tinha de realizar em Boston. "Decidi esquiar sozinha", disse-me ela. "Tomei um ônibus no meio da tarde; enquanto subíamos as montanhas de Vermont, começou a nevar.

Lembro-me da sensação de estar sentada sozinha naquele ônibus, olhando pela janela e vendo as luzes se acender nas cidadezinhas por onde passávamos. Senti-me tão bem, tão segura no reconhecimento de que podia ser eu mesma, fazer o que quisesse – *e também ser amada* – que comecei a chorar."

A mulher que se libertou tem mobilidade emocional. Ela é capaz de mover-se em direção às coisas que lhe são gratificantes e distanciar-se das que não o são.

Ela também é livre para ser bem-sucedida: para estabelecer objetivos e agir de modo a atingir esses objetivos sem temer o fracasso. Sua autoconfiança deriva de uma avaliação realista de suas limitações e capacidades. Um dos exemplos mais inspiradores que conheço de uma mulher que foi livre para vencer é o de Jean Auel. (Seu primeiro romance, *The Clan of the Cave Bear* – O clã do urso da caverna –, tornou-se de imediato um sucesso de vendagem.) Eis uma pessoa que se recusou a deixar sua vida ser determinada por ocorrências externas. Em vez disso, ela assumiu a responsabilidade pelo delineamento de sua vida – muito embora existissem outras que dependiam dela.

Jean casou-se aos dezoito anos de idade. Aos vinte e cinco já tinha cinco filhos. Cuidando da casa e das crianças e simultaneamente trabalhando como perfuradora numa fábrica da Tektronix perto de sua casa em Portland, Oregon, ela ainda estudava à noite, obtendo um mestrado em Administração. (Ela não tinha o bacharelado.) De posse do mestrado, conseguiu subir até a posição de gerente comercial da Tektronix, responsabilizando-se, assim, por operações financeiras no valor de 8 milhões de dólares. Então, alguns meses depois de seu quadragésimo aniversário, ela deixou o emprego; decidira que desejava escrever um romance.

Tudo começou com uma ideia que lhe ocorrera numa noite e que se desenvolveu numa história sobre uma menina Cro-Magnon que vive na sociedade mais primitiva de Neanderthals. Jean Auel leu mais de cinquenta livros, estudando tudo o que se conhecia a respeito dos povos primitivos. Em seguida fez o primeiro rascunho – 450 mil palavras. Ao fazê-lo, aprendeu uma coisa: não sabia o suficiente para escrever romances. Portanto, passou a preparar-se para isso. Começou com leituras dos livros da filha sobre literatura de ficção. Escreveu e reescreveu. Então, após algumas recusas por parte dos editores, mandou uma carta para um agente literário nova-iorquino que conhecera num encontro de escritores em Portland.

Oito semanas depois ela assinava um contrato de 130 mil dólares por *The Clan of the Cave Bear*[7].

Eis uma mulher que abriu as portas de sua vida aos ventos da mudança. Eis uma mulher sem medo de trabalhar, de adentrar áreas não experimentadas – de adentrar o desconhecido, o estranho, o novo. Eis uma mulher que acredita em si mesma, e a crença em si própria é a linha mestra do viver plenamente.

Aprendi que a liberdade e a independência não podem ser arrancadas dos outros – da sociedade em geral, ou dos homens –, mas podem começar a ser desenvolvidas interiormente. Para alcançá-las, teremos de renunciar às dependências que vimos usando como muletas para sentir-nos seguras. No entanto, a troca não é tão perigosa. A mulher que acredita em si mesma não precisa enganar-se com sonhos vazios, com coisas que estejam além de suas capacidades. Ao mesmo tempo, ela não vacila diante das tarefas para as quais se acha preparada. Ela é realista, segura e ama a si própria. Ela está finalmente livre para amar os outros, *porque* ama a si mesma. Todas essas coisas, e nada menos que elas, constituem a mulher que se libertou.

AGRADECIMENTOS

Gostaria de agradecer a Lowell Miller e a meus filhos Gabrielle, Conor e Rachel pela compreensão – e aceitação – de meu enclausuramento no escritório de casa. Durante meu último ano de trabalho neste livro, frequentemente a porta do escritório se fechava até a meia-noite. Poucas e espaçadas foram as queixas deles, e jamais injustas.

Já no início da pesquisa entusiasmei-me muito com as contribuições obtidas em duas bibliotecas em particular. Percebi, então, que raramente as bibliotecas acham espaço entre os agradecimentos dos escritores. Assim, quero expressar meus agradecimentos à Biblioteca da Universidade Princeton e à Biblioteca da Academia de Medicina de Nova York. A Biblioteca da Universidade Princeton tem estantes abertas (a todos), o que delicia o pesquisador sério. Embora as estantes da Biblioteca da Academia de Medicina de Nova York não sejam abertas ao público, qualquer um obterá o auxílio necessário por meio dos bibliotecários, sempre competentes, rápidos e corteses.

As mulheres que entrevistei foram maravilhosamente abertas e motivadas a ajudar. É delas, creio eu, o "material" mais importante deste livro. As informações conseguidas em bibliotecas e entrevistas com cientistas sociais delinearam os contornos da obra *Complexo de Cinderela*; sua carne e osso são constituídos pelas histórias das mulheres.

O relacionamento com meu psicanalista, Steven Breskin, sem dúvida teve papel central no desenvolvimento de minha independência, bem como no forte desejo de comunicar o que aprendi a outras mulheres. Ele foi o primeiro adulto em minha vida – aqui incluo professores, empregadores e parceiros em relações afetivas – a não apoiar minha dependência.

Lowell Miller foi o segundo. (Olhando para trás, agora, percebo o interessante fato de que não foram mulheres que se recusaram a apoiar minha dependência, mas sim dois homens.)

Paul Bresnick, da Summit, fez observações cruciais sobre o manuscrito; graças a seus esforços, este livro apresenta-se melhor do que originalmente.

Além de ser o tipo de agente literário que poucos escritores têm a sorte de ter, Ellen Levine tem sido para mim uma constante fonte de inspiração, em virtude do seu próprio crescimento na direção da independência.

Finalmente desejo agradecer a minha filha Gabrielle, que começou a datilografar o manuscrito quando tinha dezesseis anos de idade, terminou – três rascunhos mais tarde – aos dezessete e foi tão sensível ao material e tão inteligente que, no rascunho final, foi capaz de oferecer sugestões editoriais valiosas.

NOTAS E FONTES

CAPÍTULO 1

1. As pessoas dependentes geralmente demonstram sua agressividade por meio de críticas. O dr. Martin Symonds, um psicanalista de Nova York e estudioso das vítimas de criminosos, investiga como a agressão é manifestada por pessoas que se julgam indivíduos sem autoridade. Num texto denominado "Psychodynamics of Aggression in Women" (Psicodinâmica da agressão nas mulheres), ele escreve que a crítica torna-se uma espécie de substitutivo para o poder ativo. "É um método muito eficaz em pessoas ansiosas com baixa autoestima. Ao expressarem suas críticas, criam a ilusão de que, se fossem elas a fazer 'aquilo', o fariam melhor. O exemplo clássico é o do passageiro no banco de trás de um automóvel, ditando ao motorista o que devia estar fazendo. Aliás, a maioria dos indivíduos dessa categoria não dirige." (*American Journal of Psychoanalysis*, 1976.)

2. O sentimento aqui expresso lembra-me de algumas mulheres que se definem à psiquiatra Ruth Moulton como "bravas, porém dependentes". (Moulton, a cujo trabalho me refiro bastante neste livro, é professora de Psiquiatria na Universidade Columbia e analista didata e supervisora no Instituto William Alanson White e na Clínica Psicoanalítica Columbia, na cidade de Nova York.) Num artigo intitulado "Women with Double Lives" (Mulheres com vida dupla), ela diz que essas mulheres "exigiam um extraordinário reasseguramento por parte dos homens e, se não o obtinham, voltavam-se contra o marido com uma espécie de 'transformação malévola', para empregar a expressão de Sullivan. O marido, falhando em satisfazê-las, é subitamente visto como o 'pai mau'. Conquanto a paciente e o marido tenham combatido os pais e as convenções no início do casamento, mais tarde o marido transforma-se no inimigo, tomando o lugar dos pais". (O tema deste artigo é discutido mais a fundo, junto a uma citação, nas Notas e Fontes do Capítulo 4.)

3. "O que é a dependência?", pergunta Judith Bardwick, psicóloga da Universidade de Michigan. "No princípio, é de forma normal que a criança se relaciona com as pessoas. Posteriormente, em crianças maiores e em adultos, ela parece ser um modo de lidar com a tensão, uma reação à frustração ou uma proteção contra frustrações futuras. Pode ser *afetiva* – deseja-se e força-se a obtenção de comportamentos afetivos ou protetores por parte de alguém, especialmente de um adulto. O comportamento dependente também pode ter a finalidade de conseguir *ajuda* a fim de solucionar um problema que não se consegue resolver sozinho. Pode também ser *agressiva* – na luta pela atenção ou afeição de alguém, impede-se que outrem as receba. Em todos os casos, dependência significa falta de independência.

Dependência é depender de alguém que nos dê apoio." (Citação retirada do livro de Bardwick, *The Psychology of Women: A Study of Biocultural Conflicts*) (Psicologia Feminina: Um Estudo de Conflitos Bioculturais, 1971.)

4. Citação tirada de Alexandra Symonds, psicanalista casada com Martin Symonds (ver Nota 1) e que vem escrevendo muitos artigos sobre a dependência neurótica em mulheres bem-sucedidas na carreira. Essa observação em particular consta da discussão (publicada) que a dra. Symonds fez de um artigo de outra psiquiatra, "Psychoanalytic Reflections on Women's Liberation", na primavera de 1972, publicado na *Journal of Contemporary Psychoanalysis*. (O artigo discutido era de Ruth Moulton.)

CAPÍTULO 2

1. Essa e a citação subsequente são parte do artigo de Coburn intitulado "Self-sabotage: Women's Fear of Success" (Autossabotagem: O medo feminino do sucesso), publicado na revista *Mademoiselle,* em 1979.

2. Citação tirada de "Can I Stay at Home Without Losing my Identity?" (Posso ficar em casa sem perder a identidade?), por Anne T. Fleming, *Vogue* (1978).

3. De *The Psychology of Women: A Study of Biocultural Conflicts* (1971).

4. Citação retirada de *Working it Out* (Uma Elaboração) (1977), um livro esclarecedor e muito bem articulado, no qual vinte e três escritores, artistas, cientistas e estudiosos de diversas áreas falam de sua vida e trabalho. (Editado por Sara Ruddick e Pamela Daniels.)

5. Dados do Departamento de Trabalho dos Estados Unidos da América.

6. Citação retirada do artigo de Wright intitulado "Are Working Women *Really* More Satisfied? Evidence from Several National Surveys" (As mulheres que trabalham *realmente* estão mais satisfeitas? Evidências colhidas em diversas pesquisas de âmbito nacional) e publicado na *Journal of Marriage and the Family* (1978).

7. O primeiro material resultante desse famoso estudo conduzido por Terman e Ogden foi publicado em 1947. Durante vários anos essa mostra original de crianças bem-dotadas foi acompanhada e investigada. O mais recente desses estudos (conduzido por P. S. Sears e M. R. Odam e relatado em *The Psychology of Sex Differences* – A Psicologia das Diferenças entre os Sexos – por Eleanor Maccoby e Carol Jacklin) revelou que mulheres de meia-idade que foram crianças bem-dotadas sentem-se mais amargas e desapontadas em relação à sua vida do que homens que também foram bem-dotados na infância. Segundo Maccoby e Jacklin, "de modo geral, os homens tiveram vida consideravelmente mais 'bem-sucedida' em termos de realizações pessoais fora da esfera doméstica, e as mulheres tendem a olhar para trás e arrepender-se de ter perdido o que agora veem como oportunidades jogadas fora". Maccoby e Jacklin apresentaram um outro estudo, publicado em 1971, que mostra que *a autossuficiência e a complexidade do ego decrescem nas mulheres de dezoito a vinte e seis anos, ao passo que, nos homens, elas aumentam.* A socióloga Alice Rossi assinala que a sociedade "espera dos homens que aspirem a empregos do mais alto prestígio profissional, de acordo com suas capacidades; mais: seu emprego deve testar e aumentar suas habilidades, do contrário não será suficientemente 'desafiante'. Se tal não é o caso, se um homem aceita um emprego abaixo

de suas capacidades, tendemos a considerar isso um 'problema social', um 'desperdício de talento'... *O que contrasta agudamente com o fato de não somente tolerarmos, mas encorajarmos as mulheres a tomar empregos abaixo do nível de suas habilidades, precisamente porque isso libera energias a serem postas a serviço de seus papéis centrais na família".* (Essa citação é encontrada em "The Roots of Ambivalence in American Women" – As raízes da ambivalência nas mulheres americanas –, publicado numa antologia chamada *Readings on the Psychology of Women* – Textos sobre Psicologia Feminina – e editada por Judith Bardwick.)

8. Citação retirada do artigo de Symonds intitulado "Neurotics Dependency in Successful Women" (Dependência neurótica em mulheres bem-sucedidas), *Journal of the American Academy of Psychoanalysis* (1976).

9. *Ibid.*

10. "The Liberated Woman: Healthy and Neurotic" (A mulher liberada: sadia e neurótica), *Journal of the American Academy of Psychoanalysis* (1974).

11. Essa informação se baseia num estudo de 32 mil alunos de duzentas escolas do país, conduzido em 1973 pela American College Testing, responsável por aplicar exames de vestibular.

12. De acordo com o Departamento do Censo, as áreas são: pedagogia, inglês e jornalismo, belas-artes e artes aplicadas, línguas estrangeiras e literatura, enfermagem e biblioteconomia. Uma década antes (1966), 65% de todos os bacharelados, 76% de todos os mestrados e 47% de todos os doutorados outorgados a mulheres pertenciam a essas áreas. "Em outras palavras", disse Frances Cerra, que transmitiu esses dados estatísticos ao *The New York Times,* "70% do aumento de doutorados outorgados a mulheres entre 1966 e 1976 ocorreram em cursos tradicionalmente femininos" (11 de maio de 1980).

13. Pearl Kramer foi originalmente citada num artigo na revista *Columbia,* da Universidade Columbia, intitulado "Women's Education and Careers: Is There Still a Sex Link?" (Educação e carreiras femininas: ainda existe correlação com o sexo? – 1980).

14. Citações retiradas de "The Problems of Working Women" (Os Problemas das Mulheres que Trabalham), artigo do *Wall Street Journal,* publicado em 13 de setembro de 1978. Aí relata-se também o fato um tanto notável de que, na época, dos 68 mil empregados qualificados da General Motors, apenas 58 eram do sexo feminino.

15. Kathy Keating, responsável pela elaboração da pesquisa efetuada pela revista *Better Homes and Gardens,* assinala num artigo denominado "Are Working Mothers Attempting Too Much?" (As mães que trabalham fora estão se esforçando demais?), publicado em outubro de 1978, que as donas de casa que não trabalham fora "não necessariamente vivem num mar de rosas". Sua preocupação fundamental associa-se à frequência de divórcios entre suas amigas de meia-idade. No entanto, prossegue Keating, "a preocupação expressa com mais frequência e mais hostilidade diz respeito ao fato de que o movimento pelos direitos da mulher rebaixou o papel da mãe 'de tempo integral'". Aparentemente essas mulheres não enxergam a conexão entre não ter um emprego e ser dependente (como o são) e sua perturbação com a crescente taxa de divórcios. Ameaçadas, dirigem sua raiva para o movimento feminista. (Vale notar que uma pesquisa com a pergunta "Are Working Mothers Attempting Too Much?" agitou o suficiente para levar 30 mil leitoras a anexar cartas ao formulário de perguntas publicado em *Better Homes.*)

16. Adentrar o mundo após haver passado algum tempo dentro de casa com a família pode ser – e geralmente é – um choque. As donas de casa raramente reconhecem quão inexperientes são até tentarem "retornar ao mundo". Em casa, nota Ruth Moulton, "a mulher pode

continuar sendo essencialmente infantil e dependente sob a máscara do estar cuidando da família. Somente quando tenta sair é que descobre quão fóbica, limitada, desinformada e não preparada realmente estava"; a esse respeito, ler "Women with Double Lives", *Journal of Contemporary Psychoanalysis* (1977).

17. A "gravidez como evitação" é um fenômeno largamente conhecido. Judith Bardwick afirma que, quando os filhos são pequenos, mães com educação superior frequentemente queixam-se de sentir-se sufocadas em casa e dizem-se ansiosas pelo dia em que poderão retomar os estudos e "realizar seu potencial". "É fácil falar", diz Bardwick, "mas difícil enfrentar um possível fracasso e a perda da autoestima. À medida que os filhos crescem e a possibilidade de assumirem uma profissão se torna uma realidade, seu interesse declina. O mecanismo lógico e imediato para se proibirem a entrada no mundo ocupacional é uma nova gravidez 'acidental'". *(The Psychology of Women.)*

18. Essa citação e a que a ela se segue foram retiradas de um artigo não publicado de Ruth Moulton, "Ambivalence About Motherhood in Career Women" (Ambivalência em relação à maternidade em profissionais do sexo feminino).

19. Esse dado é fornecido por Joyce Miller, presidente de uma associação em prol da mulher que trabalha (Coalition of Labor Union Women), num artigo da revista *Newsweek*, "The Super Woman Squeeze" (Apuros da supermulher), no número de 19 de maio de 1980.

20. Esse dado veio do Departamento de Censo dos Estados Unidos.

21. Esses dados foram liberados no outono de 1980 numa Miniconferência sobre Mulheres Idosas, patrocinada pela Casa Branca e realizada em Des Moines, e publicados no *The New York Times* num artigo intitulado " 'If Your Face Isn't Young': Women Confront Problems of Aging" (Se seu rosto não é jovem: as mulheres confrontam-se com problemas de envelhecimento), publicado em 10 de outubro de 1980.

22. Marjorie Bell Chambers, presidente da Associação Americana de Mulheres Universitárias, realizou um estudo mostrando, entre outras coisas, que o número de esposas desativadas está crescendo rapidamente. São mulheres entre trinta e cinco e sessenta e quatro anos de idade que se tornaram responsáveis pelo autossustento como resultado de um divórcio, uma separação ou a morte do marido. Em 1976, os Estados Unidos tinham mais de 9,5 milhões delas – o dobro do total registrado em 1950. De acordo com Milo Smith, o total atual é de 25 milhões. (Ver "The Displaced Homemaker – Victim of Socioeconomic Change Affecting the American Family" – A esposa desativada – vítima de mudanças socioeconômicas afetando a família americana), por Marjorie Bel Chambers em *The Journal*, publicado pelo Instituto de Estudo Socieconômico.

23. As pensões caíram a tal nível que nenhuma mulher deve considerá-las suficientes para se manter se o casamento se desfizer. Um estudo feito em 1979 entre 9 mil leitoras da revista *McCall's* (e publicado em março daquele ano) revelou que apenas 10% delas recebiam algum tipo de pensão. Descobriu-se que a mulher que está em melhores condições de receber uma pensão é aquela que, juntamente ao lado do marido, tinha uma renda de 40 mil dólares anuais ou mais ou que está com mais de cinquenta anos, foi casada por no mínimo vinte anos ou tem pelo menos três filhos.

24. Citação e dados estatísticos extraídos de "The More Sorrowful Sex" (O sexo mais infeliz), artigo publicado em *Psychology Today*, no número de abril de 1979.

25. Num teste relatado por A. A. Benton na *Journal of Personality* (1973), pediu-se aos participantes, agrupados em casais, que barganhassem um com o outro e negociassem um contrato

financeiro. As normas da "tarefa" estipulavam que um dos participantes deveria ganhar mais dinheiro que o outro. Antes de iniciarem, as mulheres esperavam ganhar menos dinheiro que os homens e esperavam ser menos ativas e eficientes nas negociações.

26. Estudos demonstrando que as mulheres, comparadas com os homens, experimentam níveis mais altos de ansiedade quando submetidas a testes, foram relatados por Bardwick e por Matina Horner. (Quanto a Horner, ver as Notas e Fontes do Capítulo 6.)

27. Ruth Moulton planejou esse estudo ao perceber que muitas mulheres competentes não lecionam por serem fóbicas. As observações que fez das alunas de pós-graduação de Columbia foram apresentadas em "Some Effects of the New Feminism" (Alguns efeitos do novo feminismo), artigo lido em 1976 na reunião conjunta da Academia Americana de Psicanálise e da Associação Americana de Psiquiatria.

28. Realizada em 4 de maio de 1975, a palestra da dra. Symonds foi subsequentemente publicada na *Journal of the American Academy of Psychoanalysis* (1976), sob o título "Neurotic Dependency in Successful Women".

29. Robin Lakoff, "Language and Woman's Place" – (Linguagem e o lugar da mulher, 1978).

30. Citação retirada de "Conversational Politics" (Política de conversações, maio de 1979).

31. Citação retirada de um artigo intitulado "Women and Success: Why Some Find It So Painful" (As mulheres e o sucesso: por que algumas delas sofrem tanto com ele) e publicado no *The New York Times*, em 28 de janeiro de 1978.

CAPÍTULO 3

1. A raiva aos homens pode funcionar como uma defesa caracterológica – defesa essa que, como Clara Thompson assinalou há quarenta anos, traz consigo "gratificações secundárias". Quando existe uma tendência cultural geral no sentido de se ter raiva de uma opressiva "sociedade machista", cada mulher tem "a ilusão de estar acompanhando e perseguindo a liberdade de sua época". Isso lhe fornece uma saída aceitável no que concerne à manutenção de um relacionamento íntimo com um homem. O que ela não percebe é que um relacionamento heterossexual íntimo pode acionar todos os perigosos sentimentos relativos às dependências infantis primitivas. "Sua luta para alcançar alguma espécie de superioridade sobre os homens", diz Thompson, "é uma tentativa de impedir a destruição daquelas partes de seu psiquismo". (Ver seu artigo intitulado "Cultural Pressures in Psychology of Women" – Pressões culturais na psicologia das mulheres na revista especializada *Psychiatry*, 1942.)

2. A definição clássica da fobia explica-a como um "mecanismo de deslocamento", desviando a ansiedade relativa ao objeto de medo original para substitutos cada vez mais remotos e implausíveis. Segue-se o caso de uma mulher que se tornou fóbica em relação a dirigir, quando seu temor real era ser assertiva. Esse caso foi extraído de *The Theory and Practice of Psychiatry* (Teoria e Prática da Psiquiatria), de Frederick Redlich e Daniel Freeman (New York: Basic Books, 1966). A paciente, uma mulher pálida, linda e retraída, continha trinta e dois anos. Declarou haver procurado a terapia devido a problemas maritais, nos quais, de modo sadomasoquista, aguentava demais do marido, passivo, extravagante e irresponsável.

De modo quietamente eficiente e abnegado, ela era bastante dominadora; trabalhava fora, cuidava do lar, dos filhos e das finanças, e daí por diante. Num marcante contraste com sua eficiência, sua única "fraqueza" aparente era um espantoso e (considerando-se que ela vivia num subúrbio, onde sempre se depende de automóveis) curiosamente inconveniente medo de dirigir, função essa por ela equacionada com o poder e a masculinidade. Dizia que o carro esporte que achava indicado para o marido era arrojado demais para ela; embora se mostras-se solidamente sensata quanto à maioria das coisas, afirmava com voz irada que, sem ter um domínio total da mecânica, ela ou qualquer pessoa seria um motorista perigoso, arriscando a si e aos filhos. Assim, evitava aprender a dirigir – salvo algumas exasperadas, esporádicas e complicadas demonstrações da "técnica" exibida pelo marido. Como jamais pedia favores, ou andava ou, de vez em quando, recebia carona de amigos ou do marido. Tinha uma ima-gem ruim de si mesma e das mulheres em geral; entretanto, exagerava o "desamparo femini-no"; além disso, superestimava de modo ridículo as consequências da assertividade. A esse respeito seu mimado marido era o primeiro a reforçá-la, qualificando exigências razoáveis por parte da esposa como "autoritarismo". A fobia dela parecia ser uma tentativa de proteger-se das queixas de que ela era agressiva e autoritária, que determinava as regras (isto é, que ocu-pava o banco do motorista) e expressava sua necessidade de ser dependente – por ela equa-cionada com a fraqueza. À medida que foi dando vazão à consciência de culpa pelos desejos de dependência e pelos impulsos agressivos e foi distinguindo as naturezas da competência e da masculinidade, sua fobia passou a ceder...

3. Teorias novas e não ortodoxas estão emergindo como explicações das fobias femininas. Uma delas diz respeito ao conceito do "trauma da falta de acontecimentos", formulado pelo dr. Robert Seidenberg. Com base nas informações fornecidas por suas pacientes, ele crê que algumas mulheres ficam fóbicas contemplando a falta de acontecimentos na vida delas. A ansiedade surge como resultante do medo de que sua vida continue sem significado indefini-damente. Essas mulheres têm medo da vida, porém temem ainda mais a falta de vida em sua vida. Nelas, diz Seidenberg, o ataque de ansiedade fóbica é autopreservativo, uma reação ao fato de estarem sendo *objeto em sua própria vida*. (Seidenberg, professor de Psiquiatria no Upstate Medical Center em Syracuse, Nova York, vem produzindo diversos artigos com a finalidade de conclamar uma reavaliação das forças que operam sobre as mulheres e dentro delas. Três desses, incluindo "The Trauma of Eventlessness" – O trauma da falta de aconte-cimentos –, podem ser encontrados em *Psychoanalysis and Women* – Psicanálise e Mulheres – editado por Jean Baker Miller, M. D.)

CAPÍTULO 4

1. Laura Carpenter é diretora de um maternal e jardim de infância em Detroit. Seu artigo "Sexism in the Nursery" (O sexo no maternal) apareceu na *Harper's* de abril de 1978.

2. Um dos objetivos fundamentais dos Clubes de Meninas Americanas é oferecer serviços so-ciais e educacionais a meninas e jovens entre seis e vinte e um anos, provenientes de famílias de renda baixa. A organização vem recentemente dando grande atenção ao fato de que as meninas em nossa cultura não recebe nem um pouco mais de ajuda no movimento para a

independência do que em outras épocas. As observações de Edith Phelps foram citadas num artigo intitulado "The Plight of U. S. Girls" (O drama das meninas americanas) e publicado no *The New York Times*, em janeiro de 1979.

3. Elizabeth Douvan é uma das principais fornecedoras de dados sobre a experiência psicológica das adolescentes dos Estados Unidos. Essa conclusão particular foi baseada numa pesquisa em profundidade realizada com 1.045 rapazes entre catorze e dezesseis anos e 2.005 moças entre onze e dezoito anos. Esse estudo é descrito exaustivamente por Douvan e Joseph Adelson, em *The Adolescent Experience* (A Experiência do Adolescente) publicado em 1966. Os autores mostram que, à medida que crescem, as meninas dão colorido mais sofisticado e racional à sua dependência. A menina de onze anos diz obedecer às regras parentais porque "as regras ajudam as crianças", ao passo que a jovem de dezoito racionaliza sua necessidade de subordinar-se a elas, afirmando não desejar "preocupar os pais".

4. Dados relevantes sobre este assunto podem ser encontrados no *Journal of Pediatrics*, num artigo de 1956 escrito por N. Bayley e intitulado "Growth curves of height and weight by age for boys and girls, scaled according to physical maturity" (Curvas de altura e peso por idade em meninos e meninas, segundo o grau de maturidade física). O fato de que os bebês do sexo feminino são mais dotados verbal, perceptual e cognitivamente do que os bebês do sexo masculino foi há muito reconhecido no campo da Psicologia do Desenvolvimento.

5. Eleanor Maccoby foi recentemente chefe do Departamento de Psicologia da Universidade Stanford. Uma entre os maiores especialistas no campo das diferenças entre os sexos, Maccoby há anos vem dirigindo um programa de pesquisas sobre desenvolvimento infantil em Stanford e é particularmente reconhecida por seu trabalho de investigação das diferenças de funcionamento intelectual de acordo com o sexo. Seu livro *The Development of Sex Differences* (O Desenvolvimento das Diferenças entre os Sexos) é considerado um texto básico nas escolas de Psicologia deste país desde sua publicação, em 1966. Mais recentemente (1974) ela publicou *The Psychology of Sex Differences* (A Psicologia das Diferenças entre os Sexos) em coautoria com Carol Nagy Jacklin, de Stanford. Essa é uma admirável obra referencial com uma bibliografia comentada que cobre mais de mil e quatrocentas referências relativas às diferenças psicológicas (agressão, independência, ansiedade, capacidade para o trabalho analítico etc.) entre homens e mulheres. Cada referência inclui o sumário e os resultados de um teste conduzido nessa área, apresentando assim uma impressionante fonte de informações.

6. O fato de meninos exibirem mais comportamentos independentes do que meninas e de essa diferença aumentar na adolescência é totalmente reconhecido. As razões para tal estão sendo objeto de estudo atualmente, e os resultados são frequentemente controvertidos. Essa teoria sobre as diferenças de desenvolvimento entre meninos e meninas no tocante à independência foi cuidadosamente articulada por Judith Bardwick e Elizabeth Douvan num ensaio sob o título "Ambivalence: The Socialization of Women" (Ambivalência: a Socialização das mulheres). Ele foi publicado em 1971 em *Woman in Sexist Society* (A Mulher na Sociedade Sexista), uma coletânea editada por Vivian Gornick e B. K. Moran.

7. Kagan e Moss estudaram quarenta e quatro meninos e quarenta e cinco meninas entre 1929 e 1954. Durante esse período de vinte e cinco anos, observaram um grau muitíssimo mais alto de dependência nas meninas. De fato, a correlação no comportamento dependente (nas meninas) na infância, na adolescência e no início da vida adulta foi maior do que em quaisquer outras dimensões comportamentais por eles medidas. O padrão observado era

previsivo. Meninas altamente dependentes tornam-se mulheres altamente dependentes, e meninas pouco dependentes tornam-se mulheres pouco dependentes.

8. Os dados comparativos aqui oferecidos, descrevendo a forma de tratamento recebida por bebês do sexo masculino e do sexo feminino, respectivamente, por parte da mãe foram extraídos de uma grande revisão dos estudos nessa área conduzidos por Lois Wladis Hoffman, da Universidade de Michigan. Intitulado "Early Childhood Experiences and Women's Achievement Motives" (As primeiras experiências infantis e as forças subjacentes ao processo de realização nas mulheres) e publicado no *Journal of Social Issues* em 1972, esse estudo é notável tanto pela compreensão como pela força de convicção com que Lois Hoffman faz correlações e tira conclusões do material.

9. Em *The Psychology of Women,* Judith Bardwick apresentou vários estudos da falta de confiança em meninas. Em 1960, Crandall e Robson relataram pequisas com crianças de três a cinco anos e de seis a oito anos. Faltava às meninas confiança em seu trabalho, e elas buscavam ajuda e aprovação nos adultos. Os autores assinalaram que, à medida que crescem, os meninos tendem a retomar tarefas em que fracassaram anteriormente, enquanto as meninas tendem a recuar diante da possibilidade de falhar novamente. Em 1962, Tyler, Rafferty e Tyler relataram estudos demonstrando que as meninas de maternais e jardins de infância que tentavam obter reconhecimento por suas realizações eram também aquelas que mais se esforçavam por obter amor e afeto. As alunas de primário que mais lutavam pelo sucesso acadêmico eram também mais ávidas de aprovação. A correlação entre o nível de realizações e o ganhar amor e/ou aprovação não se aplicava aos meninos. Muitos psicólogos afirmam que as meninas buscam as realizações principalmente como meio de assegurar a obtenção de amor e aprovação, enquanto os meninos buscam as realizações, ou o sucesso, principalmente pelo próprio sucesso.

10. Bardwick cita um estudo efetuado por Crandall, Katlovsky e Preston (1962) no qual fica patente que as meninas entre a primeira e a terceira série (do primeiro grau) não têm autoconfiança e esperam fracassar, ao passo que os meninos esperam vencer. Pelo menos nesse estudo, a falta de confiança nas meninas crescia em relação à inteligência. Já os meninos não eram apenas mais realistas quanto às expectativas que nutriam em relação a si mesmos; tinham padrões mais altos de autoaceitação e sentiam que eles, e não o destino ou outras pessoas, iriam determinar se acabariam conseguindo vencer ou não.

11. Citação retirada do trabalho de Lois Hoffman mencionado acima (ver Nota 8). Os grifos são meus.

12. A dra. Moulton falou sobre essa "síndrome da boa menina" e os fatores intra-psíquicos que a determinam em um artigo apresentado em 1976 na reunião conjunta da Academia Americana de Psicanálise e da Associação Americana de Psiquiatria: "Twenty Years of Progress in Psychoanalysis" (Vinte anos de avanços na psicanálise).

13. A médica Hilde Bruch fez essa colocação quando entrevistada pela revista *People* (26 de junho de 1978). Seu livro *Eating Disorders* (Distúrbios na Alimentação) (New York: Basic Books, 1973) contém um fascinante material sobre os relacionamentos mãe-filha e a anorexia. Ela cita um estudo finlandês que mostra que a mãe de anoréxicas era inibida sexualmente e insatisfeita com o casamento. Tais mães obtinham altíssimos índices em testes de inteligência, mas seu grau de educação formal, posição e encargos profissionais estava comumente abaixo de suas capacidades. Os autores do estudo sentiam que essas mulheres, frustradas no uso de suas habilidades intelectuais e dotes, haviam se resignado a seu destino na época em

que a criança anoréxica nasceu e haviam jogado sobre a criança a tarefa de as compensar por sua própria decepção. Só podiam esperar uma criança passivamente receptora, sufocando todas as tendências à independência. O fator físico na adolescência da menina provocava medo e pânico na mãe, como expressão da independência que foram incapazes de coartar.

14. Martin Seligman, *Helplessness* (Desamparo, 1975). As citações de Follingstad foram extraídas de uma entrevista que tive com ela na Universidade da Carolina do Sul.

15. As meninas deliberadamente procuram uma pungente ausência de colorido e contornos (na vida), uma falta de definição, ao passo que os meninos perseguem total comprometimento e estabelecimento de objetivos (afinal de contas, eles têm de *prover*). Por que as meninas permanecem à sombra? "Elas precisam permanecer fluidas e maleáveis no que toca à sua identidade pessoal, a fim de se adaptar às necessidades dos homens que desposarem", sugere Elizabeth Douvan em "Sex Differences in Adolescent Character Process" – Diferenças entre os sexos no processo de formação do caráter na adolescência – (Merrill-Palmer Quarterly, 1957). Esse padrão, segundo ela, "reflete forças mais ou menos sentidas pela maioria das meninas em nossa cultura". Infelizmente, assim que chegam à idade adulta, o próprio medo de se definirem é considerado neurótico.

16. Ao entrevistar alunas da Universidade de Michigan, Judith Bardwick notou uma discrepância entre sua postura independente e a maneira pela qual se relacionavam com os homens com quem estavam envolvidas. As mulheres, diz ela, eram altamente motivadas a se *perceberem* como independentes. "Elas falam sobre ganhar o próprio sustento, viver sozinhas e daí por diante. Nesse ponto da entrevista dizem em geral que há total igualdade de ambos os parceiros em seus relacionamentos com o namorado ou o marido e que nenhum dos dois domina. Mais adiante, ao descreverem a masculinidade e as características de êxito dos parceiros, costuma ficar claro que ou o homem realmente domina em termos de ter a última palavra no processo decisório ou a mulher espera isso dele – assim, ela o encara como dominador ou o coloca numa posição em que caiba a ele a decisão final." (De *The Psychology of Women*.)

17. No início da década de 1960, no Instituto para o Estudo de Problemas Humanos da Universidade Stanford, Marjorie M. Lozoff estudou quarenta e nove universitárias "competentes" com o propósito de verificar como seu relacionamento com os pais influenciava seu sentido de autonomia pessoal. Descobriu que filhas de mãe profissionalmente orientada tendem a desenvolver uma variedade de talentos e interesses ainda na infância. Contudo, poucas mulheres em sua amostra tinham mãe que combinava carreira e família. Essas mulheres, observou Lozoff, viam-se "lutando com as ambições e os talentos que percebiam em si como forças alienígenas que tinham de ser manejadas de maneira única e frequentemente perturbada".Esse estudo é relatado por Lozoff em seu artigo "Fathers and Autonomy in Women" (Os pais e a autonomia nas mulheres), publicado em *Women and Success* (As Mulheres e o Sucesso), em 1974.

18. A artista Miriam Schapiro (ver Capítulo 2) descreveu o efeito sobre ela dessa visão cindida (pai: eficaz; mãe: ineficaz). Como tantas mulheres, Miriam tentou resolver o conflito identificando-se com o pai, ele também um artista. "Embora hoje eu admire minha mãe por ela lutar para ultrapassar suas limitações", ela escreve, "quando criança eu era agudamente consciente delas. A visão do mundo de minha mãe não era uma visão do 'mundo'; ela vivia 'dentro', 'em casa'". Quando a Depressão forçou a mãe de Miriam a trabalhar numa loja de departamentos, esse fato teve um efeito construtivo sobre a filha. "Aí, já que minha mãe tinha um trabalho 'real' – um trabalho 'no mundo' –, comecei a designar-lhe um espaço anteriormente reservado

unicamente a meu pai; todavia eu ainda acreditava que, para sair ao mundo, para pôr nele uma marca pessoal, tinha-se de ser homem." (Essa citação foi retirada de *Working it Out*, 1977.)

19. Citação tirada de *Working it Out*.

20. Citação tirada do artigo já mencionado de Ruth Moulton ("Women with Double Lives"– Mulheres com vida dupla). Nele, Moulton mostra que um conflito não resolvido em relação ao papai leva muitas mulheres a buscar apoio em homens durante toda a vida. Profissionais do sexo feminino que não recebem suficiente apoio do marido no que tange a seu trabalho – isto é, mulheres com uma excessiva necessidade de apoio – voltam-se para outros homens e provavelmente acabam tendo casos extraconjugais (com homens que trabalham em sua área) como meio de ganhar a "validação consensual" de que precisam para ser capazes de produzir.

21. De estudos de casos descritos em "Women with Double Lives".

22. De *Memoirs of a Dutiful Daugther* (Memórias de uma Filha Bem-Comportada), o primeiro de uma série de livros autobiográficos escritos durante toda a vida de De Beauvoir.

23. No estudo supracitado feito por Marjorie Lozoff sobre as "universitárias competentes", observou-se um grupo de moças que ela chamou de "supercompetentes". (Seguramente Simone de Beauvoir teria sido considerada uma delas.) Os pais das "supercompetentes", segundo Lozoff, "eram reservados, autodisciplinados e perfeccionistas". A perfeição que exigiam das filhas "frequentemente apresentava laivos narcisistas. As jovens pareciam hesitar em se rebelar contra as exigências paternas por temerem perder o pouco amor que recebiam".

24. Citações extraídas de *Herself* (Ela Mesma, 1972), um trabalho autobiográfico de Hortense Calisher.

25. Na sala de estar de seu apartamento na Central Park West, Nova York, perguntei a Ruth Moulton se ela não achava que muitas mães se sentiam ameaçadas pelas decisões das filhas de levarem vida diferente da delas. Ela me disse: "Eu diria que há muito mais mães que aberta ou sutilmente desencorajam as filhas do que as que dizem: 'Estou feliz por você; gostaria de ter podido fazer isso'". Em seguida, com franqueza típica, essa admirável psicanalista feminista com mais de sessenta anos ofereceu-me um exemplo de sua vida. "Minha mãe era musicista. Tentei ser pianista, mas não tinha talento para isso, e ela foi maravilhosa ao interromper minhas aulas de piano, pois sentiu que não iriam me levar a nada. Assim que comecei a estudar Ciências passei a tirar 10 sem esforço. Meu pai era cientista; assim, essa era obviamente a direção a seguir. No princípio minha mãe não objetou, mas, quando decidi fazer Medicina, ela se sentiu ameaçada. Parecia-lhe que eu não me casaria ou, se o fizesse, teria conflitos e competição com meu marido e não seria capaz de criar meus filhos apropriadamente. Ela mesma jamais fizera nada, a não ser dar algumas aulas de música em casa quando nós, os filhos, estávamos na escola, de modo que isso não conflitava com o tempo passado conosco, e para ela isso era compatível. Mas ela não conseguia ver como eu poderia ser médica e ficar com meus filhos; ameaçada, desencorajou-me."

26. Descrito num artigo da revista *Psychology Today* sob o título "The Sexes Under Scrutiny: From Old Biases to New Theories" – Os sexos sob escrutínio: de velhos preconceitos a novas teorias (novembro de 1978).

27. Numa análise da literatura psicológica sobre as mulheres e a autoconfiança, Ellen Lenney cita diversos estudos indicando que as mulheres se atrapalham quando não estão seguras quanto a seu nível de desempenho. ("Women's Self-Confidence in Achievement Settings" – Autoconfiança feminina no quadro das realizações – *Psychological Bulletin*, 1977.)

28. Esse estudo por Schwartz e Clausen foi descrito num artigo citado anteriormente (Schwartz, S. H., e Clausen, G. T., "Responsibility Norms in Helping in an Emergency", *Journal of Personality and Social Psychology*, 1970).

29. As mulheres tendem a ser conservadoras quanto a seus julgamentos em situações ambíguas, de acordo com estudos relatados em *Half the Human Experience: The Psychology of Women* – Metade da Experiência Humana: a Psicologia das Mulheres (1976). Por outro lado, em situações aparentemente muito determinadas, "parece sobrevir uma liberação contrafóbica de audácia", fazendo com que essas mesmas mulheres se tornem bastante atrevidas e autoritárias.

30. Em seu trabalho pioneiro, *The Development of Sex Differences* (1966), Eleanor Maccoby passa algum tempo discutindo estudos relacionados com os efeitos da dependência sobre as capacidades intelectuais. "Um indivíduo dependente e conformista é orientado na direção dos estímulos que emanam das outras pessoas", escreve. "Talvez ele ache difícil ignorar esses estímulos em favor de processos internos de pensamento. O pensamento analítico parece requerer mais 'processamento' interno; Kagan e colaboradores (1963) demonstraram que ele se associa com tempos de reação mais longos do que os da resposta global." J. Kagan, H. A. Moss e I. E. Siegel são os autores de um ensaio intitulado "The Psychological Significance of Styles of Conceptualization" (O significado psicológico dos estilos de conceituação), incluído em *Basic Cognitive Processes in Children*, editado por J. E. Wright e J. Kagan (Monographs of the Society for Research in Child Development, 1963).

31. Essas observações foram feitas por R. S. Wyer, M. Henninger e M. Wolfson no estudo "Informational Determinants of Females 'Self Attributions and Observers' Judgements of Them in an Achievement Situation" (Determinantes informacionais das autoatribuições femininas e os julgamentos de observadores delas em situações de realizações), em *Journal of Personality and Social Psychology* (1975).

32. Clara Thompson foi uma psicanalista que produziu valiosos trabalhos no sentido de ajudar a mudar a maneira como as mulheres eram vistas pela Psiquiatria. Em *On Women* (Sobre as mulheres), livro publicado postumamente e baseado em seus primeiros ensaios, nota-se que a visão que tinha já nos anos 1940 é definitivamente relevante hoje. Ela escreveu: "Mesmo quando a mulher se convence conscientemente de seu valor, ela ainda tem de lutar com os efeitos inconscientes do treino, da discriminação contra ela e das experiências traumáticas que mantêm viva a atitude de inferioridade". A dra. Thompson, primeira presidente do Instituto de Psicoanálise Washington-Baltimore, primeira vice-presidente da Associação Americana para o Avanço da Psicanálise e primeira diretora executiva do Instituto William Alanson White em Nova York, tinha muita consciência da forma pela qual a sociedade encoraja a mulher a ser dependente. "Ela vive numa cultura que não lhe oferece nenhuma segurança, a não ser um permanente assim chamado relacionamento amoroso. Sabe-se que a necessidade neurótica de amor é um mecanismo para o estabelecimento de segurança numa relação de dependência... A ponto de as mulheres apresentarem mais necessidade de amor que os homens, fato que também deve ser interpretado como instrumento de estabelecimento de segurança numa situação cultural produtora de dependência. *O ser amada não somente é parte natural da vida da mulher, como o é da do homem, mas também se torna necessariamente sua profissão.*" (O grifo é meu.)

CAPÍTULO 5

1. Citações retiradas de *Husbands and Wives: A Nationwide Survey of Marriage* (Maridos e Mulheres: Uma pesquisa de âmbito nacional sobre o casamento). Essa pesquisa foi efetuada por Crossley Surveys, Inc. of New York e inclui 3.880 homens e mulheres.

2. Citações retiradas do artigo do *The New York Times* intitulado "Doctors' Wives: Many Report Marriage is a Disappointment" (Esposas de médicos: muitas afirmam que o casamento é uma decepção), de Leslie Bennetts (7 de maio de 1979).

3. No que tange a problemas de separação-individuação no casamento, leia-se *Marriage and Personal Development* (O Casamento e o Desenvolvimento Pessoal), dos psicólogos Rubin Blanck e Gertrude Blanck (1968). Também "On the Significance of Normal Separation-Individuation Phase" (Sobre o significado da fase normal da separação-individuação) por M. S. Mahler, publicado em *Drives, Affects and Behavior* (Impulsos, Afetos e Comportamento), editado por M. Schur (1953).

4. Esse conceito é discutido em um artigo intitulado "Marriage and the Capacity to Be Alone" (O casamento e a capacidade de ser só), de autoria de Joan Wexler e John Steidl, em *Psychiatry* (1978). Wexler e Steidl são professores assistentes de Psiquiatria no Serviço Social na Faculdade de Medicina da Universidade Yale. Eles dizem: "A fusão é uma tentativa de evitar o ser separado, abrir mão da intuição e da empatia madura e recapturar um estado de empatia primitiva..."

5. *Ibid.*

6. Simone de Beauvoir é assustadoramente astuta em relação à discussão sobre a capacidade das mulheres de manipular o ambiente para fazê-lo protetor delas. Ler *The Second Sex* (O Segundo Sexo), particularmente a seção dedicada ao "Casamento".

7. Citação extraída de *Marriage and Personal Development*, citado acima.

8. Marcia Perlstein vive e trabalha em Berkeley, Califórnia, onde a entrevistei.

9. Citação tirada de "Psychology of the Female: a New Look" (Psicologia da mulher: uma nova visão), em *Psychoanalysis and Women* – Psicanálise e Mulheres (1973), editado por Jean Baker Miller, M. D.

10. Barrie Thorne é uma linguista que leciona na Universidade Estadual do Michigan. Entrevistei-a em Stanford, onde ela estava lecionando como docente convidada por um ano. Foi Barrie quem me pôs a par do trabalho de pesquisa a respeito da linguagem das mulheres, discutido no texto e nas notas do Capítulo 2.

11. A informação sobre as boas meninas e os orgasmos foi colhida em *Newsweek* de 22 de outubro de 1979. (Rever também a "síndrome da boa menina", de Ruth Moulton, explicitada no Capítulo 2.)

12. Ver *The Future of Marriage* (O Futuro do Casamento), de Jessie Bernard, em que há uma discussão da excessiva quantidade de "adaptação" feita pelas mulheres em situações conjugais. Bernard menciona estudos indicativos de que a saúde mental das mulheres casadas é pior do que a das mulheres solteiras e do que a de homens casados ou solteiros. Um estudo realizado em 1960, no qual os entrevistados eram 2 mil homens e mulheres casados, verificou níveis sempre mais altos de ansiedade entre as mulheres casadas do que entre os homens casados, mas os autores deram um jeito de interpretar positivamente esses dados. As preocupações das mulheres, disseram eles, implicavam "um investimento na vida".

Os maridos não ansiosos foram descritos como carentes de "envolvimento e aspiração". *(Americans View Their Mental Health; A Nationwide Interview Survey* – Os Americanos Examinam sua Saúde Mental; Uma pesquisa por entrevistas em nível nacional – por Gerald Gurin, Joseph Veroff e Sheila Field.)

13. Citação tirada de *The Future of Marriage.*

CAPÍTULO 6

1. Uma descrição completa do Medo do Sucesso e dos estudos efetuados por Horner consta de "The Motive to Avoid Success and Changing Aspirations of College Women" (O motivo para a evitação do sucesso e da transformação nas ambições das universitárias), reeditado em *Readings on the Psychology of Women.* Esse ensaio foi apresentado pela primeira vez num simpósio denominado "Women on Campus: 1970" (As mulheres no campus: 1970) e patrocinado pelo Center for the Continuing Education of Women, Ann Arbor, Michigan. (Nota: Matina Horner é atualmente presidente da Radcliffe College, uma das mais importantes faculdades americanas com população basicamente feminina.)

2. As conclusões de Horner quanto às mulheres e o sucesso são sustentadas por outros estudos. Tomando-se uma grande variedade de tarefas e de faixas etárias, percebe-se que as mulheres têm expectativas mais baixas de obter sucesso do que os homens (Crandall, 1969). Foi provado que as pessoas com altas expectativas de sucesso tendem a se sair melhor do que aquelas com baixas expectativas, independentemente do nível real de suas habilidades (Tyler, 1958). Uma grande parcela desse trabalho foi resumida em *Half the Human Experience: The Psychology of Women.* Os autores, Hyde e Rosenberg, afirmam: "As mulheres têm expectativas de não apresentar bons desempenhos, o que causa exatamente esse resultado. Ao fracassarem, têm a crença em sua carência de capacidades reforçada, o que promove o rebaixamento de suas expectativas em relação ao sucesso e torna menos provável alcançá-lo. Quando são bem-sucedidas, as mulheres atribuem isso à sorte, e assim suas expectativas quanto ao sucesso não são aumentadas". Uma mulher cuja atitude substancia essa teoria é Katharine Graham, editora do jornal *The Washington Post.* "Ainda não acredito que cheguei aí", disse a Wyndham Robertson, da revista *Fortune,* referindo-se a seu posto no jornal. "Foi sorte. Sei que parece infantil dizer isso." ("The Ten Highest-Ranking Women in Big Business" – As dez mulheres mais bem-sucedidas no mundo dos negócios – abril de 1973.)

3. As faculdades onde foram observadas essas visões extremamente tradicionais e machistas foram: Brown, Princeton, Wellesley, Dartmouth, Barnard e Stony Brook – algumas das mais destacadas academicamente neste país. Os dados foram obtidos mediante uma extensa pesquisa conduzida em 1978 e apresentada em dezembro daquele ano numa conferência na Universidade Brown denominada "Women/Men/College: The Educational Implications of Sex Roles in Transition" (Mulheres/Homens/Faculdade: as implicações educacionais dos papéis sexuais na transição).

4. No ensaio supracitado, Horner menciona outros estudos (Tulkin, 1968, e Jenson, 1970) que indicam existir uma alta correlação quanto ao Medo do Sucesso entre homens negros e

mulheres brancas. O desempenho escolar não tem muita relação com os objetivos profissionais em nenhum dos dois grupos.

5. Essa informação foi publicada em "Psychological Barriers to Success in Women" (Barreiras psicológicas ao sucesso nas mulheres), de Matina S. Horner e Mary R. Walsh, numa antologia organizada por Ruth Kundsin *(Women and Success* – As Mulheres e o Sucesso – 1974).

6. Os filhos de Sulka talvez tenham mais com que se preocupar além de seu sustento físico. "Se existe uma mãe esquizofrenizante é aquela cuja falta de objetivos a leva a agarrar-se aos filhos com o desespero de alguém que está se afogando", diz Robert Seidenberg. "É negada à criança a possibilidade de executar um teste de realidade próprio, de aprender os próprios limites, e, por isso, frequentemente ela acaba fracassando na discriminação entre animado e inanimado. A criança trata o mundo como uma 'coisa', assim como foi tratada por uma mãe que não tem 'coisa' nenhuma. A mãe que tem alguma coisa é apta a comportar-se bem diversamente." (Com a palavra "coisa", o dr. Seidenberg não está se referindo a um pênis, segundo o modelo de Freud, mas a uma identidade própria, separada de seu relacionamento com os filhos, identidade essa originada num relacionamento com o mundo externo.) Ver "Is Anatomy Destiny?" (A anatomia traça o destino?) em *Psychoanalysis and Women*.

7. A dolorosa separação pelo divórcio geralmente ressuscita as "questões básicas quanto à identidade" em mulheres para quem o casamento era o ponto referencial básico, a principal definição do "eu". "Para a mulher que nunca realmente confrontou questões relativas à própria identidade, que passou da identidade delineada pelo papel de filha para a determinada pelo papel de esposa, o divórcio pode ser a primeira vez, em seu estar sozinha e em seu fracasso, em que ela enfrenta a definição de seus valores, de suas necessidades e de seus objetivos", escreve Bardwick em *The Psychology of Women*.

8. Extraído do estudo de Hoffman descrito nas Notas e Fontes do Capítulo 2.

9. As pioneiras na colonização deste país, tão decantadas por sua coragem, não eram, como se pensava, tão independentes psicologicamente falando. Tal como as mulheres modernas, quando seus homens estavam fora, elas conseguiam se *comportar* de modo independente a fim de sobreviver, mas isso não lhes agradava particularmente. As exigências da vida adulta abatiam-nas. Pelo menos isso é o que a historiadora feminista Julie Jeffrey descobriu ao investigar como aquelas pioneiras realmente se *sentiam* no que dizia respeito à vida delas. Antes de apagar a vela à noite, uma delas escreveu em seu diário: "Tendo sido sempre acostumada a ter alguém de quem depender, é uma coisa muito nova para mim cuidar de transações comerciais, e quanto isso me pesa!". Revelando extensas passagens de cartas e diários da época, Jeffrey mostrou que as pioneiras ansiavam por retornar às simples tarefas domésticas assim que os maridos regressavam dos combates com os índios. Decepcionada, Jeffrey conclui que era o lado doméstico "que dava significado à vida delas". O livro de Jeffrey, *Frontier Women* (As Pioneiras), foi publicado em 1979.

10. Mesmo a antropóloga Margaret Mead conscientemente procurava não parecer "competir" com os homens e se considerava mais feminina do que outras profissionais de seu tempo. Em livro autobiográfico, escrito em 1973, ela conta ter acabado de chegar de uma longa viagem ao campo. Ela e o marido, escreve, estavam "sedentos" por conversar. Contudo, ao se encontrarem com o antropólogo Gregory Bateson, Margaret discretamente pôs-se de lado, de modo que os dois homens pudessem passar a noite conversando "sem interrupções".

11. Discutindo este conflito moral em "Is Anatomy Destiny?" (ver página anterior), Seidenberg adverte: "Apesar da posterior educação mundana... estas primeiras lições familiares têm prioridade e só podem ser ultrapassadas por meio de vigorosos esforços autoexpiatórios".

12. Citações retiradas do artigo "When Homemaking Becomes Job N.º 2" (Quando as lides domésticas se tornam o emprego número 2), publicado no *The New York Times* e escrito por Leslie Bennetts (14 de julho de 1979).

13. "Marriage: What Women Expect and What They Get" (O casamento: o que as mulheres esperam e o que recebem), em *McCall's* (janeiro de 1980).

14. Um outro artigo na mesma série publicada no *Wall Street Journal* (1978) cita Kristin Moore, do Urban Institute, em Washington, D. C.: "O marido pode chegar a fazer parte das tarefas mais interessantes e desafiantes na casa, porém às mulheres ainda cabe a maior parcela do trabalho doméstico". A maioria das mulheres que trabalham fora ainda despende de oitenta a cem horas semanais trabalhando, somando as tarefas de casa com as do emprego.

15. Citações e dados estatísticos retirados do artigo de Nadine Brozan intitulado "Men and Housework: Do They or Don't They?" (Os homens e o trabalho doméstico: fazem-no ou não?). Esse artigo consta da edição de 1.º de novembro de 1980 do *The New York Times*.

16. Essa informação foi obtida no estudo conduzido por Wright a que nos referimos no texto e nas Notas e Fontes do Capítulo 2.

17. O artigo do *The New York Times* intitulado "A Record $3.2 Million is Pledged by Bantam for New Krantz Novel" (A Bantam ofereceu a soma recorde de 3,2 milhões de dólares pelo novo romance de Krantz) era acompanhado de uma fotografia da Sra. Krantz, tirada por Francesco Scavullo. O Sr. Scavullo não a fotografou passando roupa.

18. Citação tirada de *Working it Out*, editado por Ruddick e Daniels (1977).

19. A escritora Anne Taylor Fleming relatou um fenômeno assombroso no artigo "The Liberated Cook" (A cozinheira libertada), que escreveu para *The New York Times Magazine*: "Após encontrar emprego e analista e, em alguns casos, novo marido, as mulheres estão de volta à cozinha, cozinhando seriamente e com laivos de ternura. Talvez isso seja um ato de reparação. Talvez seja um refúgio contra as frustrações profissionais. Talvez cozinhar proporcione muito mais prazer do que a maior parte do serviço que elas têm de realizar em seu emprego. Para as mulheres que descobriram que o sucesso é menos recompensador do que o era em seus sonhos e que o escritório é menos hospitaleiro do que haviam imaginado, a cozinha subitamente reassume o caráter de lugar amigável, um canto seguros para se abrigarem ao fim de um dia desagradável". E o golpe de misericórdia: "As refeições e festas preparadas por essas mulheres mais facilmente propiciam-lhes elogios do que seu emprego. O marido aprecia, orgulha-se e emociona-se diante à visão da esposa cheirando a termento e com as maos sujas de farinha, mais os cabelos grudando devido ao vapor" (28 de outubro de 1979).

20. Algumas mulheres conseguem a façanha de ganhar altos salários e ainda manter a dependência básica desposando um homem extremamente rico e influente. Uma delas é Helen Gurley Brown, que, como editora-chefe da revista *Cosmopolitan*, certamente ganha o bastante para uma vida independente. Contudo, em relação ao marido (com quem está há vinte anos) David Brown, produtor de filmes, Helen prefere desempenhar o velho papel da esposa tradicional. Antes de sair correndo para o serviço todas as manhãs, ela prepara para ele o café da manhã de três pratos feitos "de sobras" – guisado de rosbife, torradas com queijo derretido e panquecas de couve-flor. Não se senta à mesa com ele, pelo que contou a um repórter

do *The New York Times*. "Sirvo-o como uma copeira". Explicando a reciprocidade que percebe no arranjo, acrescentou: "Mas David faz coisas por mim. Posso, por exemplo, dar cheques no valor que quiser, e ele nunca me questiona". ("To Breakfast or Not to Breakfast?" – Tomar ou não tomar o café da manhã? – por Enid Nemy, 25 de março de 1979.)

CAPÍTULO 7

1. A base deste capítulo final é a teoria de Karen Horney, segundo a qual a raiz das neuroses está no conflito – o combate travado entre impulsos com finalidades opostas. Uma tendência ao autorrecolhimento e à excessiva necessidade de amor, por exemplo, poderia conflitar com um impulso oposto no sentido de expandir-se, ser competitivo e, de algum modo, indiferente a essa necessidade de amor. Penso ser exatamente esta a situação em que se encontram as mulheres de hoje.

2. Era também, aparentemente, a situação em que se encontravam as mulheres nas décadas de 1930 e 1940, quando Karen Horney tanto trabalhava para modificar a visão psicanalítica sobre as mulheres. (Ela morreu em 1952.) Horney foi a primeira psicanalista internacionalmente conhecida a discordar de maneira fundamental da visão freudiana da psicologia feminina (ver, de Horney, *Feminine Psychology* – Psicologia Feminina) e a conceber um ponto de vista holístico-dinâmico em que o indivíduo e a sociedade, as forças internas e as externas, as influências presentes e passadas estão mutuamente interagindo e cujos efeitos sobre a personalidade – suas defesas e sintomas – não são facilmente anulados.

3. Num artigo intitulado "The Overvaluation of Love" (A supervalorização do amor), publicado em 1934 (*Psychoanalytic Quarterly*, vol. 3), ela começou a examinar à luz de seu conhecimento sobre pacientes do sexo feminino o problema das mulheres modernas na "sociedade patriarcal". Ela percebeu que muitas mulheres têm um desejo compulsivo de "amar um homem e ser amadas", desejo esse levado aos extremos. Elas são incapazes de manter relações boas e duradouras com os homens; são inibidas em seu trabalho e empobrecidas em seus interesses; frequentemente acabam sentindo-se ansiosas, inadequadas e até feias. Em alguns casos desenvolvem impulsos compulsivos de realização, os quais, em vez de serem executados por elas mesmas, são projetados sobre seu parceiro.

4. Em seu artigo seguinte "The Neurotic Need for Love" (A necessidade neurótica de amor), incluído em *Feminine Psychology*, Horney foi além nessa linha, distinguindo entre a necessidade sadia ou espontânea de amor e a necessidade compulsiva e autosservilista.

5. As feministas aclamaram Karen Horney porque ela se contrapôs à teoria freudiana da inveja do pênis. Ela também colocou mais ênfase nas situações de vida atuais e nas atitudes destrutivas, às quais os velhos impulsos infantis se associam para a *causação* da neurose. Concluindo, a teoria de neuroses de Horney é muito mais construtiva e otimista do que a de Freud. Nós a um só tempo causamos e mantemos a neurose em nosso interior; portanto, dentro de nós habitam as formas e os meios e a força para expurgá-la. (Ver o quarto livro de Horney, ponto culminante de sua obra, *Neurosis and Human Growth: The Struggle Toward Self-Realization* – Neurose e Crescimento Humano: a luta pela autorrealização, 1950.)

6. Horney mostra que diversos tipos de "empobrecimento" afligem a personalidade quando os conflitos permanecem não resolvidos: sensação de tensão, debilitação da integridade moral (frequentemente substituída por uma "pseudomoralidade" ligada à manutenção de simulações inconscientes, como a simulação de amar, de bondade ou de assumir uma real responsabilidade); e sentimento de desamparo. O desamparo provém do conhecimento (em algum nível) de que não adiantará promover apenas mudanças nas circunstâncias externas. Camada após camada de conflito foram se acumulando, e parece impossível libertar-se. O desamparo é experimentado como um constante ou crônico pessimismo, ou depressão, ou hipersensibilidade à decepção.

7. Uma descrição pormenorizada dos fatores envolvidos no processo de "elaboração" do conflito neurótico pode ser encontrada entre as páginas 230 e 233 de *Our Inner Conflicts* (Nossos Conflitos Internos), de Karen Horney (1945).

8. A história dessa parte da vida de Simone de Beauvoir, incluindo as citações diretas, é extraída de *The Prime of Life* (1976).

9. Horney, *Our Inner Conflicts*.

10. A citação de Pearl Primus consta de uma reportagem publicada no *The New York Times* de 18 de março de 1979.

11. Gerald Jonas, "Behind the Best-Sellers" (Por trás dos maiores sucessos de venda), no *The New York Times Book Review* (26 de outubro de 1980).

Esta obra foi composta em Joanna MT Std
e Mr Eaves San OT e impressa em papel
Pólen Natural 70 g/m² pela Visão Gráfica.